Encyclopédie du THEATRE contemporain

IL A ÉTÉ TIRÉ DE CET
OUVRAGE ✳ DIX EXEMPLAIRES HORS COM-
MERCE MARQUÉS DE A A J ✳ ET VINGT
EXEMPLAIRES NUMÉROTÉS A LA MAIN DE I A XX.

CET OUVRAGE EST ÉDITÉ
PAR « LES PUBLICATIONS DE FRANCE »
DIRECTEUR-GÉRANT : OLIVIER QUÉANT
IL EST DISTRIBUÉ
PAR « PLAISIR DE FRANCE »
13, RUE SAINT-GEORGES ✳ PARIS IXᵉ

Encyclopédie du THEATRE contemporain

dirigée par
GILLES QUÉANT
avec la collaboration de
FRÉDÉRIC TOWARNICKI
direction artistique et réalisation de
ALINE ELMAYAN

Volume I : 1850-1914

AVANT-PROPOS DE MADAME SIMONE
PRÉFACE DE LÉON MOUSSINAC

Témoignages inédits de : JEAN COCTEAU, de l'Académie Française ;
Mme DUSSANE ; PAUL FORT ; ROBERT KEMP, de l'Académie Française ;
FRANCIS DE MIOMANDRE

Avec la collaboration de : DENIS BABLET, ANDRÉ BOLL,
MARIE-FRANÇOISE CHRISTOUT, JACQUES DAMASE,
NINA GOURFINKEL, GEORGES LERMINIER, ANDRÉ VEINSTEIN.

COLLECTION THÉATRE DE FRANCE

Avertissement

Encyclopédie *du Théâtre contemporain* ». *Nous avons longtemps hésité à adopter ce titre... à deux tranchants. Évoquant la formule du dictionnaire, il peut rebuter les lecteurs qui n'ont guère l'occasion ni l'envie de se documenter sur le théâtre par ordre alphabétique, comme il peut attirer les professionnels qui hument l'* « *instrument de travail* » *précis et complet. Assurés de détromper les premiers, nous avons eu souci de ne pas décevoir les seconds. Ce livre diffère d'une encyclopédie courante que l'on consulte pour y puiser un renseignement précis, avant d'en claquer les lourdes mâchoires ; nous proposons ce qu'une somme de pure documentation ne saurait apporter : une synthèse vivante, une vision d'ensemble, le choix de l'essentiel et des figures de premier plan, la suggestion par l'image du* « *climat* » *et du style, le théâtre situé dans son cadre historique, ses liens avec la société et l'évolution des autres arts.*

Le théâtre : si ce mot pris ici dans son acception la plus large, puisque nous y incluons le ballet, l'art lyrique et même les variétés, ne précise pas les divers aspects de notre programme, il en indique les limites. Ces arts de la scène, nous les avons surtout envisagés dans la mesure où ils font partie de l' « *art théâtral* » *; le chant, la musique, la danse, arts qui ont leurs techniques propres, ont moins retenu notre attention que le jeu, la recherche du* « *lieu scénique* » *et l'unité du* « *spectacle* ».

Une histoire du théâtre contemporain qui commence au Romantisme, il y a peut-être là de quoi surprendre. En fait, de même que le théâtre d'aujourd'hui est né de la révolution du Théâtre Libre, celle-ci ne se comprend que si l'on évoque la situation du théâtre en France au cours de la période précédente. En France ? nous sommes-nous imposé de nouvelles limites ? Oui et non, car si le cadre de cet ouvrage ne nous permettait pas de nous étendre aux pays d'Europe et d'Amérique, nous ne pouvions, par exemple, passer sous silence l'œuvre des grands metteurs en scène et théoriciens étrangers, autres pionniers du théâtre contemporain.

Nous souhaitons que ce livre puisse se parcourir, comme un film qui instruit et divertit par le seul déroulement de ses images. Des essais de synthèse, servant de prologue et d'introduction, permettent de suivre dans ses grandes lignes l'évolution de l'art théâtral, sans s'arrêter au détail. On pourra y faire halte, ici ou là, et lire les études de spécialistes qui analysent l'œuvre des grands animateurs et développent les thèmes les plus importants. On y trouvera des témoignages de ceux qui ont connu le théâtre de cette époque et y ont pris part. Enfin, presque tout ce qui ne valait pas, à nos yeux, que l'on y consacrât un chapitre est commenté ou seulement situé dans trois chroniques où la Scène et la Petite Histoire s'entremêlent. Car, tout en nous appliquant à dégager l'essentiel, nous avons tenu à donner à cet ouvrage un caractère encyclopédique, confirmé à la fin de ce volume par un tableau synoptique et qui se précisera dans le second volume (à partir de 1914), où l'on trouvera un répertoire biographique ainsi qu'une complète bibliographie.

GILLES QUÉANT.

Voici un ouvrage qui par la beauté de ses
illustrations, par la valeur de ses paraphrases
contentera les esprits et rassasiera les curiosités, si les uns et les autres se montrent
dignes de lui —

Ici l'histoire du théâtre de ces 80 dernières
années est commentée avec la pertinence
et le soin que l'on n'accordait injustement
qu'aux arts plastiques.

Ce livre installe enfin l'art du spectacle
à une hauteur méritée —

L'on y voit naître, croître et dépérir les
diverses écoles où se reflètent les tendances
des générations, sans que jamais soit rabaissé
du niveau meilleur des distractions passagères
la représentation nourrie par les efforts de
l'auteur, de l'interprète et du metteur
en scène —

Que ce beau volume soit donc accueilli à la fois
comme une parole nourrissante et une musique
pleine de séduction puisque dans sa lumineuse
exactitude il redonne existence aux rêves
qui permirent à nos frères et sœurs d'apprendre
et d'aimer la vie !

[signature]

Préface

DE

LÉON MOUSSINAC

DIRECTEUR DE L'ÉCOLE NATIONALE SUPÉRIEURE DES ARTS DÉCORATIFS

ETTE *période de l'histoire du théâtre en France, qui s'inscrit entre la date de fondation du Théâtre Libre (1887) et celle du Vieux-Colombier (1913), ne saurait être bien comprise si ce qui l'illustre et porte sa signification était séparé de la vie économique, sociale et politique aussi bien que littéraire et artistique de la IIIe République. Une telle période est encore assez proche pour que rien d'essentiel n'en soit oublié, elle a enfin acquis assez de recul pour que s'en puissent dégager les valeurs vraies. Tout s'y mêle, et souvent s'y emmêle : du romantisme au naturalisme, du réalisme au symbolisme, de la recette au système, du mercantilisme au désintéressement, du cabotinage au style dramatique, de la vulgarité à la poésie. Tout, aussi, y révèle les contradictions de divers ordres : c'est l'époque où la bourgeoisie, s'étant ressaisie après la tragédie de la Commune, reprend la direction du pays et se proclame républicaine.*

Ces faits qui retentissent sur toute la vie française, le théâtre les reflétera directement ou indirectement. Cela justifie l'ambition et force le mérite des éditeurs et des collaborateurs du présent ouvrage, attentifs à présenter de façon originale texte et contexte, tout autant par les moyens de l'image que par ceux de l'écriture, et même du disque, afin d'atteindre le plus représentatif de ce que l'on doit savoir et comprendre. La primauté du visuel n'est-elle pas caractéristique du temps qui a précisément inventé le cinéma et perfectionné la photographie et les premiers moyens de reproduction mécanique ?

« La Grande-Duchesse de Gérolstein » (1868) fut un succès « européen » du Second Empire, parce qu'il combla les goûts de cette minorité parisienne et cosmopolite à laquelle on devait le développement d'un théâtre du plaisir où le demi-monde nouait ses intrigues, les plus futiles et les plus graves, tandis que sur le premier Boulevard, qui n'était plus guère celui du Crime, Margot continuait de donner ses larmes au mélo et de chercher l'oubli ou le bonheur aux funambules.

Contre l'exploitation commerciale, c'est-à-dire l'utilisation des « clichés » qui font rire, des procédés et des recettes faciles, ont surgi, par réaction contre le règne de la galanterie et l'hypocrisie de l'argent, des expériences isolées, généreuses, enthousiastes, désintéressées. Le temps s'est prolongé des grands acteurs, des grandes tragédiennes ou comédiennes, des grands chanteurs, des divas et des étoiles de la danse.

La tragédie est quasi morte, elle ne connaît de sursauts que par la vertu de l'interprétation de quelques artistes exceptionnels. Le théâtre littéraire use ses traditions dans le courant de succès injustement oubliés. Le drame et la comédie bourgeoise épuisent leurs variations en y introduisant parfois des « questions du jour ». Le vaudeville continue. Ce qu'on a appelé « le théâtre d'idées » suscite les polémiques. La satire s'essaie sans danger jusqu'au « théâtre mufle ». Les riches spectateurs n'ont rien à redouter de son reflet : ils peuvent se moquer d'eux-mêmes. Les mots « rosses » vont circuler librement de la scène au cabaret, qu'il s'agisse du scandale de Panama, des bombes de l'anarchie, du procès de l'affaire Dreyfus, des discours de Jaurès contre l'injustice de la société et les crimes de la guerre. L'Opéra étale ses conventions diverses, les théâtres officiels cèdent au conformisme au nom du respect des traditions. La danse, qui a conquis son autonomie, dégénère jusqu'au choc éblouissant des Ballets Russes (1909). Les peintres sont montés définitivement sur le plateau et y prolongent leurs passionnantes recherches plastiques. L'électricité facilite la révélation des jeux de lumière dans la féerie exemplaire de la Loïe Fuller. La machinerie se perfectionne et se complique. L'esprit expérimental trouve ses applications et révèle souvent son originalité chez l'amateur plus que chez le professionnel. Par réaction contre les poncifs du théâtre de digestion et le métier de la comédie en 3 actes à 3 personnages, les poètes, les romanciers, les musiciens aussi abordent la scène en plus grand nombre. D'où polémiques, heurts et petites bagarres. L'ère d'autorité du metteur en scène s'annonce et ouvrira une querelle qui ne cessera point... Les choses du théâtre intéressent déjà à ce point le public qu'un quotidien leur est consacré : Comœdia (1908).

On peut dire que le théâtre contemporain, pour ce qui est de la spécificité des moyens d'expression scéniques, dans l'essentiel des expériences entreprises au plus haut, a été dominé par les idées nouvelles du Suisse Appia, de l'Anglais Gordon Craig et du Russe Stanislavski. Il s'agit pour les uns de « rethéâtraliser » le théâtre au besoin contre les auteurs vivants en se servant des œuvres entrées récemment ou non dans le répertoire universel, pour les autres de découvrir des moyens nouveaux d'exprimer la vérité de la vie ou de la transfigurer.

A ce propos, on ne saurait minimiser l'influence des échanges internationaux, les révélations d'œuvres inconnues, le génie d'artistes et d'auteurs étrangers. Il ne faudrait pas non plus se méprendre sur le sens de l'accession plus générale aux vertus du spectacle de la part de foules toujours nombreuses et de plus en plus mêlées. L'exemple d'Antoine a suscité, en effet, l'apparition de divers théâtres populaires en Europe, dont la réussite, souvent durable, a développé une certaine illusion sur les moyens possibles « d'accès du peuple à la culture », tandis que les conditions sociales, économiques et politiques n'étant pas réunies, rien ne pouvait garantir la vie d'un théâtre à la fois national et populaire. Michelet, sans doute, avait déjà rêvé d'un tel avènement. Le rêve s'est poursuivi et, depuis, l'idée a creusé son sillon... Il reste que les initiatives de tous ordres, individuelles ou collectives, se sont heurtées, tout autant que celles du mécénat, à des préjugés et à l'indifférence du public, sinon à l'hostilité de l'État. D'où leur existence brève, mais pourtant porteuse de fruits.

Aussi, en imposant son « tréteau nu », au moment même où s'accusait la crise du théâtre en France, au bénéfice des spectacles de tous genres, au moment où de nouvelles formes s'élaboraient, se cherchaient sans s'affirmer encore, Jacques Copeau annonçait une nouvelle période d'histoire, nourrie elle aussi sans doute de contradictions, de succès et d'échecs ; mais où la vie française du théâtre devait s'illustrer de nombreux exemples, les meilleurs et les pires, et où se pouvaient discerner parfois les premiers signes « d'un art nouveau pour un monde nouveau ».

LÉON MOUSSINAC

Un mélodrame classique : « Gaspardo le Pêcheur », de Bouchardy (1837).

DU DRAME ROMANTIQUE AU THÉATRE BOURGEOIS

Il fallait inventer un théâtre nouveau.
PIXÉRÉCOURT

TANDIS QUE DEPUIS LONGTEMPS BALZAC ET STENDHAL OBSERVENT LA LENTE montée de la bourgeoisie commerçante et industrielle, dont les victoires sur l'aristocratie seront vite assombries par la prolifération sur sa gauche d'ennemis plus inquiétants encore — une formidable poussée s'exerce sur l'univers littéraire, qui, face à l'Europe mouvante issue de la Révolution, se cherche un style nouveau. Un courant fait de cent lignes de forces contradictoires entame peu à peu l'écorce du vieux monde et déferle sur les cénacles parisiens, qu'il amène à eux-mêmes et aux chefs-d'œuvre étrangers. Naturisme des Encyclopédistes, réalisme sentimental anglais, rêverie métaphysique des Allemands, christianisme révolutionnaire, magie, surnaturel, chevalerie, libéralisme vont se combiner partout en d'infinies nuances. Le mal du siècle, la vulgarité bourgeoise entraîneront les uns vers les révoltes hautaines de l'art pour l'art ; d'autres voudront parler au peuple et choisir le combat social.

1830. Quelques mois séparent les échecs de juillet du triomphe d'Hernani. Le financier Laffitte annonce que le règne des banquiers commence.

Eb bien ! Monseigneur, la trouvez-vous encore belle ?

Elle me résistait... Je l'ai assassinée !

De gauche à droite : « Antony », d'A. Dumas (1831), avec Bocage et Marie Dorval, (Lit. de Lemercier, d'après A. Johannot.) « La Jolie Fille de Parme », mélodrame (1832). « Le Testament de César Girodot », de Balzac, à l'Odéon (1859), détail du dessin de Belin.

Les poètes concentrent leurs coups sur le théâtre, où le classicisme joue ses dernières cartes. « Le goût en France attend son 14 Juillet », écrivait *Le Globe* en 1825, et Stendhal : *il nous faut un autre théâtre, si nous voulons nous voir*. Mais celui de Mérimée reste sur le papier, et le four de Musset, en 1831, enterre pour soixante-cinq ans *Lorenzaccio* chez les libraires. Mais *Le Rouge et le Noir* est un roman. Mais Thiers et Guizot ne sont pas des poètes. Et sur l'Europe, où l'action révolutionnaire déracine la tragédie, Büchner passe comme un éclair. Alors que va-t-on voir ? Annoncé par le nom partout claironné de Shakespeare, surgit celui que Romain Rolland appelle le Capitan Matamore de l'Art français : le drame romantique. Il perce sous l'œil catastrophé des conservateurs. Le Matamore a deux têtes : Hugo et Dumas. Le premier sait faire une pièce et a le don — insurpassé — du « suspense » ; le second possède le style et du génie, et fait crever l'autre d'envie. Au nom de « la nature et de la vérité », il pulvérise deux unités sur trois, mélange les genres pour peindre *l'homme complet*, reflète le désarroi de la jeunesse à travers d'éclatantes facettes qui ne forment peut-être pas un seul diamant. Il s'empêtre dans ses contradictions et parfois son style seul le distingue du mélodrame ; sincèrement, il croit que ses gueux ébranlent l'ordre social et que ses feuilletons dévoilent la marche de l'histoire.

Le Boulevard du Temple, détruit en 1862, appelé Boulevard du Crime, à cause des fleuves de larmes et de sang qu'on y répandait sur scène entre six heures et minuit. A droite, le mime Debureau à l'avant-scène des Funambules, en 1840. (Eaux-fortes de Martial. Bibl. Nat.)

Et pourtant, généreusement, il entraîne avec lui toutes les idées nouvelles. Le cataclysme salutaire durera une quinzaine d'années ; mais ses dérivés, mélo, sous-produits, drames patriotiques hanteront les scènes des faubourgs jusqu'à la fin du siècle et véhiculeront jusqu'au peuple la morale de la bourgeoisie en d'innombrables « tableaux ». Annoncé par Théophile Gautier, le temps des spectacles « purement oculaires » était lui aussi venu.

Il faudrait faire l'inventaire complet de ce qui s'est passé entre 1810 et 1862 sur le Boulevard du Crime, ainsi nommé par les Parisiens à cause des fleuves de sang qu'on y répandait sur scène entre six heures et minuit. Que furent cette *Éruption à Pompéi*, cette *Peste à Marseille* (1828) chez Pixérécourt ? Ses *Réflexions de l'auteur sur le Mélodrame* annoncent aussi bien les ingérences scéniques d'Hugo et de Dumas que les droits dictatoriaux du metteur en scène moderne : « Une pièce de théâtre ne peut être bien pensée, bien faite, bien dialoguée, bien répétée, bien jouée que sous les auspices et par les soins d'un seul homme ayant le même goût, le même jugement, le même esprit, le même cœur et la même opinion. » Que furent les spectacles d'optique et les dioramas ? Ce *Frankenstein* (1826) monté avec toute une machinerie anglaise ? Les entreprises géantes de ces régisseurs des boulevards, chez qui Antoine dira trouver les premières traces de « souci théâtral du milieu », devaient conduire la scène tout droit au machinisme, et le théâtre, dans l'abîme. Ils émerveillèrent Théophile Gautier, Nerval, George Sand... Il y eut *Le Naufrage de la Méduse* (1839), qui rendait, raconte G. Sand, « jusqu'à la couleur d'un Géricault » ; les tableaux des *Bohémiens de Paris* (1843), avec la perspective lunaire de la Seine vue du pont Marie ; les changements à vue de *Mandrin*, où l'on passait presque instantanément d'une cave sinistre à une royale chambre à coucher, qui devenait elle-même une forêt. Dans un délire de réalisme tout mécanique et que vient, après 1820,

Un des derniers dieux du mélodrame : Paulin Ménier.

11

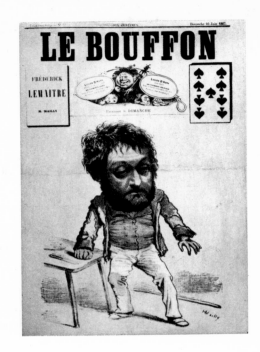

L'OEIL CREVÉ
LES
PAUVRES DE PARIS
FUALDÈS
LE CHEVALIER DE MAISON-ROUGE
LA JEUNESSE
DES
MOUSQUETAIRES

N'eût été l'éclairage à l'huile, qui imposait certaines contraintes à la plantation, nul doute qu'on ne soit arrivé tout de suite aux décors construits et réalistes du début de notre siècle.

P. SONREL.

Frédérick Lemaître (1800-1876) dans le rôle de Robert Macaire. Assassin dans « L'Auberge des Adrets » (1823), il n'est plus que fripon dans « Robert Macaire » (1834). A droite : dans « Trente ans de la Vie d'un Joueur »; son jeu annonçait les audaces du Théâtre Libre.

compliquer l'utilisation progressive du Gaz, les disciples de Cicéri et de Dumas multiplièrent foudres, marées grondantes, sabbats (mis à la mode par Delacroix), pluies de feux, inondations, faux gothiques, car il fallait frapper vite et fort un public de plus en plus pointilleux sur la marchandise. Le vœu du prologue de *Faust* — « n'épargnez aujourd'hui ni décoration ni machine » — sera exécuté à la lettre. Ici encore, les événements de 1830 et la suppression de la censure marquent une coupure dans le style théâtral du Boulevard. Tandis qu'à la Porte Saint-Martin sont maîtres de l'heure *Antony* (1831), *Richard d'Arlington* (1832), *La Tour de Nesles* (1832), *Marion Delorme* (1831), *Lucrèce Borgia* (1833), *Marie Tudor* (1833) et qu'au Gymnase les vaudevilles de Scribe poursuivent sans faiblir leur trajectoire dorée, disparaissent peu à peu « les mélodrames effarants, les vaudevilles douceâtres, les tyrans féroces, les orphelines persécutées, les enfants au berceau, les colonels de

LE COURRIER DE LYON

CARTOUCHE

LE BOSSU

trente ans, les muets, les idiots, les bergères des Alpes, les brigands vertueux, les hommes masqués, les souterrains ruisselants d'or, les palais de Venise... » (G. Cain). Derrière les grands romantiques s'implantent au Temple les nouveaux (mélo) dramaturges du Boulevard : voici les Bouchardy, Frédéric Soulié, puis les Paul Meurice, d'Ennery, Eugène Sue. Leur recette ne variera pas jusqu'à la fin du siècle. Cette lutte du bien et du mal, où le bien triomphe à travers une série compliquée de hasards et d'interventions providentielles, le tout mêlé de sensiblerie morale et de propagande contre l'ancien régime, est un miroir existentiel fidèle de la société bourgeoise, de sa marche et de ses mythes. Gros drames à sensation de Bouchardy (Théophile Gautier disait que Bouchardy était à peu près à Hugo ce que Marlowe est à Shakespeare ; mais L. Halévy citait de lui ces deux répliques : « Prends pour fuir ce sentier connu de Dieu seul » et « Dieu m'a donné deux armes terribles pour combattre mes ennemis » : la fuite et la résignation ») ; nuée criarde des pièces patriotiques où reparaît (pour un siècle) *l'homme* que, sous la Restauration, *la pudeur empêchait de nommer :* Napoléon ; enfin les drames historiques de d'Ennery — on lui attribuait des coups de génie — de Moreau, de Meurice, et sous la poussée sociale, les cauchemars populistes de tous les Eugène Sue. De *Gaspardo le Pêcheur* aux *Mystères de Paris* (1844) — la plus mauvaise pièce du monde, selon Balzac — du *Courrier de Lyon* (1850), aux *Étrangleurs de Paris* (1880), jusqu'à la *Porteuse de Pain* et au *Maître de Forges*, le moule est unique. Beaucoup n'auront eu que le génie de leurs acteurs. Car, du plus beau drame romantique aux navets les plus célèbres, court un autre fil conducteur qui traverse le demi-siècle : le génie de Frédérick Lemaître, Bocage, Mélingue, Marie Dorval. Ils auront été les dieux du Boulevard — Robert Macaire, Antony, Ruy Blas, Kean, Borgia, la reine Margot, Richard d'Arlington, le Bossu... Leur contact avec le public populaire les conduisit à un jeu qui parut alors si simple, si naturel, que Jules Janin parlait de révolution dans l'art dramatique. Voici comment les voit — perfidement — *Le Courrier des Théâtres* en 1835 : « On s'est présenté naturel sur la scène, on s'y est assis sur les tables, sur les bras des fauteuils, on s'est couché en parlant, on a tourné le dos au public, on s'est peigné avec les doigts, on a joué sans rouge, on a laissé croître barbe et moustache, on a adressé la parole aux loges au beau milieu d'un rôle, enfin on a été nature. » Mais lorsqu'en mai 1840, à une répétition du Gymnase, Boccage voulut lui aussi « jouer à l'anglaise », c'est-à-dire librement, il souleva un tel mécontentement, rapporte G. Cain, qu'il dut continuer « à la française », face au public, et se remettre à parler, sans trop les regarder, aux autres acteurs.

Si Alexandre Dumas et Solomé, régisseur aux quatre cents livrets, sont les metteurs en scène-type de la période romantique, c'est Cicéri, chef du service des décors à l'Opéra, qui donne sa forme au nouvel espace scénique. Comme Servandoni, il variera la plantation des décors et ouvrira à la perspective des espaces infinis. Il s'imaginera travailler dans l'exactitude la plus scrupuleuse et on le croira à

LE PRINCE EUGÈNE
ET
L'IMPÉRATRICE JOSÉPHINE

BONAPARTE EN EGYPTE

L'HISTOIRE D'UN DRAPEAU

LES COSAQUES

A gauche : effet de perspective attribué à Servandoni (1695-1766). A la vue symétrique du XVIIe siècle, le premier, il substitue la vue « oblique » et diversifie la plantation des décors. Ceux-ci entrent dans l'action. Grâce aux premiers plans architecturés, les acteurs jouent à l'intérieur de ses palais. A droite : décor de Cicéri (1782-1862) et Léger pour l'acte IV d'« Hernani » (1830), au Théâtre-Français, sous la direction du Baron Taylor, dont le réalisme « effrayait ».

cent lieues de l'archéologie idéale d'Isabey. Il dirigera cette famille de peintres scénographes qui rompront avec l'Olympe, « les éternels paysages toujours du même vert, du même ciel et de la même symétrie d'arbres » et ces miniatures maniérées qui écœuraient Stendhal. C'est le règne de la toile peinte, celui du chiffre. Le décor devient un tableau aux perspectives adroitement combinées ou faussées pour l'optique du théâtre. Ciceri formera les Séchan, Dieterlé, Feuchères, dont Gautier disait qu'ils étaient « les Delacroix, les Cabat de la peinture de théâtre » ; ils découvriront la force de l'éclairage, joueront par plans de lumière et d'ombre. Pour le « Théâtre Historique » d'Alexandre Dumas (1847-1850), ils se surpasseront : tableaux de l'élection d'un membre du Parlement en Angleterre dans *Richard d'Arlington* (1832), suite de *La Tour de Nesles* (1832) ; reconstitution en 1837, au Théâtre-Français, d'une Rome de cirque (on dût empêcher Dumas de faire monter des chevaux sur la scène !) ; tribunal révolutionnaire du *Chevalier de Maison-Rouge* (300 figurants) ; décorations grandioses de Ciceri pour les sept heures de *Don Juan de Marana*, etc. Puis viendront les Cambon, les Philastre, aux architectures colossales, et leurs continuateurs, qui franchiront tranquillement le siècle. Archéologues, ethnographes seront consultés pour réaliser les objectifs réalistes du drame romantique. Le lieu idéal du classicisme ne s'inscrit plus dans l'écriture nouvelle. Plus de lieux vagues : on veut des sites exacts. Tirées de l'ombre sous la pression du monde qui change, les choses, mal récupérées, prennent leur revanche. A l'échelle scénique, couleur locale géographique et brisure des trois unités donneront le bric-à-brac puis le culte des accessoires. Aux premiers signes d'incohérence, la folle caravane des objets commence son irréversible progression. Et, plus les accessoires se multiplient (d'abord peints en partie sur la toile), plus la toile aux fioritures précises les contredit. A la limite, signes et objets réels s'annuleront dans les pires laideurs qu'un néant de style ait jamais produit. Akakia Viala note que tout ce luxe scénique attire, vers 1835, l'attention sur les décorateurs, jusqu'alors négligés par la critique. Mais déjà quelques voix protestent. « Pour être un grand poète, il faudrait quelque chose de plus que cinquante cierges et quelques aunes de velours. » On souhaite un théâtre « sans costumes, sans trappes, sans décorations, un théâtre littéraire enfin ». On critique les « barbouilleurs de toile peinte » : « c'est toujours le même

Les peintres-scénographes, continuateurs de Cicéri, multiplient les virtuosités. Leur règne — celui de la toile peinte et de la perspective — durera jusqu'aux Ballets Russes. A gauche : décor de Philastre et Cambon pour « Le Drapier » (1840), opéra de Scribe, musique de F. Halévy, à l'Académie Royale de Musique. A droite : « Les Trois Quartiers », acte II (1825). Le salon d'un banquier de la Chaussée-d'Antin. Un des premiers essais de réalisme scénique du Baron Taylor.

coloris mou, flasque, cette affadissante mollesse de pinceau, ces tons ternes inanimés qui ne ressemblent et n'appartiennent à rien. Et quelle architecture ! » Pour *La Juive* (1835), où apparaissent les premières vraies armures, Delacroix parle d'un « ramassis de friperies fort étranger à l'art ». On rejette cette *nature rabougrie et grimacière*, cette *peinture de chevalet figée dans de nouvelles conventions, dépourvue de poésie.* « Nous autres bourgeois de 1840, écrira Théophile Gautier nous avons l'imagination un peu paresseuse. »

Mais cependant que sous la pression du drame historique le réalisme scénique gagne du terrain, et qu'à partir surtout de 1834 se développent l'ornementation exacte et le magasin des accessoires, la bourgeoisie, à qui la révolution de 1848 assure stabilité et victoire, amorce au théâtre un nouveau tournant : elle fonde à la fois *son* théâtre et *son* public, et ses auteurs lui composent un visage à partir duquel elle se définira. L'ascension des classes moyennes sonne l'heure du Père Poirier. C'est celle d'Émile Augier, de Dumas Fils, et celle des chefs-d'œuvre de Labiche (*Le Chapeau de Paille d'Italie* (1851), le *Voyage de M. Perrichon* (1860). Ce sera bientôt l'heure de Victorien Sardou et des comédies légères de Meilhac et Halévy. Alors — sur les traces de Balzac — commence au théâtre ce que J. R. Bloch appelle «l'inventaire de la nouvelle société». Le drame romantique, rejeté vers les faubourgs, devient le jouet des parodistes. Aux éclats de ceux à qui on reprochera leurs «rondes folles dans une cathédrale fantastique », succède l'honnête discussion de « quelques problèmes de morale domestique et sociale, posés et non résolus par la société nouvelle ». (R. Rolland). Cette société... celle où le Mercadet de Balzac dit : *Les mines d'or ne sont plus au Mexique, mais place de la Bourse,* et qu'on décrira comme une rue Quincampoix élargie, où tout le monde spécule et où « toute richesse qui n'augmente pas est condamnée à disparaître ». Émile Augier, lui, voit deux obsessions : L'Argent et la Famille. L'un menace l'autre. Augier s'indignera contre l'argent (mal acquis ou mal investi) et se fera l'Avocat de la Famille pour le plus grand bien de l'ordre social. Après les succès de Dumas fils avec *La Dame aux Camélias* (1852), il s'engage franchement sur la voie de la comédie de mœurs : thèses sur le divorce, drames de l'argent, etc. A son tour, mais avec une passion de mission-

Chemins de fer et fortunes rapides accroissent les besoins de consommation sensuelle.
DUMAS FILS

« Qui défraye ton luxe infâme?... Chose horrible, j'en suis réduit à ne plus compter avec la chute, tant la faute disparaît devant l'énormité de la honte. Tu n'es même pas la femme adultère, tu es la courtisane ! »
E. AUGIER

naire, Dumas fils veut poser les bases morales de la nouvelle société. Chacune de ses pièces est une démonstration. Lui aussi peint la corruption et prend les spéculateurs pour cible : adultère et prostitution sont les seules issues d'un mode de vie où « des affaires de cœur il ne reste plus que les affaires, une transaction qui grossit le commerce et l'industrie ». (Préface, 1867). Quinze ans après *La Dame aux Camélias*, il avoue que sa pièce ne pourrait déjà plus être écrite : « Ce n'est plus une pièce, c'est une légende. » Et il affirme : « Marguerite Gautier avait été grisette, c'est pourquoi elle avait encore du cœur. » Le grand responsable de cette dégradation, c'est le code civil : rien n'y protège la femme. Dumas propose pour elle la conscription ! Et sur la scène, les nouveaux personnages émergent avec d'autant plus de force que partout règne la pire hypocrisie. Du Mercadet de Balzac, fils de quelque petit employé, à Guiraud, homme du peuple enrichi (Dumas fils, *Question d'Argent*) ; de Vernouillet, issu des classes moyennes, qui achète un journal, usine à fausses nouvelles (Augier, *Les Effrontés*), à d'Estrigaud, l'aristocrate viveur, administrateur de quatre ou cinq sociétés financières, on peut suivre sur l'écran de ces pièces la trajectoire de ces hommes d'argent dans la jungle capitaliste et les télescopages de classe que provoque leur brutale ascension. Mais en 1861, déjà, voici Victorien Sardou, avec toutes les ressources de Scribe, dont le spectre plane sur toutes les ficelles du siècle. Homme de métier aux constructions impeccables, Sardou, après un passage dans la comédie de mœurs qui lui vaudra l'admiration de Becque, devient l'homme à tout faire du Second Empire, dont il reflète, avec beaucoup d'esprit, les bouleversements. Il ressuscite le Vaudeville, que n'auront pu abattre les concessions formelles d'Augier, de Dumas fils, dont les peintures de mœurs courageuses s'inscrivent dans des intrigues mesquines au dénouement conventionnel, quand ne les tue pas ce qu'on a vite appelé « la maladie du style écrit » ou « le dialogue d'appartement ». Sardou prendra la relève du (faux) drame historique — catacombes, forteresses, poison, tortures, tombeaux — triomphera avec *La Tosca*, *Théodora*, etc., ira aux nues avec *Madame Sans-Gêne* (1893), cependant qu'Augier et Dumas fils sont depuis longtemps entrés dans l'ombre.

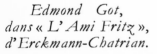

Sur la voie qui conduit à la comédie de mœurs, l'évolution scénique se poursuit. « Au Gymnase, voici ce qui se passe dans le salon nankin, à moins que ce ne soit dans le salon vert..., tout le monde sait que ce sont les deux seuls décors que se permette le théâtre du Gymnase. » Ces phrases d'Alphonse Karr, évoquant en 1825 la scène attitrée de Scribe, permettent de mesurer, en cette même année, l'exploit du baron Taylor, commissaire royal et directeur des Comédiens-Français : avant ses directives pour *Hernani*, sa mise en scène de *Léonidas* unifie décoration nouvelle, costumes et musique ; celle des *Trois Quartiers* reproduit le luxe réel d'un salon de banquier de la Chaussée-d'Antin. Ce fut, selon Akakia Viala, un véritable coup d'état. La voie semble tracée, qui va des roseaux vrais de Ciceri (ballet de *Gisèle*) et de la soupière fumante de *L'Ami Fritz* aux reconstitutions de Victorien Sardou. Peu à peu, à partir de 1834, surtout au Gymnase (Montigny), le mobilier apparaît, les accessoires envahissent le plateau. Viala note encore que Balzac donne lui-même dans *La Marâtre* (1848) « la mesure du double tapis qu'il jugeait indispensable pour la mise en scène » ; que les comédiennes « font de la tapisserie au lieu de tenir mouchoirs ou éventails... », etc. Enfin pour achever l'illusion, A. Houssaye tiendra à mettre sur la scène des « meubles de style et de prix ». Ainsi se compose de toutes pièces le décor Augier-Dumas, moitié peint, moitié réel. Il sera le cauchemar d'Antoine : salon carré à deux ou trois plans, trois portes à deux battants s'ouvrant au fond, ouverture des deux côtés. Cadre médiocre pour toutes les comédies. A présent, les jeux sont faits. Le Théâtre Libre tentera de surmonter l'absurde contradiction entre les fioritures de la toile peinte, l'acteur et l'accessoire réel — non pas comme plus tard l'Œuvre, en niant le principe même de l'imitation, formule moderne — mais en poussant le réalisme vers sa limite absolue : exactitude naturaliste et illusion scénique parfaite.

LES PIONNIERS

ANTOINE
LUGNÉ-POE
STANISLAVSKI
CRAIG ✳ APPIA
REINHARDT
FUCHS ✳ ERLER

EDWARD GORDON CRAIG PRACTISED SEVERAL CRAFTS · 1889 TO 97 WAS ACTOR · 1893 TO 1926 WAS METTEUR-EN-SCÈNE I.E. PRODUCED PLAYS AND OPÉRAS · WAS DESIGNER OF SCENES AND COSTUMES · AND WAS WOOD ENGRAVER · COMPOSED SOME TUNES · WROTE SOME BOOKS · MADE SOME ETCHINGS 1906 TO 12

EGC · ROME · 1919

1878 * 1894

CHRONIQUE ILLUSTRÉE

L'EXPOSITION UNIVERSELLE

Entre 1867 et 1900, trois expositions universelles témoignèrent de la vitalité croissante de la Troisième République, du développement prodigieux de la science, de l'industrie et de l'expansion économique française. Celle de 1878 aida la France à se remettre du désastre de 1870, celle de 1889 coïncida comme par miracle avec la fin du boulangisme, l'« Expo » de 1900 inaugura féeriquement une ère de détente après la tragédie de l'affaire Dreyfus.

Ainsi tous les dix ans, sur un chantier prédestiné des bords de la Seine, entre Chaillot et Grenelle, on se mit à bâtir en hâte des palais de fer et de stuc. Chaque fois on déplorait les dépenses engagées et l'on craignait de ne pas être prêts à temps. Avant chaque ouverture, les ouvriers terrassiers se mettaient en grève, bientôt suivis par les maçons et les cochers. A dix ans d'intervalle, de Mac-Mahon à Félix Loubet, trois messieurs barbus, juchés sur une tribune d'honneur, déclaraient « l'Exposition ouverte» devant une foule d'habitués. Autant de coups de baguette magique mettant un terme provisoire aux malaises sociaux, aux problèmes politiques, aux dissensions et au fanatisme de la « revanche ». Trêve, récréation, fête ! Les poitrines se gonflaient d'espoir dans la nation républicaine, la miraculeuse Machine et la Fraternité universelle.

1878. Le premier éclatement d'allégresse fut le plus délirant. « Après sept ans de deuil, de honte, de tristesse et d'âpre lutte politique, écrit un témoin de la Commune, la France, qui avait pansé ses plaies et payé sa rançon, se reprend à espérer, à songer à autre chose qu'à l'horrible cauchemar de l'année terrible, qui peu à peu s'efface dans la brume du passé. » On dansa dans les rues. On pavoisa. Paris s'illumina de lanternes vénitiennes. On entonna des hymnes à la paix :

Livrons-nous à l'espérance
Du bonheur du genre
[humain
Au rendez-vous de la
[France
Peuples donnez-vous la
[main

Les merveilles de la nature,
De l'industrie et des
[Beaux-Arts,
Des trésors de l'agriculture
Ornons nos palais, nos
[bazars

Montrons à l'Europe
[étonnée,
Avec orgueil, avec fierté,
Que notre France est
[couronnée
Pour la Paix, pour la
[Liberté.

D'innombrables machines à vapeur, un ballon captif géant, le Trocadéro. Certes, il y avait de quoi griser la foule parisienne et internationale. Pourtant les vraies merveilles s'accomplissaient à l'insu du public : après avoir inventé le phonographe, Edison venait de créer la lampe électrique, Pasteur était en train de découvrir le principe des vaccins.

DANS LA TRIBUNE D'HONNEUR, AU TROCADÉRO — QUI VIENT D'ÊTRE ACHEVÉ — MAC-MAHON INAUGURE L'EXPOSITION UNIVERSELLE DE 1878.

LA GALERIE DES MACHINES AU PALAIS DU CHAMP-DE-MARS (L'ILLUSTRATION).

LA CRÉATION DE «L'ASSOMMOIR», DE ZOLA (1879) : LA SCÈNE DES BLANCHISSEUSES.

JUDIC (1850-1913) ET THÉRÉSA (1837-1913), LES DEUX REINES DU CAFÉ-CONCERT. LA PREMIÈRE TRIOMPHA AUSSI DANS L'OPÉRETTE, LA SECONDE RESTA FIDÈLE A LA CHANSON BURLESQUE.

En fait, l'Exposition de 1878 fut l'occasion pour la France de fêter la République, que le maréchal de Mac-Mahon lui-même venait d'accepter. Les dernières élections partielles marquaient un net recul des bonapartistes, et une majorité républicaine s'affirmait à la Chambre. Ce glissement vers la gauche était le signe d'une profonde et lente transformation sociale. La vieille bourgeoisie née de la Révolution de 1789 et devenue conservatrice et cléricale, par un de ces classiques renversements de l'histoire, se trouvait peu à peu dépassée par une nouvelle couche sociale bourgeoise issue du peuple, de tendances libérales et laïques, qui allait constituer la classe moyenne.

Ainsi deux grands courants antagonistes allaient régir l'histoire de France jusqu'à 1900 et au delà : l'un, conservateur, nationaliste, militariste, l'autre, démocratique, social et libéral. Les Français devaient en prendre une conscience aiguë lors de cette fameuse crise qui les divisa en deux camps ennemis : l'affaire Dreyfus, crise suivie d'un apparent dénouement mais dont les symptômes se prolongèrent au moins jusqu'à la « Grande Guerre ». Ce conflit, nous le retrouvons au théâtre, reflet de la vie sociale.

En 1878, année de l'Exposition, les trois Grands : Augier, Dumas et Sardou, régnaient encore. Les *Fourchambault*, du premier, triomphaient à la Comédie-Française, où l'on reprenait, du second, *Le Fils naturel*, *Le Demi-Monde* et *L'Etrangère*. Cependant, au Gymnase, *La Navette*, de Becque, se heurtait à une critique « écœurée », et le Palais-Royal faisait un four avec *Le Bouton de Rose*, de Zola.

Ainsi, tandis que le théâtre bourgeois se prolongeait sur les grandes scènes et continuait à plaire à un public fidèle, avaient lieu les premières manifestations du réalisme au théâtre. Les offensives de Zola, depuis *Thérèse Raquin*, en 1873, étaient généralement brisées dès la première représentation, où se rendait le Tout-Paris littéraire et mondain. A ce public vite hérissé par les objets mêmes de sa curiosité, se mêlait une critique généralement hostile

Mme GALLI MARIÉ, CRÉATRICE DE « CARMEN » A L'OPÉRA-COMIQUE, EN 1875.

qui, dénonçant les faiblesses de ces « adaptations », provoquait un scandale. Mais le public payant ne les suivait pas toujours, surtout celui des galeries. C'est ainsi que, en 1879, *L'Assommoir*, démoli par Sarcey et ses collègues, obtenait les

SOPHIE CROIZETTE (1848-1891), GRANDE JEUNE PREMIÈRE DE LA COMÉDIE-FRANÇAISE.

suffrages du public populaire, qui lui assurait cent représentations, chiffre considérable à l'époque. Par-dessus les mines scandalisées de ses censeurs, furieux que l'on portât sur la scène un sujet aussi terre-à-terre que les méfaits de l'alcoolisme, Zola triomphait enfin et, pour se venger, les invitait à fêter la « centième » au bal de l'Élysée-Montmartre, « les hommes, en ouvriers, les dames, en blanchisseuses ».

Pour les mêmes raisons, en 1875, *Carmen* avait failli être un insuccès. Habitué aux fadaises du vieux drame lyrique, le public de la « première » avait été choqué par les accents de vérité de certaines scènes, et son accueil avait été glacial.

C'est ce même public qui favorisa l'échec des *Corbeaux*, en 1882, à la Comédie-Française. Après une « première » mouvementée, au cours de laquelle Georges Ohnet avait donné le signal des protestations, assez mal disposé par l'indignation et les nausées de la plupart des critiques, le fameux public distingué des « mardi » du Français siffla la scandaleuse pièce de Henry Becque, qui eût peut-être connu un autre sort sur le boulevard. « L'oncle Sarcey » lui-même, qui avait participé au chœur d'indignation, proclama, après s'être rendu à l'un de ces « mardi », que c'était avec un grand « écœurement » qu'il voyait le théâtre jeté en pâture à un public qui fait du « genre », et traita les abonnés du mardi de « pourris » ; ce qui souleva, raconte Antoine, une véritable clameur.

Tandis que ce public conformiste du théâtre vieillissant sifflait Becque et accordait toujours ses faveurs aux trois patriarches, la fraction républicaine du public manifestait violemment sa réprobation, pour des raisons politiques, devant les dernières pièces de Sardou. Déjà,

en 1872, *Rabagas*, dans laquelle on accusa Sardou d'attaquer Gambetta, avait suscité une bataille entre les conservateurs et les nouveaux républicains. En 1880, la première de *Daniel Rochat*, à la Comédie-Française — où Julia Bartet avait fait

885. PREMIÈRE INOCULATION DU SÉRUM CONTRE LA RAGE, PAR PASTEUR.

ses débuts — avait été tumultueuse. On accusait l'auteur d'avoir ridiculisé le mariage civil en glorifiant le mariage religieux. Les créations par Sarah Bernhardt de *Fédora* (1882), de *Théodora* (1884) et de *La Tosca*, de l'inépuisable Sardou, ne donnèrent lieu à aucune manifestation, mais en 1891 une nouvelle bataille de plus grande envergure éclatera lors de la création de *Thermidor*, au Français. Sardou

y faisait un sévère tableau de la Révolution française et s'attaquait à la personne même de Robespierre. Le lendemain de la première, les journaux avancés sonnaient l'alarme, estimant la République outragée et diffamée sur une scène subventionnée, ce qu'ils jugeaient intolérable. L'affaire prit une telle importance que Clemenceau la porta à la Chambre. Le soir de la

HEILBRONN ET ODETTE TALAZAC, DANS « MANON », A L'OPÉRA-COMIQUE.

seconde représentation, on assista réellement à la confrontation de deux publics ; alors que les dignes spectateurs de l'orchestre applaudissaient chaleureusement, ceux des balcons les invectivaient, troublaient la représentation avec des sifflets à roulettes et, s'en prenant aux comédiens, lançaient au pauvre Coquelin, contraint de s'interrompre en scène : « Va donc jouer Michel Strogoff ! »

Revenons à 1885. Victor Hugo était mort. Paris l'avait pompeusement enterré « avec plus de curiosité et d'étonnement que de vraie douleur ». Pasteur venait de guérir de la rage le berger Jupille. Sarah Bernhardt repartait en tournée aux Amériques. On parlait beaucoup de *La Parisienne*, qui avait enfin permis à Becque de s'imposer. A côté des théâtres officiels s'ouvraient des scènes secondaires, où « l'art et le patriotisme servaient de prétexte à des exhibitions d'un goût douteux ».

« UNE PREMIÈRE » A LA COMÉDIE-FRANÇAISE EN 1885.

J. CLARETIE, ZOLA (DEBOUT), E. AUGIER, A. DUMAS FILS, SARDOU, SARCEY (TAB. DE DANTAN).

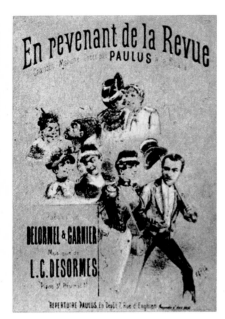

Tout Paris se disputait à propos d'un livre écrit « avec la pointe d'une épée » : *La France juive*, d'Édouard Drumond, en qui

l'antisémitisme avait trouvé son prophète. Cependant, le nom du général Boulanger grandissait en lettres tricolores, et ses allures dictatoriales inquiétaient les républicains. La popularité du ministre de la guerre devenait telle que son buste, à bicorne et à barbe noire ornait les savonnettes, les boîtes à cirage, les pots de confiture et les tubes de fixe-moustache. Paul Déroulède y allait de ses tirades, on récitait et fredonnait les succès de Villemer : *Le Rêve du général*, que déclamait Mounet-Sully, *Boulanger, maître d'école en Alsace*, que chantait Mlle Amiati, chanteuse patriotique qui devait son succès aux *Cuirassiers de Reishoffen* et au *Clairon*, de Déroulède, et qui avait chanté *La Marseillaise*, en 1871, à l'Eldorado, enroulée dans un drapeau tricolore. A la Scala, le chanteur de charme Marius Richard miaulait : *A bas Bismark et vive Boulanger !* Mais le grand chantre du *Général Revanche* fut surtout Paulus, qui, déjà célèbre au Café-Concert, connut la gloire le 14 juillet 1886 dans les jardins de l'Alcazar d'été avec son célèbre refrain : *En revenant de la revue*, « cette *Marseillaise* des mitrons et des caliquots », comme disait Anatole France.

Cependant, sur la rive gauche de la chanson, Jules Jouy, qui avait inauguré la chanson sociale au journal *Le Cri du Peuple*, allait rimer chaque matin dans les colonnes du *Parti Ouvrier* ses couplets politiques et satiriques férocement dirigés contre le Général.

Aristide Bruant, son collaborateur de la première heure, qui venait d'installer son *Mirliton* boulevard Rochechouart, dans la salle de l'ancien *Chat Noir* (que Rodolphe Salis avait transplanté dans un quartier plus honorable afin d'en faire le cabaret de l'élite), crachait son mépris au visage des gens du monde. Au refrain de : « Ah c'te

gueule, c'te binette », que l'assistance reprenait en chœur, il accueillait grands-ducs, snobs et bourgeois cossus, ravis de s'entendre insulter et de s'encanailler devant des bocks de 65 centimes.

En pleine crise du boulangisme, Antoine fondait le Théâtre Libre. Il devait démissionner sept ans plus tard, mis en faillite, juste au début du procès Dreyfus. Entre temps s'étaient déroulés l'Exposition de 1889, une série d'attentats anarchistes et le procès de Panama.

1887. Pendant qu'Antoine affichait Zola, Tolstoï, Ibsen et retrouvait la vérité au théâtre, que se passait-il sur les autres scènes de la capitale ? Peu de chose. L'ancien régime théâtral montrait des signes d'agonie. Entre deux débuts de Mounet-Sully, de Mme Bartet ou de Segond-Weber, on reprenait un Augier, un Dumas ou *Le Passant*, de François Coppée. Zola essuyait un nouvel échec avec *Renée*, au Vaudeville, devant un public de gens du monde dont les visages, selon Mirbeau, étaient « pareils à des murs derrière lesquels il ne se passe rien ». La même année (1re saison du Théâtre Libre), l'incendie de l'Opéra-Comique faisait de nombreuses victimes, catastrophe qui allait peser sur l'industrie du spectacle et éloigner des théâtres une grande partie des spectateurs, hantés par la peur du sinistre. On jouait aux Folies Dramatiques une opérette de Messager, *Le Bourgeois de Calais*, au moment même de

la bataille que suscitait l'œuvre de Rodin. Les réussites nouvelles dans le domaine de l'opérette étaient rares, et l'on reprenait *Orphée aux enfers* et *La Mascotte*, créée en 1880 aux Bouffes-Parisiens. Le grand succès de *Mam'zelle Nitouche*, en 1883, aux Variétés, ne devait se retrouver qu'en 1890, avec *Miss Helyett*, après quoi la vogue de l'opérette déclina devant la concurrence croissante du Café-Concert et des revues.

Enfin, depuis la chute de *La Dame de Monsoreau*, une crise s'ouvrait à l'Opéra, dont le nouveau directeur, Pedro Gailhard, successeur de Vaucorbeil, devait monter une suite d'œuvres oubliées, toutes vouées à l'insuccès ; l'installation de l'éclairage électrique, dont on ne sut utiliser les ressources que trente ans plus tard, ne suffit pas à attirer le public, qui avait pourtant donné des preuves récentes de sa ferveur. En 1880, il avait accueilli *Aïda* avec un enthousiasme italien, rappelant à grands cris Verdi, auquel on offrit une lyre et une couronne. En 1886 avait eu lieu la création de *Patrie*, de Sardou, musique de Paladilhe, dernier exemplaire de l'opéra historique, genre qui allait disparaître mais qui plaisait encore à un public peu avide de nouveauté ; Saint-Saëns avait tenté de le faire survivre avec *Henri VIII* et *Samson et Dalila* ; Wagner l'avait depuis longtemps condamné comme incapable de

dégager ce qu'il appelait « la pure humanité ». Or, seul musicien qui ait vraiment renouvelé le théâtre musical de son époque, Wagner n'était pas joué à l'Opéra. De Perrin à Vaucorbeil et à Gailhard, le prophète de Bayreuth effrayait les prudents directeurs, qui craignaient de provoquer un scandale, comme celui de *Tannhäuser* en 1869, et d'être vilipendés par les nombreux adversaires du grand musicien allemand. Pour avoir eu des velléités de monter *Lohengrin* à l'Opéra-Comique en 1885, Léon Carvalho s'était heurté à une violente opposition. L'année suivante, Mallarmé publiait dans la *Revue wagnérienne* un « Hommage à Wagner » qui provoqua de graves remous littéraires. En 1887, enfin, année des exploits, alors qu'Antoine lance son offensive réaliste, Charles Lamoureux monte à ses frais *Lohengrin* au théâtre de l'Eden. Le public acclame l'œuvre, mais des manifestations hostiles, sous prétexte d'un incident de frontière, font interdire les représentations. Et il faudra attendre le 17 septembre 1891 pour que ce drame musical soit représenté intégralement en France dans le cadre qui lui convenait : l'Opéra de Paris, où il obtiendra finalement un accueil chaleureux.

Pendant que le grand vaisseau du Palais Garnier restait ancré dans un vieux port et donnait de la bande, l'Opéra-Comique,

AU CENTRE : L'INTÉRIEUR DU « MIRLITON », DESSIN DE STEINLEIN. A GAUCHE : ARISTIDE BRUANT, PAR TOULOUSE-LAUTREC. A DROITE : PORTRAIT DE BRUANT.

lui, filait brillamment son chemin, de *Carmen* en *Manon* et de *Lakmé* en *Roi d'Ys*. Toutefois, aucune de ces œuvres célèbres, sauf *Carmen*, au temps de sa création, en 1875, n'apportait d'éléments vraiment nouveaux, ne rompait avec les formules surannées du théâtre lyrique. Les *Contes d'Hoffmann*, qui avaient fait accourir le public à la salle Favart en 1881, mettaient un glorieux point final à la carrière d'Offenbach, mort l'année précédente, dont les opérettes célèbres devaient continuer longtemps à séduire le public parisien. Œuvre maîtresse de Léo Delibes, *Lakmé*, parut, déjà en 1883, assez démodé. Dans *Manon*, qui triompha dès sa création, en 1884, Massenet avait conservé les couplets du vieil opéra-comique sans en renouveler la formule.

CONSTRUCTION DE LA TOUR EIFFEL, CLOU DE L'EXPOSITION DE 1889.

BUFFALO BILL   (LE COLONEL WILLIAM CODY), QUI A INSTALLÉ SON CAMP PORTE DES TERNES PENDANT L'EXPOSITION.

L'ESPLANADE DES INVALIDES AU SEIN DE L'EXPOSITION.

Plus neuve fut la tentative de Chabrier dans *Le Roi malgré lui*, dont la carrière fut interrompue en 1887 par l'incendie de la salle Favart. Intermédiaire entre l'opéra et l'opéra-bouffe, *Le Roi malgré lui* est considéré comme un des premiers essais de parodie musicale qui ait été donné au théâtre, et on le rapprochera plus tard de *L'Heure espagnole*, de Ravel. Au Châtelet, où l'Opéra-Comique avait émigré, eut lieu en 1888 la première du *Roi d'Ys*, de Lalo, que Vaucorbeil avait refusé à l'Opéra, pour monter *Aïda*. Puisant dans la légende bretonne, Lalo réussit avec *Le Roi d'Ys* à tracer les lignes d'une musique française de théâtre dont l'expression parfaite sera *Pelléas et Mélisande*, de Debussy.

Mais les musiciens français de cette époque étaient tous imprégnés de l'influence wagnérienne, et c'est dans le sillage de Wagner que va se réaliser, seize ans après *Carmen*, la première manifestation avouée du naturalisme musical, *Le Rêve*, d'Émile Zola et Alfred Bruneau.

Le Rêve fut « les Corbeaux » de l'Opéra-Comique. Heurté autant par la simplicité du dialogue et la vérité du drame que par les « audaces orchestrales » et les « dissonances », le public des premières fut doublement dérangé dans ses habitudes. Zola et Bruneau avaient osé traiter lyriquement, en toute indépendance, les sentiments de tous les jours, et ils avaient pris leurs héros dans la foule contemporaine, innovation

critiques de l'époque, « ouvrait enfin les portes du théâtre lyrique aux jeunes musiciens », ne devait pas faire école. Ému par les reproches et les conseils qu'on lui formula, l'honnête Bruneau fera lui-même marche arrière et reviendra, sans quitter Zola, avec *L'Attaque du Moulin* (Opéra-Comique, 1893) et *Messidor* (Opéra, 1897), à une forme plus traditionnelle du théâtre lyrique.

1891. RÉVÉLATION DE LOÏE FULLER AUX FOLIES-BERGÈRE.

En cette année 1891, où fut créé *Le Rêve*, à l'Opéra-Comique, Arthur Rimbaud mourait à Marseille (Jean Cocteau naissait),

brillante aux côtés de Réjane dans *Amoureuse*, de Georges de Porto-Riche, pièce sur l'amour et la sensualité, « dont les accents nouveaux firent sensation, peut-être à cause de ce mélange qu'elle apportait d'ironie, d'esprit très osé, presque libertin, et de pathétique sentimental », comme le notera Paul Léautaud.

Enfin, six ans après le manifeste de Jean Moréas, qui consacrait la naissance du symbolisme, l'état-major symboliste se rassemblait lors d'un banquet présidé par Mallarmé, et Paul Fort fondait son Théâtre d'Art, première réaction contre le naturalisme théâtral.

1892. Tandis que Pierre Loti, dans son discours de réception à l'Académie Française, exécutait déjà « la marche funèbre du naturalisme », avaient lieu à Paris diverses manifestations d'ordre mystique et pictural qui réunissaient un petit nombre d'intellectuels en mal d'esthétisme et d'ésotérisme. Le « Sar Péladan » restituait *Les Pastorales chaldéennes* ; dans une salle aux tentures noires, Jules Bois interprétait *Les Mystères d'Eleusis*. A la Galerie Durand-Ruel, une exposition de pointillistes et de symbolistes n'obtenait que sarcasmes et haussements d'épaules : « Mascarade ridicule où l'incohérence du résultat le dispute à la fatuité de l'effort », écrivait-on, « allégories fantomales insaisissables », « mysticailleries ».

Cependant, les attentats anarchistes commençaient à se multiplier ; Paris offrait l'aspect d'une ville assiégée. « Les rues restent désertes ; les boutiques, closes ; les omnibus, sans voyageurs ; la police, invisible et partout présente ; les troupes de banlieue, prêtes à marcher au premier signal. » Auteur des explosions des boulevards de Clichy et Saint-Germain, Ravachol venait d'être arrêté ; mais les bombes continuaient à sauter, les cochers étaient en grève, on redoutait l'imminence d'une épidémie de choléra... Enfin s'ouvrait la scandaleuse affaire de Panama, à la suite de la découverte du tripotage suspect de cent quatre députés. C'est dans cette atmosphère que triomphait l'une des premières pièces de Feydeau, *Champignol malgré lui*, devant un public hilare, que Vincent Hyspa inaugurait au Chat Noir la chanson d'actualité, qu'Eugénie Buffet chantait la misère dans les cours et qu'aux Folies-Bergère, Loïe Fuller, arrivant d'Amérique, révélait aux Parisiens, sous les rayons magiques de la fée Électricité, ses danses papillonnantes, qui enthousiasmaient Rodin.

1893. TRIOMPHE DE RÉJANE DANS « MADAME SANS-GÊNE (Phot. Nadar).

révolutionnaire lorsqu'on pense que les héros du théâtre lyrique étaient presque toujours des rois ou des personnages de légende.

Alors que Becque et le Théâtre Libre donnaient naissance à une nouvelle génération d'auteurs, la première tentative de Bruneau et Zola, qui, pour plusieurs

le général Boulanger, dont on ne parlait plus guère depuis l'Exposition de 1889, se suicidait théâtralement en Belgique. A l'Opéra, avait lieu la présentation en France de *Lohengrin*. Yvette Guilbert remportait un de ses premiers grands succès à l'Horloge, où débutait également Polaire. Lucien Guitry faisait une rentrée

1893. La poussée symboliste allait se manifester au théâtre, l'année suivante, par la création à l'Œuvre — que venait de fonder Lugné-Poe — de *Pelléas et Mélisande*, de Maeterlinck. La même année, celle de l'Alliance franco-russe, tandis qu'Antoine affichait *Boubouroche*, de Courteline, et que l'Opéra présentait *L'Or du Rhin* et *La Walkyrie*, Sarah Bernhardt prenait la direction de la Renaissance, et le talent et la grâce mutine de Réjane, la pièce triomphera encore pendant l'Exposition de 1900.

1894. Entre temps, en 1894, Réjane révélera une pièce moins « public », mais d'une autre consistance : *Maison de Poupée*, d'Ibsen, dans ce même théâtre du Vaudeville, dirigé par l'éclectique Porel, au moment où Lugné-Poe créait une autre pièce du grand auteur scandinave : *Solness* chistes consécutifs à la fameuse Bombe de Vaillant à la Chambre des Députés, feront passer au second plan l'activité théâtrale. « C'est à peine si le *Falstaff* et l'*Othello*, de Verdi, à l'Opéra-Comique, et *Thaïs*, de Massenet, à l'Opéra, *Les Romanesques*, de Rostand, au Français, fixent un instant l'attention du public bourgeois, qui s'intéresse davantage aux pantalonnades de *L'Hôtel du Libre Echange*, de Feydeau,

★ — Autour du "Théâtre d'Art" — ★

LE *monde du théâtre est plongé dans le naturalisme quand arrive le symbolisme. Ces deux fleuves ne devaient se rejoindre que plus tard, avec nos « reflets » de Shakespeare.*

Conduit par le hardi navigateur et le merveilleux homme qu'était Antoine, le naturalisme ne pouvait aboutir à la poésie. Il n'était que la visibilité plus grande de l'humanité quotidienne. L'homme étudié charnellement ou seulement sous sa face pittoresque, cela ne pouvait mener assez loin. La vraie poésie du théâtre est une psychologie rapide : Antoine était capable de comprendre cela. Il cherchait au théâtre quelque chose qui aurait pu être comparé sans doute à Dostoïevski. Mais où trouver des auteurs de cette envergure ? Il a fait du sous-naturalisme (Méténier, Alexis, etc.). Et c'est cela que nous combattions. Pourtant il avait réussi à redonner une simplicité vigoureuse à la parole et au jeu des acteurs. Antoine, c'était un Mandarin qui avait sa Chine de l'autre côté.

Le genre de pièces que nous aurions voulu trouver chez un contemporain, c'est ce Lorenzaccio *du plus français des shakespeariens : Musset. Pour soutenir notre « cas », nous avons dû recourir aux élisabéthains, car nous n'avions que de purs poètes et pas de dramaturges et nous étions d'accord pour penser qu'à part Villiers de l'Isle-Adam, Maeterlinck, Van Lerberghe, Laforgues...! On compensait cette carence par des mises en scène de poèmes. Nous avons créé le décor synthétique à cause aussi de sa simplicité : un cadre qui nous permît, par exemple, de jouer Marlowe, Maeterlinck et Shelley dans le même décor ; et, les premiers, nous avons fait l'obscurité dans la salle. Nos acteurs avaient les deux dons : celui de présenter des poèmes en rythmant et celui de jouer « naturel », comme chez Antoine.*

J'ai laissé Lugné-Poe — mon secrétaire metteur en scène — en espérant qu'ils se tournerait vers Shakespeare, mais il a choisi les Nordiques. Fort bon choix, d'ailleurs. Il est vrai qu'il a trouvé Ubu entre nos mains de découvreur. Jarry nous apportait vraiment quelque chose.

Paul Fort

Réjane obtenait le plus grand succès de sa carrière en créant au Vaudeville *Madame Sans-Gêne*, du toujours vaillant Victorien Sardou, « fait divers » qui satisfaisait à la fois l'engouement du public pour les pièces napoléoniennes et sa sympathie pour les humbles, surtout lorsqu'ils approchent les puissants et leur tiennent tête. Associant le héros et la cousette, plaçant sa pièce sous le signe du grand aigle et du fer à repasser, l'habile Sardou misait victorieusement sur les deux tableaux de l'époque. Servie au mieux par le *Constructeur*, peu de temps avant que Mᵐᵉ Zambelli débute à l'Opéra dans *Faust*, qu'Antoine abandonne le Théâtre Libre et que le capitaine Dreyfus soit « condamné à la déportation et à la dégradation militaire pour avoir livré à l'Allemagne des documents secrets sur l'armée française et la défense du pays ».

En cette année maudite, les événements politiques, la tension provoquée par les affaires Dreyfus et Panama, les attaques de Jaurès contre le ministère, l'assassinat du président Carnot, les attentats anar- à l'imbroglio de *La Marraine de Charley*, aux marionnettes du Chat Noir, aux exhibitions artistiques, au *quadrille* du Moulin-Rouge et aux concerts « à l'abri des bombes ».

La France est entrée dans un tunnel, dreyfusards d'un côté, antidreyfusards de l'autre, pendant qu'au-dessus de leurs têtes les manèges du spectacle continuent à tourner et que se joue dans les théâtres sinistres de l'École militaire, de la Chambre et du ministère de la Guerre une des plus édifiantes mystifications de l'histoire.

BECQUE   ZOLA   MALLARMÉ   MAETERLINCK

NATURALISME ET SYMBOLISME

AVANT ANTOINE, ET LA RÉVÉLATION POUR LUI DÉCISIVE DE LA TROUPE allemande des Meininger, l'état dans lequel se trouve le théâtre en France paraît catastrophique. Les éléments scéniques y sont toujours dissociés. Seul le génie d'une demi-douzaine d'acteurs — monstres sacrés plutôt que comédiens — semble y laisser quelques chances à la vérité et à la grandeur. La toile peinte surchargée d'ornements tient lieu de mise en scène ; les costumes vont de la précision grotesque à une incohérente laideur ; le jeu des acteurs, à la traîne d'un répertoire vieillissant, est conventionnel. Les romans naturalistes, avec leur parti pris d'exactitude et leurs objectifs scientifiques, accusent encore le décalage qui existe entre la scène et les écrits nouveaux. Tandis qu'Augier, Dumas Fils, Sardou monopolisent l'affiche, les tentatives des Goncourt, de Zola, de Daudet pour porter le roman d'enquête sociale sur la scène se soldent par des demi-fours. Mais ces essais, quelle que soit leur valeur, ne sont joués ni mis en scène dans leur vrai sens : Antoine le notera plus tard clairement et attribuera l'échec des féroces chefs-d'œuvre de Becque *(Les Corbeaux, La Parisienne)* — si loin des abstractions de Dumas, des anecdotes de Sardou — en partie à cette fausse interprétation. « On nous demande la vérité, dira Réjane... C'est difficile, le théâtre contemporain... » Il y a bien Got, Delaunay, Coquelin, Worms, mais le théâtre manque d'interprètes. Les tours familiers du dialogue moderne dépaysent. La plupart des comédiens *disent* leur texte, ils jouent « sans se soucier des autres », dépassent le cadre de la scène, regardent le public, avancent vers le proscenium. Chez Sardou excepté, la figuration est nulle. Dans sa préface de 1881, Zola condamne l'éducation officielle donnée aux comédiens ; recettes, gestes immuables, entrées solennelles et grotesques, faces toujours tournées vers le public : ces acteurs ne sont pas faits pour les œuvres qui

« Germinal », de Zola (1883), marqua l'entrée du monde ouvrier dans la littérature. En haut :
« En Grève », d'après La Touche. Ci-dessus : dessin d'Ibels (1893) pour le chef-d'œuvre
naturaliste de G. Hauptmann, qui met en scène la révolte des tisserands de 1840.

viennent, qu'il espère empreintes d'esprit scientifique et « du drame vivant de la double vie des personnages et des milieux ». Les Goncourt, eux, tranchent la question : ils méprisent le théâtre, impropre aux développements psychologiques réalistes comme aux intimes études de mœurs : tout y est grossi, factice, mensonger, bon pour la farce. Ils affirment la supériorité du roman d'observation. Mais depuis Balzac, trente ans de développement industriel et social ont changé Paris ; le prolétariat grandit, les sciences progressent, les luttes sociales ont laissé partout des traces. Aux romanciers-auteurs dramatiques (Zola en tête), les ouvrages de Darwin, de Claude Bernard, du docteur Lucas... proposent un matériel d'investigation d'allure ultra-scientifique : idée d'une fatalité physiologique, conception physico-chimique du *milieu*, obsession de l'hérédité seront, chez Zola, par exemple, les conséquences d'une application arbitraire à la littérature de la méthode expérimentale alimentée de pseudo-science. Vouées à la « reproduction du donné » (G. Lukacs), les œuvres naturalistes survivent parce qu'elles échappent aux systèmes qui leur furent intégrés ; par leur vérité humaine, l'écriture ou leur puissance d'évocation. Il en est de même pour Antoine. Si une partie de ses recherches ne se comprennent que dans une perspective naturaliste, l'étendue de ses découvertes, ses essais de cohésion scénique — jeu des acteurs, décor, éclairages, costumes — dépassent largement les idées fixes du naturalisme dont il devint, presque malgré lui, l'animateur de génie. Frappé par « l'opposition latente entre l'exactitude du cadre et la fausseté de la psychologie » dans le théâtre romantique, il tâche d'établir leur accord dans la comédie ou le drame moderne. Sans mettre en question la scène à l'italienne, il pousse d'abord l'illusion scénique vers sa limite absolue : « C'est le milieu qui désormais varie avec le mouvement, au lieu que le mouvement se développe dans l'arbitraire d'un cadre fixe » (1903). On lui reprochera d'avoir prolongé le désastre, encombré la scène, perpétué au fond l'art hybride de ses devanciers pour n'avoir pas accepté l'inévitable convention. Mais l'avenir, pourtant, reconnaîtra en lui — dix ans avant Stanislavski — le premier pionnier moderne de l'art scénique, avec le duc de Meiningen. Trois années seulement séparent la fondation du Théâtre Libre (1887) des premières aventures décoratives du Théâtre d'Art (1890). Et déjà — en attendant l'entrée en scène de Maeterlinck et de l'Œuvre — la jeune génération de peintres et de poètes groupés autour de Verlaine et de Mallarmé appelle « mensonge » le naturalisme du Théâtre Libre et « bêtes imitations » (M. Denis) son souci maniaque du détail exact. Au nom d'un style encore mal défini et d'un verbe poétique générateur de synthèse, les jeunes poètes rejettent le naturalisme et le « document minime et accidentel ». A l'imagination et au rêve, Pierre Quillard redonne leur place-clef. Le décor est conçu comme « une pure fiction ornementale ». Une fois de plus, après les romantiques, les naturalistes, le nom de Shakespeare — nostalgie du siècle — est invoqué. Mais là encore on attendra

Que la forme littéraire et artistique se soit appelée impressionnisme ou expressionnisme, symbolisme ou nouvelle objectivité, il n'y a jamais eu de rupture décisive avec le naturalisme.

G. LUKACS.

Courbet : « Les Casseurs de pierres » (1851). Le tableau fit scandale. Un premier jalon dans l'histoire du naturalisme.

En haut : composition de Maurice Denis, à l'Œuvre, pour le programme de « L'Annonce faite à Marie », de Paul Claudel (1912). Ci-dessus : dessin de Vuillard, dans la ligne de ses décors simplifiés (revue du « Théâtre d'Art », 1891). A gauche : fragment du décor de Bonnard pour « La Geste du Roy », représentée au Théâtre d'Art en 1891.

les chefs-d'œuvre. Et le 24 juin 1890, aux cris de : « Vive Mallarmé ! Vive le symbolisme ! » le Théâtre d'Art donna sa première représentation ; son fondateur, Paul Fort, avait dix-sept ans. Son but : poursuivre l'œuvre d'Antoine, mais au delà de la « vérité photographique », dévoiler la *vérité poétique*. Jusqu'en mars 1892, il fit représenter quarante-six auteurs ou traducteurs, parmi lesquels deux seulement avaient été joués. Poèmes de Mallarmé, Verlaine, Rimbaud, Edgar Poe, La Fontaine, fragments allant des *Vedas* au *Paradis Perdu* ; révélation du *Faust* de Marlowe, de *Cenci* de Shelley, de *L'Intruse* de Maeterlinck ; pièces de Villiers de L'Isle-Adam, de Van Lerberghe, etc., ouvrirent dans l'espace scénique une dimension inconnue où vinrent tout naturellement s'installer les jeunes peintres nabis : Vuillard, Bonnard, Maurice Denis, Cérusier, Odilon Redon, Ranson. Plus de trompe-l'œil ni de virtuosité décorative. Tons plats équilibrés, formes diffuses et simplifiées créent l'atmosphère dans la ligne de la pièce ou du poème ; l'harmonie des décors et des costumes était

A l'Œuvre, en 1912 : l'Arbre de « L'Annonce faite à Marie » (Jean Variot). Il fut construit sur fond or. « Les feuillages, comme ternis et usés, mêlés de pommes rouges, font comme une tapisserie. » (Mémoires de Lugné-Poe.) A droite : Le Père Ubu, vu par Jarry.

expressément réclamée par Maeterlinck. On pensa même à des décors olfactifs et auditifs. Ainsi, comme le remarque Gaston Baty, le mouvement symboliste, d'abord littéraire, a conduit à des résultats surtout visuels. Mais si l'aventure décorative moderne était bien préfigurée dans les essais du Théâtre d'Art — y compris l'envahissement du plateau par les peintres — ce fut d'une façon embryonnaire. Imperfections de jeu, pauvreté des moyens, inexpérience scénique des peintres marquent les limites de l'audacieux renversement des valeurs du petit théâtre « hors

NATURALISME ET STYLISATION

A gauche : détail d'une étude du Duc de Meiningen pour « Le Prince de Hombourg », de Kleist. Au-dessous : décor de Jusseaume pour « Grisélidis », de Massenet, à l'Opéra-Comique. A droite : esquisse de Gordon Craig pour « Les Prétendants à la Couronne », d'Ibsen (1926). Au-dessous : esquisse d'Adolphe Appia pour Le Jardin Enchanté de « Parsifal » (1922). De la reproduction de la nature à la recherche des lignes essentielles.

La parole crée le décor comme le reste.
P. QUILLARD.

censure », et parfois même de l'Œuvre. Ce n'est pas encore en France l'heure d'Appia, de Craig, des grands théoriciens révélés par J. Rouché en 1910, ni celle des Ballets Russes. C'est en Bakst qu'Antoine croira voir le point de départ décisif du triomphe de la couleur et de ce qu'on appelait « synthétisation » et « stylisation » du décor. La déclaration — la confession — d'Antoine en 1925 est singulière et émouvante : « Mais quoi ! le génie est le génie et nous devons à Bakst des merveilles si neuves que j'ai fini par subir ce qui me faisait grincer des dents. Je l'ai subi au point qu'actuellement si je vois à la Comédie-Française un beau décor dans le genre de ceux qui me plaisaient, cela me fait l'effet d'un Delaroche. » Mais aux nouveaux peintres qui ont remplacé les peintres-décorateurs professionnels, il reproche, presque avec les mots de Copeau, leur inexpérience en matière de construction scénique, leur dédain de toute composition constructive. « Un tableau théâtral, ce n'est pas l'agrandissement d'un tableau de chevalet. » Mais Antoine est fidèle à lui-même. Une fois encore, devant certains décors, il s'inquiète de l'absence de toute vraisemblance matérielle. « Plus de plafonds, plus de portes, écrit-il. Le goût français, le bon sens français ont sombré dans l'aventure... »

ANTOINE

du Théâtre Libre à l'Odéon

LORSQUE je rassemblai quelques amateurs, écrit Antoine, pour satisfaire mon besoin de donner la vie à des fictions, je n'avais pas le moindre dessein de devenir un acteur ou un directeur professionnel, et l'on m'eût fait bien rire si l'on m'avait prédit que nous allions révolutionner l'art dramatique. » Les années du Théâtre Libre — 1887-1894 — lui suffiront cependant pour accorder le théâtre à son époque. Sa « vérité neuve » aux traits naturalistes paraîtra vite contestable — mais elle sauvera la scène française de la débâcle. Quelques années, et son théâtre « hors censure », sans mécène, réduit à des spectacles privés, jette la panique sur les scènes officielles, précipite la crise des théâtres parisiens et provoque même des incidents parlementaires qui montrent assez bien la portée sociale de son action.

MARS 1887.

Dix ans avant l'ouverture du Théâtre d'Art de Moscou, trois ans avant les créations à Londres du Théâtre de Beer Boom Tree et, à Berlin, du premier spectacle de la Freie Bühne — avec *Les Corbeaux* de Becque — Antoine fut l'ouvrier de cette radicale rénovation théâtrale dont parlent les Goncourt. Il ne fut pas le seul. D'autres sociétés d'avant-garde avaient frayé la voie et « tiré les premiers coups de feu sur la manière de M. Scribe et la mise en scène du Boulevard du Crime ». Mais c'est lui qui rompra ce long divorce entre une forme théâtrale asservie aux conventions passées et les courants nouveaux. On lui devra le meilleur et le pire : toutes les contradictions du temps. Naïvement — fatalement — il viendra buter sur les idées fixes du réalisme naturaliste et sur les œuvres issues de la «méthode expérimentale » ; mais le symbolisme qui lui succédera, à son tour ira se fourvoyer dans les impasses du siècle. Devenu presque malgré lui l'animateur de forces autour de lui éparses, Antoine restera le metteur en scène et l'artisan génial d'un art dont les composantes se trouvaient alors complètement dissociées. Ceux-là mêmes qui le combattirent, apprirent par lui leur métier. Et lorsque le Théâtre Libre ferma ses portes, usé par ses propres coups de boutoir, une partie du public ne voulut plus, ne *pouvait* plus revoir ailleurs les pièces à ficelles et les pantins sans vie.

C'EST le 30 mars 1887, deux ans seulement après son entrée au cercle d'amateurs *Le Gaulois* que l'employé du gaz Antoine donna la première représentation du Théâtre Libre dans une salle de Montmartre que Jules Lemaître décrivait ainsi : « On pourrait tendre la main aux acteurs par-dessus la rampe et allonger ses jambes sur la niche du souffleur. La scène est si étroite que l'on ne peut dresser que des décors élémentaires. Et elle est si proche de nous que l'illusion scénique est impossible. » *Jacques Damour*, dernière pièce du spectacle, tirée par Hennique d'une nouvelle de Zola, donne sa vraie chance au nouveau théâtre. C'est Arthur Byl, Jules Vidal (un habitué du Grenier des Goncourt) et Paul Alexis, l'un des Cinq des Soirées de Médan, qui ont servi d'intermédiaires et mené jusqu'à Zola le jeune animateur du *Cercle Gaulois* dont les comédiens disaient qu'il parlait en scène « comme dans la vie ». Quelques journalistes se sont dérangés. Dans le public : Daudet, Mallarmé, Ajalbert... Des pastels représentent sur scène les quartiers de viande d'une arrière-boutique de boucher. Les acteurs ? Des amateurs : petits employés, ouvriers, une couturière, une brocheuse, un marchand de vin, qui répètent le soir après leur travail. La pièce et la troupe touchent le public. Dans le rôle de Jacques Damour, ancien déporté de la Commune, Antoine joua avec de longs silences, tournant parfois le dos au public : « ... masque, vêtement, tenue, allure, gestes, expression, tout était vrai et saisissant. » Le lendemain, la Presse annonce l'existence du nouveau théâtre. Ce premier essai a coûté à Antoine deux mois de salaire à la Compagnie du Gaz. Et le 30 mai suivant, deuxième spectacle : une pièce en vers de Bergerat, homme influent, et *En Famille* d'Oscar Métènier, première œuvre d'un genre qui fera la fortune du Grand-Guignol. La salle est bondée.

Un soiriste « reconnaît » Sarcey, Got, Rodin, Porel, Coquelin cadet, Puvis de Chavannes... Antoine a vingt-neuf ans. Le combat du Théâtre Libre commence.

Depuis longtemps Antoine voyait grandir la lassitude du public « averti » devant une production dramatique monopolisant l'affiche avec une quinzaine d'auteurs à la remorque d'Augier, de Sardou, de Dumas fils... et de Scribe. En 1889, lors d'une reprise des pièces de Sardou, il constate de nouveau à quel point, « décidément », tout ce répertoire avait vieilli, malgré le talent de Réjane. Mais alors d'où venait l'échec des réalistes ? De la résistance du public ? L'échec de *La Parisienne* de Becque à la reprise de la Comédie-Française, comme celui d'autres œuvres réalistes, lui semble surtout provenir de ce que « aucune de ces pièces n'a été mise en scène et jouée dans son vrai sens ». C'est précisément la tâche du Théâtre Libre : trouver la nouvelle mise en scène, chercher ce qui est nouveau, « tout ce qui ne peut se faire jouer ailleurs ». On encadrera les jeunes avec des noms connus. Dès la première année, Antoine réalisera son programme. Adaptations de Zola, des Goncourt, voisineront avec les pièces d'Ancey, Céard, Salandri, premiers auteurs de l'école réaliste nouvelle dont Becque salua les débuts avec joie. Alors naquit au théâtre la « tranche de vie » (Manifeste du *théâtre vivant* de Jean Jullien) qui devint la *comédie rosse*, riche en mots désabusés ou ironiques, caractérisée par son parti pris d'observation, son refus des rouéries techniques, ses violentes attaques bourgeoises contre la bourgeoisie. Ces œuvres inégales, aux intentions sociales confuses et contradictoires, mettront parfois de dures, de nécessaires vérités sous les yeux du public qui retrouvera à la scène le climat réaliste des romans. Les premiers programmes du Théâtre

ALEXIS (chantant). — *Dans les sentiers remplis d'ivresse...*

LES PREMIERS DOCUMENTS PHOTOGRAPHIQUES DU THÉÂTRE LIBRE.

Libre porteront aussi les noms des poètes Banville, Villiers de L'Isle-Adam... Mais c'est au cinquième spectacle — février 1888, première représentation publique, à la Gaîté Montparnasse — que s'affirmera la jeune maîtrise d'Antoine avec *La Puissance des Ténèbres* de Tolstoï. Cette œuvre, qu'Émile Augier, Dumas fils, Victorien Sardou avaient publiquement prétendue injouable, d'une longueur insupportable et « trop sombre pour la scène française », fut acclamée par un public enthousiaste et une critique qui proclama qu'elle échappait « à tous les procédés dramatiques connus ». L'interprétation parut d'une vérité intense. « Le théâtre en France — écrivait Jacques de Biez — cherche encore l'écrivain qui saura traduire la vérité avec cette puissance, sans le secours d'aucun truc, et réussira à nous émouvoir sans la mécanique des ficelles chères à Sardou. »

Le 15 juin 1888, le Théâtre Libre s'installe boulevard de Strasbourg, au Théâtre des Menus-Plaisirs.

C'est alors qu'Antoine voit la troupe du Théâtre Grand-Ducal de Saxe, les Meininger.

Après sa découverte à Bruxelles, en 1888, des Meininger, puis à Londres de la troupe d'Irving, Antoine écrira sans hésiter, dans sa brochure de 1890 : « ... Nous sommes encore dans l'enfance de l'art au point de vue de l'illusion scénique. » Non que la troupe allemande l'ait absolument satisfait. Au nom du réalisme intégral qu'il défend alors, il critique, assez naïvement, leurs décors très criards, « moins bien peints que les nôtres », leurs effets de lumière « réglés avec une naïveté épique », commençant ou cessant brusquement, dit-il, pour « faire tableau » ; leurs invraisemblances : « après une pluie torrentielle..., j'ai eu le chagrin de voir l'eau s'arrêter brusquement, sans transition. » Mais rien ne lui échappe des innovations d'une troupe aux immenses moyens financiers, qui confirme ses propres recherches et les réalise à une échelle pour lui inconnue. Et d'abord la vérité dans la figuration des foules, le naturel du jeu. « Vous auriez convenu là, écrit-il à Sarcey, qu'un dos montré à propos donne bien au public la sensation qu'on ne s'occupe pas de lui et que c'est arrivé. » Il admire l'éclairage des décors et les projections lumineuses, la diversité des plantations. Chez les Anglais, le frapperont le jeu d'Irving, « l'impression d'art » que laissent ses mises en scène, l'emploi heureux d'objets en relief, de plantes naturelles, de fleurs artificielles dans la décoration. Il note que Windham dispose d'un plancher mouvant machiné

AUGUSTE. — Ah! tenez, le monde me dégoûte!

Deuxième spectacle (1887). On joue vrai, peut-être trop. Une baraque de chiffonnier-recéleur : En Famille, « fait divers » crapuleux, d'Oscar Méténier, futur pilier du Grand-Guignol. « Cet acte-là, c'est buriné comme une eau-forte ! Ça nous change du chromo », disait Antoine. A droite, mise en scène naturaliste de Stanislavski. Oncle Vania, de Tchékhov (1899).

Il débuta dans En Famille *(à gauche)*, mais dès sa création du rôle de Nikita dans La Puissance des Ténèbres *(1888)*, il dépassa la simple observation et bouleversa le public par son jeu vrai et naturel. Le comte de Vogüé signalait qu'on voyait pour la première fois en France « un décor et des costumes empruntés aux habitudes quotidiennes de la vie russe, sans enjolivement d'Opéra-Comique ». Antoine avait emprunté les costumes à des réfugiés politiques. Evoquant sa propre création à Moscou de la pièce de Tolstoï, Stanislavski se reprochera de n'avoir pas su montrer un moujik « qui ne fût pas seulement vrai par le costume » et d'être tombé dans un naturalisme cru et extérieur.

UN DES ACTEURS-TYPES DU
THÉATRE LIBRE : MÉVISTO.

pour « opérer à l'infini et sans bruit les changements les plus compliqués ». Tout de suite il voit ce que peuvent y gagner les pièces modernes du théâtre réaliste. Il se propose alors d'innover les plantations irrégulières, « conformes aux intérieurs actuels », les décors en boiseries pleines peints avec des procédés nouveaux, l'utilisation de la force hydraulique, de l'électricité. Une fois de plus, il s'en prend à la pauvreté de la scène française en moyens matériels, à ses procédés enfantins, à l'absence d'outillage qui interdit de monter, par exemple, Shakespeare « sans sacrifier la moitié des décors » ; aux ridicules toiles de fond derrière lesquelles s'effectuent de bruyants changements de tableaux. « Nos directeurs en sont encore, pour gagner du temps, à peindre les meubles sur les décors. » Il dénonce « tout ce qui ne laisse aucun doute sur la tricherie ».

En octobre 1888, deux mises en scène d'Antoine révèlent son souci d'exactitude. Elles feront une dangereuse publicité au Théâtre Libre. Dans *Les Bouchers*, il accrochera de vrais quartiers de viande sur la scène ; dans *Chevalerie rustique*, il y installera un véritable jet d'eau, lequel, à son grand étonnement, du reste, mit la salle en joie. Plus tard, il déclarera que c'était d'un « réalisme outrancier », « puéril » ; mais il voulait, dit-il, faire une *manifestation*, éliminer par cet excès « l'excès

d'indifférence à la vérité », et la routine des toiles peintes. Essais bientôt dépassés. Dans sa lutte pour la vérité dans le décor, le jeu et la mise en scène, il tend vers une réalité plus humaine. « ... J'eus bientôt, dira-t-il, une conception raisonnée de l'effort à tenter pour que la mise en scène fût minutieusement vraie, rendît pleinement sensible l'influence de tel ou tel milieu sur les caractères des personnages. » Car pour signifier les caractères, le secret de la vie intérieure, c'est « la nécessité intime, irremplaçable du milieu » qu'il veut *reproduire* jusque dans ses moindres détails. Le cadre ainsi posé, sa mise en scène se « développe le plus naturellement du monde comme on dévide un peloton de laine ». Il cite volontiers un mot d'Ibsen : *j'abats le mur d'un appartement et je regarde ce qui s'y passe.* Toujours il se défendra de planter un décor selon une théorie préconçue. Il assouplit ses formules, désencombre la scène, fait même appel, occasionnellement, à Henri Rivière du féerique *Chat Noir* (fond panoramique et changeant, éclairage rationnel des divers plans, etc.). Mais l'art d'Antoine peut bien déborder toute définition étroite : il ne s'en inscrit pas moins dans une idée naturaliste du monde. A Antoine, Dullin reprochera de n'être pas allé jusqu'au bout de ses réformes et « d'apporter des objets réels dans un cadre irréel », de construire « de vraies maisons dans un jardin que la fantaisie d'Arlequin avait

L'intensité dramatique du grand acteur anglais Henry Irving, la cohésion de sa troupe, la beauté de ses mises en scène enthousiasmèrent Antoine lors de son séjour à Londres, vers 1888.

ANTOINE ET LE DÉCOR NATURALISTE.

*Antoine voulait non seulement que le dialogue mais que chaque
détail du décor « signifiât les caractères, les secrets de la vie
intérieure », des personnages. A **tous** les sens, le théâtre devait
évoquer la « mobilité incessante, la splendeur fugace de la vie ».
Plus tard, Antoine accordera que dans bien des cas le réalisme
consiste dans un choix expressif. Les théories naturalistes du
milieu, l'abus de la toile peinte et des plantations conventionnelles, les décors hybrides du Boulevard (moitié peints, moitié
réels) le conduisirent à rénover le lieu scénique dans un sens
conforme aux objectifs réalistes des œuvres nouvelles. Ci-dessous,
un café scrupuleusement reconstitué, dans* Vers l'Amour *(1903).*

Quel que fût son parti pris d'exactitude, le réalisme d'Antoine laissa une place à la poésie et au rêve. A gauche, un décor du Canard sauvage *(créé en 1891)*, à la reprise en 1905 : dans une mansarde, l'atelier du photographe Hialmar Ekdal, minutieusement décrit par Ibsen. Ci-dessous et en bas, deux actes de La Fille Elisa *(créée en 1890)*, drame judiciaire tiré du roman de E. de Goncourt, à la reprise : reconstitution d'une audience de la Cour d'Assises et la Maison Centrale.

Antoine, qui s'intéressait médiocrement à la peinture, faisait pourtant dessiner ses programmes par Toulouse-Lautrec, Ibels, Forain, Willette, Vuillard, Signac... Leurs compositions réalistes souvent féroces témoignent de l'atmosphère du Théâtre Libre ; parfois ils reflètent — comme le dessin de Toulouse-Lautrec (à droite) — l'esprit du répertoire et la liberté du jeu. Après l'interdiction par la censure gouvernementale de La Fille Elisa (1891), Le Figaro accusa Antoine de faire « distribuer une jolie collection de dessins obscènes en guise de programmes ».

rendu aussi factice que possible ». Antoine animera, sans le faire éclater, l'arbitraire du cadre fixe (la porte du fond, le trou du souffleur, les trois fauteuils de la comédie). Mais de la convergence de tous les moyens d'expression — décor, costume, lumière, voix, gestes, dialogues, mise en scène *plastique* et mise en scène *intérieure* — devait résulter une profonde unité dans le spectacle. Et un nouveau type d'acteur sans lequel rien n'eût été possible. « Jouer la comédie, disait Réjane, est aujourd'hui chose malaisée : on nous demande de la vérité. C'est difficile, le théâtre contemporain. » Les acteurs ! Habitués du théâtre à effets — Antoine les comparait aux chanteurs du bel canto — ils jouaient encore complaisamment pour leur compte, tâchant d'avancer le plus possible vers la salle ! Antoine voulait l'entière sincérité de l'interprète. « Faire perdre aux actrices le goût d'être des mannequins somptueux, aux acteurs, celui de parler dans la salle, subordonner tous les effets au souci impérieux de l'ensemble. » Il voulait que le comédien jouât dans son *milieu* comme si on le surprenait. Là encore, la réforme s'imposa. Le jeu des autres acteurs parut bientôt incroyable. « Le dos de M. Antoine — se résignait à écrire un critique — m'enlève moins mes illusions scéniques que ces visages racontant leurs petites affaires aux messieurs assis aux fauteuils d'orchestre. » Ces *visages* étaient ceux du Théâtre-Français.

Dès 1891, le Théâtre Libre s'est imposé. Mais Antoine s'inquiète. Trouvera-t-il en France les grands dramaturges qu'il attend ? Déjà, lors d'une enquête du *Figaro*, il semble en douter : « La besogne du Théâtre Libre, je le vois bien, sera féconde non point tant par les œuvres produites que par les courants qu'il peut déterminer. » Jean Richard-Bloch n'aura sans doute pas tort d'écrire que « l'instrument s'est trouvé prêt avant que personne se présentât pour en user ». Conseillé par Zola qui, pas plus qu'Antoine, ne prévoyait la nature de ces nouveaux explosifs, il monte *Les Revenants* d'Ibsen (1890), puis *Le Canard sauvage* (1891), dates qui furent « un coup de tonnerre de la scène de France », affirme Lugné-Poe, qui reprochera du reste à Antoine comédien de n'avoir vu dans *Les Revenants* que des scènes de gâtisme sexuel. Ici encore la critique se divisa en deux camps : ceux qui cherchèrent et ceux qui, comme Sarcey, infatigable amateur de Scribe, trouvèrent Ibsen incompréhensible. Soutenu par les uns, combattu par ceux qui qualifient de plus en plus le Théâtre Libre de théâtre d'opposition lié à l'extrême gauche de la littérature, Antoine poursuit son effort, décidé à marcher « en éclaireur ». Après *La Chance de Françoise* (1888), première pièce de Porto-Riche, il monte *La Fille Elisa* (déc. 1890), drame judiciaire tiré du roman d'Edmond de Goncourt, il révélera Courteline, François de

L'ARGENT

Comédie en 5 actes de M. Émile FABRE

(EN PROSE)

DISTRIBUTION

Reynard	MM. ARQUILLIÈRE
Laurent, son fils	LAROCHELLE
Roux, son gendre	ANTOINE
Bousquet	PAUL EDMOND
Madame Reynard	Mmes HENRIOT
Mathilde Roux	BRIENNE
Irma	LUCE COLAS
Julienne	ZAPOLSKA

De la part de M. Émile FABRE.

Paris. Imp. Eugène Verneau, 108, rue de la Folie-Méricourt.

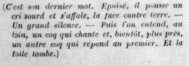

L'ART DU THÉATRE

LA GRANDE : Et, après, quand ils ont voulu te faire vendre ta maison et te prendre chez eux, te l'ai-je assez dit que c'était pour te gruger mieux?

FOUAN, *de même* : Oui, la Grande, tu me l'as dit.

LA GRANDE : Et encore, quand ils ne te payaient point ta rente, te l'ai-je dit aussi qu'il fallait les envoyer en justice?

FOUAN, *de même* : Oui, la Grande, tu m'as dit tout ça.

LA GRANDE : Tant mieux, alors, si te voilà tel que je l'avais prédit, chassé par tes gueux d'enfants, errant la nuit comme un mendiant qui n'a pas même une pierre à lui pour dormir.

FOUAN : Oui, tu avais raison, la Grande. Mais je ne croyais point que des enfants pouvaient être si méchants. Je suis trempé, laisse-moi entrer.

vignes disparaissent et l'on se retrou[ve] blé à l'infini. — *Fouan s'arrête, ex[...]* faim! — Depuis combien de tem[ps...] deux jours. Ou même trois. Je ne [...] faim! — Si j'essayais de manger [...] égrène, mais ne peut arriver à les [...] cassent. — Mais quoi manger al[ors...] terre que j'ai nourrie! *(Il se laisse [...] un moment :)* Peut-être je trouver[ai...] *(Il essaie de se lever mais n'y p[...]* me lever. Je n'ai quasiment pl[us...] je vas crever ici? Est-ce qu'il [...] ramasser? Aucun ne passera, bie[n...] n'en finit point. — J'ai faim! *(Ap[rès...]* je n'ai plus mal. — Ah! on est [...] ment pour le grand voyage. *(Av[...]* voulu pourtant revoir une dern[ière...] *(Nouveau silence. — Et la clarté [...] au soleil qui se lève. — Devant ce[...] fait un suprême effort et redress[e...] une fois la terre dans toute sa sple[ndeur...] qui s'affaiblit peu à peu :)* Ah! c'est le jour qui point! Le bon soleil se lève, le vent du matin agite le blé, les moineaux chantent, toutes les bêtes s'éveillent... C'est riche!

(C'est son dernier mot. Epuisé, il pousse un cri sourd et s'affale, la face contre terre. — Un grand silence. — Puis l'on entend, au loin, un coq qui chante et, bientôt, plus près, un autre coq qui répond au premier. Et la toile tombe.)

RAOUL DE SAINT-ARROMAN,
CHARLES HUGOT.

Les différents aspects de M. Antoine dans le rôle du « père Fouan ».

M. ANTOINE : *Le Père Fouan (1er acte).*

LA GRANDE : Fallait m'écouter.

FOUAN : Tout de même, je suis ton frère. Faut montrer bon cœur envers moi. — Je grelotte, laisse-moi entrer. — Si tu étais à ma place, je te recueillerais, je te le jure.

LA GRANDE, *ricanant* : A ta place, moi!

FOUAN : Non, je sais bien, ce n'est pas possible. Mais c'était pour dire... Laisse-moi entrer, voyons...

LA GRANDE : Non, non! Va demander ce qu'il te faut à ceux qui t'ont volé. Moi, je ne te dois rien. La famille m'accuserait encore de me mêler de ses affaires... D'ailleurs, ce n'est pas tout ça, tu as donné ton bien malgré moi, tu m'as désobéi, jamais je ne pardonnerai. — C'est bien fait, crève dehors! *(Elle rentre vivement dans sa maison et en referme la porte.)*

SCÈNE IX : FOUAN, *seul.*

(Fouan demeure immobile, raidi, hébété. — La pluie redouble encore.) Où manger? *(Silence.)* Où m'abriter? Pas même un toit. Chacun est enfermé dans sa demeure... Il n'y a donc plus que moi qui n'en ai pas? *(Fouan, trempé, transi, ne voit plus ce qu'il pourrait faire. Il se désespère.)* C'est comme ça. Quand on n'a ni enfants, ni maison, ni rien, on se serre le ventre, on couche dehors. *(Il se met à pleurer; puis, repris par un restant d'énergie, il essuie ses larmes et se secoue.)* Voyons, voyons, faut pas se désespérer de la sorte. On ne me laissera pas, bien sûr, crever sur la route un homme de mon âge. *(Après avoir marché un peu, affolé, il se décide à faire une dernière tentative auprès de la Grande. Il va vers la maison et frappe désespérément à la porte en appelant :)* La Grande! la Grande! la Grande! *(mais la porte reste close. — Grand silence.)* Non, je suis bien tout seul. *(Il essaie de s'abriter, ramassé en boule, sous l'avancement du toit, et se dispose à passer la nuit ainsi. Mais, au bout d'un moment, mouillé tout de même dans son réduit, il se met à grelotter et s'éloigne de cet abri insuffisant. — Pendant quelques instants il demeure immobile, les regards fixes, ne sachant à quoi se résoudre. Puis il se décide et remonte.)* Le froid me perce les os, marchons. *(La pluie cesse peu à peu. — Fouan marche. Et, à mesure qu'il marche, le décor se transforme; les*

Le Père Fouan (2e acte).

Le Père Fouan (5e acte).

Suzanne Despres dans poil de carotte

SUZANNE
DESPRÈS

*Après la débâcle
de l'Œuvre, en
1899, Lugné-
Poe avait de-
mandé à son rival
Antoine d'ac-
cueillir dans sa
troupe sa femme
Suzanne Des-
près. Aux côtés
d'Antoine, elle
triompha, en
1900, dans Poil
de Carotte, de
Jules Renard, où
elle fut, dit-on,
insurpassée.*

Curel avec *L'Envers d'une Sainte* (1891), Eugène Brieux qui porte à la scène les problèmes sociaux. Puis c'est *Mademoiselle Julie* de Strindberg (janv. 1893), *Les Tisserands* d'Hauptmann (mai 1893), *Une Faillite* de Bjornson (fév. 1893). Il multiplie ses recherches scéniques. Pour *Neel Horn* de Rosny (mai 1891), il engage cinquante figurants pour une scène de meeting dans un square de Londres, chahutée on ne sait pourquoi par les spectateurs qui reprirent en chœur le cantique de l'Armée du Salut. Les audacieux mouvements de scène de la grève des *Tisserands* provoquent une impression de terreur sur le public. Dans *Les Fossiles* (nov. 1892), pour la première fois, la même scène fut montrée successivement sous trois angles différents... Mais Antoine peut bien perfectionner ses mises en scène, admirablement jouer des lumières, son optique reste naturaliste ; et tandis qu'augmente son succès commercial, une partie de son public hésite, il semble se détacher du Théâtre Libre. En 1891 déjà, avait paru un article de Mirbeau sur Maeterlinck. Une nouvelle école qui se dit *idéaliste* combat le « fait particulier », le « document accidentel », la « vérité photographique » du naturalisme ; elle prétend aller plus loin, redonner la primauté au verbe, *suggérer*, bien plus que montrer, sur scène, la réalité profonde, la « vérité intime » de l'homme. Après le *Théâtre d'Art* de Paul Fort, Antoine voit monter un autre

De son Jules César *(1903), Stanislavski dira que l'ethnographie y avait écrasé l'acteur et le drame : « Notre interprétation étant inférieure à notre mise en scène, de nouveau nous abandonnâmes le sentiment pour tomber dans le réalisme historique. » Antoine demanda à son décorateur Jusseaume d'étudier le décor de la pièce sur place, à Rome. Il chercha surtout à résoudre le problème des trop longs entractes. Comment faire défiler par exemple les vingt-huit tableaux du* Roi Lear, *spectacle qui exigea deux ans de préparation (1905) ? Il se servit de rideaux mouvants devant lesquels se jouaient les scènes secondaires pendant que changeait le décor. Essai analogue avec le décor triparti de* Roméo et Juliette *(1911), composé d'un dispositif fixe et d'une partie centrale variable (croquis de A. Boll). Il donna pour la première fois une traduction intégrale et fidèle des œuvres de Shakespeare, ce qui était un événement en France.*

Ci-contre : Costumes du Roi Lear, *très stylisés pour l'époque ; à droite, Paul Capellani. Ci-dessous : Décor du* Roi Lear *au Théâtre Antoine.*

LA CELLULE DE FRÈRE LAURENT   UNE SALLE CHEZ LES CAPULET   UNE RUE ∗ UNE PLACE ∗ UN JARDIN   LE TOMBEAU DE JULIETTE

LE PREMIER DÉCOR A TRANSFORMATION : ROMÉO ET JULIETTE

« JULES CÉSAR » CHEZ ANTOINE

ET CHEZ STANISLAVSKI

théâtre hors censure, *L'Œuvre*, dirigé par son ancien régisseur, Lugné-Poe. Un beau jour, les directeurs des scènes régulières apprennent une nouvelle longtemps attendue : Antoine est ruiné. Il cède son théâtre à La Rochelle. Une dernière circulaire adressée aux abonnés parle des « nouveaux courants littéraires qui sont en formation » et Antoine dit vouloir passer la main aux jeunes. En 1896, il fait une tournée avec Jean Coquelin cependant que Suzanne Desprès débute à *L'Œuvre*. Le Théâtre Libre a donné soixante-deux spectacles, monté cent quatre-vingt-quatre pièces.

Lorsque, après un directorat manqué de dix-sept jours à l'Odéon (juin 1896), Antoine reprend le Théâtre des Menus-Plaisirs qui devient le Théâtre Antoine (1896-1906), il y installe l'éclairage direct, en perfectionne l'équipement électrique. Ses conceptions n'ont guère changé. Il dispose à présent d'un théâtre régulier. Il donnait huit spectacles par an, il jouera tous les jours. Ses acteurs se sont affirmés sur d'autres scènes. Les auteurs qu'il a lancés sont à l'Odéon (Jean Jullien), à la Comédie-Française (Porto-Riche), au Vaudeville (Lavedan)..., ouvrant la voie à cette « nouvelle génération de fabricants » dont parle Jean Richard-Bloch. Il montera des pièces de Curel, de Bernstein, de Porto-Riche et reprendra les succès du Théâtre Libre : Ibsen, Hauptmann. *La Cage* de Lucien Descaves, pièce anarchiste, et *Les Tisserands* provoquent de nouveaux scandales. La pièce syndicaliste d'Hauptmann, d'abord interdite par la censure, puis autorisée sous la menace d'une interpellation à la Chambre, déclencha des incidents à la représentation. Antoine monte *La Nouvelle Idole* de Curel (1899), *Poil de Carotte* (mars 1900) de Jules Renard, où triomphe Suzanne Desprès à qui Antoine a presque tout appris. Deux mois avant la mort de son ami Becque, il impose *La Parisienne*, dont les trois actes, écrit un critique, « se déroulent dans l'admirable grisaille d'un même décor ». Mais pour *La Bonne Espérance* de Heijermans, il envoie son régisseur en Hollande et reconstitue minutieusement un intérieur de pêcheur hollandais. Il engage de Max, Dumény, Signoret ; vers 1900 Gémier, Janvier, Arquillière iront jouer ailleurs. Il crée *Les Gaîtés de l'Escadron* de Courteline, *Le Marché* de Bernstein et triomphe comme comédien dans *Au téléphone*. Enfin, à son retour d'une longue tournée en Amérique du Sud avec Suzanne Desprès (1903), Antoine monte une pièce de Shakespeare qu'il prépare depuis deux ans : *Le Roi Lear* (déc. 1904). A la reconstitution de la tempête près, Copeau salua la perfection matérielle de ce spectacle où Antoine, le premier, employait les rideaux mouvants et faisait jouer les scènes secondaires au proscenium pendant que changeait le décor. Réservé sur l'interprétation trop réaliste et particulièrement sur celle d'Antoine, qui, voulant supprimer la déclamation, joua vrai, « joua le Roi Lear comme il jouait le *Voiturier Henschel* », Copeau loua « la beauté sobre

des décors, la prodigalité, l'ingéniosité, la minutie de la mise en scène ». De plus, ce spectacle, rompant avec les tripatouillages habituels, donnait une traduction fidèle et intégrale de l'œuvre de Shakespeare. En 1906, Antoine, sollicité par Clemenceau et Briand, accepte la direction de l'Odéon ; il cède son théâtre à Gémier.

Et tandis qu'est en marche le tourbillon des Ballets Russes, qu'à Florence Craig publie sa revue *The Mask*, que lit le jeune Jacques Copeau, que Jacques Rouché se documente à travers l'Europe et familiarise le public français avec les théories des metteurs en scène étrangers ; tandis que les auteurs « symbolistes », à leur tour, se font attendre et qu'à Paris triomphe la spirituelle pourriture du Boulevard, Antoine, jusqu'en 1914, inlassablement, perfectionne et modernise à l'Odéon ses mises en scène réalistes, et innove, avec Shakespeare, ses grandes mises en scène simplifiées. Il reprendra *Le Roi Lear*, créera *Jules César, Coriolan, Roméo et Juliette, Troïlus et Cressida*. Toujours minutieux, il va à Rome étudier le décor de *Jules César* et, au Pays basque, avec Jusseaume, celui de *Ramuntcho*. Mais il reconnaît maintenant une certaine indépendance à la vérité décorative. Les énormes gradins de *Jules César* n'existent pas à Rome ; son pays basque, dit-il, est « recomposé ». Pour les comédies, il fait « exact et moderne, sans tomber dans le réalisme d'un Fechner ». Sa passion, que seule une longue suite de catastrophes financières finira par désenchanter, l'entraîne alors dans l'engrenage des grandes mises en scène déficitaires. Dans cet Odéon *de l'État* qu'on le soupçonne de vouloir transformer en *Odéon Libre*, il engage de Max, André Berley, Calmette, Dumény, Blanche Albane, Suzanne Desprès, Vera Sergine... et rassemble une troupe qui lui coûte jusqu'à cinquante mille francs par mois. Il monte *Le Cid* « en chandelles », *Iphigénie, L'Avare* et une admirable *Psyché* de Molière, qui, à la veille de la guerre, précipitera sa faillite. Il tiendra ce qu'il avait promis dès 1903 : « Rendre à l'art classique sa pureté, sa simplicité d'antan, le désencombrer de ces toiles où s'étale une criarde Hellénie, de ces fleurs artificielles, de ces colonnes de pâte, de tout ce luxe *modern-style* qui convient peut-être à d'Annunzio mais pas au suave Racine. » Il jouera Gœthe, Eschyle, Beaumarchais, Hauptmann, Pouchkine, Scribe, Labiche, Daudet... Il créera des œuvres de Duhamel, Salacrou, Sacha Guitry. Une pièce par semaine durant sept ans : trois cent soixante-quatre ouvrages. Mais le public boude. Celui des petites places, « le plus intéressant d'ailleurs », remarque Antoine, va au cinéma. Au lendemain du triomphe de *Psyché*, Antoine a quatre cent mille francs de perte. Il donne sa démission. Il traversera deux guerres, deviendra critique, fera du journalisme et dira un jour que Paris ne lui a pas offert le théâtre où il aurait pu donner sa mesure.

FRÉDÉRIC TOWARNICKI.

THÉÂTRE ANTOINE

La lutte contre le na-
turalisme du Théâtre
Libre, commencée
par Paul Fort, se
poursuit avec Lugné-
Poe. Ci-contre : pro-
gramme de Maurice
Denis pour La Dame
de la Mer d'Ibsen
(1892), cinq mois
avant Pelléas et
Mélisande.

LUGNE-POE et le

Théatre de l'Œuvre

UNE RÉPÉTITION A "L'ŒUVRE"

Lithographie de Vuillard, créateur des premiers décors simplifiés. A droite, le jeune dandy symboliste : Lugné-Poe, rue Turgot.

JAMAIS le climat théâtral des années 1890-1891-1892, qui précédèrent la naissance de l'Œuvre, surgie des cendres du Théâtre d'Art, ne fut plus durement jugé que par Lugné-Poe lui-même. Heures douces et béates du Français moyen, dira-t-il. « Quelle époque médiocre !... Dieu sait les misères qu'elle engendra. De notre théâtre il est préférable de ne rien rappeler. » Celui d'Antoine excepté. Mais le Théâtre Libre bat de l'aile, tandis que triomphe un peu partout la pièce de Boulevard, « le fait divers légèrement rehaussé, l'aventure sexuelle, le thème de l'adultère présents en cent mille exemplaires selon l'art d'accommoder les restes ». Et tout cela se joue dans un cadre « assez luxueux mais de pacotille, conventionnel, selon une conception uniforme et passe-partout ». Le naturalisme n'accroche plus, la comédie rosse se démode. Au delà du naturalisme qui se trouve, selon le mot de Huysmans, *dans une impasse, un tunnel bouché*, et dont les œuvres ou les sous-produits se montrent incapables d'exprimer les grands courants de l'époque, s'affirme la réaction de la seconde génération symboliste et se forme ce public de « mystiques, d'idéalistes, d'amateurs du merveilleux » que Barrès signalera en 1894 dans la salle de *l'Œuvre*. Période d'apparente sécurité, que marquent les débuts de l'impérialisme. Aux idées sociales des années 1880 et aux théories naturalistes, dont les récentes découvertes scientifiques révèlent l'inconsistance, succède un idéalisme qui emporte avec soi, contre le réalisme bourgeois, toutes les tendances mystiques, individualistes, anarchistes d'une oasis intellectuelle en révolte contre le milieu social. Climat que le jeune Aurélien Lugné découvrira peu à peu entre les années 1889 et 1891. Mais au lycée Condorcet déjà, ces forces étaient en germe.

Il y entre en 1885 dans la classe d'Émile Faguet, professeur et critique dramatique. On parlait alors d'un groupe d'anciens élèves — Stuart Merill, René Ghil, Ephraïm Mikhael, Pierre Quillard — qui collaborent à de jeunes revues : tous suivent les chroniques dramatiques (1886-1887) de Mallarmé, ex-professeur de Condorcet. Cette même année 1886, cinq mois avant la création du Théâtre Libre, Aurélien Lugné fonde le Cercle théâtral des Escholiers et joue... Ponsard, Octave Feuillet, Verconsin, Gondinet. Entré en octobre 1888 au Théâtre Libre, comme acteur et régisseur, il y reste jusqu'en mars 1890, tout en suivant au Conservatoire les cours de Worms, dont le jeu réaliste, mesuré et subtil, bien avant les créations d'Antoine, avait frappé Zola. Lugné-Poe apprendra son métier chez Antoine. Mais c'est à Worms qu'il

devra sans doute ces compositions nuancées et complexes qui le distingueront très vite au Théâtre Libre où il campera un nouveau type de bourgeois, beaucoup plus noir que ceux de Got ou d'Antoine, flegmatique, inattendu. Vers 1890, il se lie aussi avec un groupe de jeunes peintres, Vuillard, Bonnard, Maurice Denis, qui ont fondé l'école des « prophètes inspirés », les Nabis. Et c'est la rencontre avec Paul Fort et le Théâtre d'Art, la découverte de L'Intruse de Maeterlinck, au moment où fléchit le naturalisme que la maîtrise d'Antoine impose cependant à la scène. « Ma tête en désarroi roulait du naturalisme au symbolisme, trouvant maigre pitance dans les deux râteliers », dira Lugné-Poe de cette année 1891. Bon gré, mal gré, il sera entraîné par l'école nouvelle. A la trajectoire désormais tracée d'Antoine, il préfère l'aventure théâtralement incertaine d'un symbolisme encore informulé. De 1893 à 1897, l'Œuvre tente de donner une vie scénique et d'imposer un style à tant d'éléments épars. Coup sur coup Lugné-Poe proclame : « Nous jouerons religieusement les œuvres qui nous apparaîtront les plus

Programme du peintre et décorateur norvégien E. Munch. « *M. Lugné-Poe sauve de loin en loin l'ignominie du théâtre contemporain* », *écrivait Octave Mirbeau après la création de* Peer Gynt, *en novembre 1896.*

habiles et les plus actifs conducteurs d'*idées* » (1893). « Nous voulons faire connaître des œuvres où l'idée seule dominera... » « ... Nous n'attachons qu'une importance médiocre au côté matériel dénommé théâtre » (1894). Il ne faut pas prendre ces formules à la lettre ; la dernière vise aussi, par ricochet, le puissant matériel du Boulevard : c'est plutôt l'extraordinaire démonstration antinaturaliste d'*Ubu Roi* (1896) qui lui donnera son sens théâtral, encore que les spectacles de l'Œuvre aient souvent laissé l'impression d'être à peine ébauchés. Mais au théâtre le symbolisme ne rendra pas. En 1897, c'est la rupture : Lugné dénonce le pacte avec les symbolistes : « Née après sept ans de théâtre naturaliste, à une époque où la jeunesse des lettres se disait symboliste, l'Œuvre se trouve englobée dans ce mouvement, malgré la contradiction évidente qui existe entre le théâtre d'Ibsen et les théories symbolistes. Un malentendu s'est donc établi contre lequel nous voudrions réagir. L'Œuvre ne dépend d'aucune école, et si l'accueil des tendances mystiques avait pu égarer quelques-uns, il serait temps de s'arrêter, puisque, à part les admirables drames de Maeterlinck, elles n'ont rien produit au point de vue dramatique... » Les symbolistes prirent mal l'outrecuidance de cet *entrepreneur de représentations théâtrales* qui peut-être se sentait, selon J. Robichez, « fatigué des fadeurs quintessenciées du théâtre symboliste ». Protestations, interviews, un duel avec Mendès s'ensuivirent.

De plus en plus Lugné-Poe tend vers une réalité plus simple, plus directe. Après 1897, il jouera Bouhélier, Romain Rolland, et, comme Antoine, il prendra nettement position durant l'affaire Dreyfus.

★

La création aux Bouffes-Parisiens de *Pelléas et Mélisande* (mai 1893) décida de la fondation de l'Œuvre. Mirbeau consacra une longue analyse à cet ouvrage, dont l'écriture même, époque et lieu indéterminés, devait tout naturellement s'intégrer dans l'orientation scénique du nouveau théâtre. Ameublement et accessoires inutiles furent supprimés. « Ils ont tenté, écrit Mirbeau, de créer autour des personnages un cadre ornemental au lieu de s'attarder, selon l'ordinaire convention, à reconstituer des appartements réels ou des forêts véritables. » Et Mirbeau note la coloration du décor, « gradué en teintes sourdes, en bleu sombre, mauve, orange, vert mousse, vert de lune, vert d'eau, allié, par des violets éteints et des gris bleus, aux costumes des acteurs, jusqu'à celui de Mélisande, qui est le plus clair ». Lugné-Poe avait supprimé la rampe et utilisait le rayon d'un projecteur. Autre innovation : on faisait l'obscurité dans la salle pendant le spectacle. Ainsi se réalisait de nouveau cette simplification ornementale réclamée en 1891 par Pierre Quillard, « qui devait compléter l'illusion par des analogies de couleur et

Les programmes de l'Œuvre eurent un air de provocation. On parla de « morceaux de papier barbouillés de grossiers caractères et salis d'un dessin puéril ». Lithographie de Vuillard pour Un Ennemi du peuple, *d'Ibsen. 1893.*

Programme dessiné par Jarry et autographe de sa conférence lue à l'Œuvre pour la création d'Ubu Roi. 1896.

de ligne avec le drame ». Au lendemain de *Pelléas*, on recruta les premiers abonnés : Zola, Puvis de Chavannes, Sardou, Jean-Paul Laurens, Curie et Mme Curie...

Deux pièces d'Ibsen, *Rosmersholm* (1893) et *Un Ennemi du peuple* (1893), ouvrirent la première saison de l'Œuvre. Le désarroi de Lugné-Poe devant l'univers ibsénien vite annexé, du reste, au grand mécontentement d'Ibsen, par les symbolistes français, fait penser aux incertitudes de Stanislavski découvrant Tchékhov. Des *Revenants* (1890), Antoine avait fait une variation naturaliste sur l'hérédité. A l'Œuvre, on travaille plutôt sur la lancée de *Pelléas*. Sans parler des thèmes ou des personnages — celui d'Hedda Gabler au Vaudeville en 1891 avait dérouté le public, ignorant tout d'ailleurs de la Norvège — rien de commun entre les indéfinis intervalles d'une écriture cernée d'ombres et de silence et la netteté logique du dialogue réaliste traditionnel. Lugné-Poe pataugera dès 1892, au Cercle des Escholiers, avec *La Dame de la Mer*, cherchant dans la pièce, dit-il, « le langage symbolique, le double langage dont il était parlé dans la préface des traducteurs ». Envoyés par Prozor et Johanessen,

Maison de Poupée *fut créée au Théâtre Royal de Copenhague en 1879. Eleonora Duse créa la pièce à Saint-Pétersbourg (1890), et Réjane (à droite), en 1893, à Paris. A partir de 1905, Suzanne Desprès (ci-dessus) jouera le rôle de Nora dans le monde entier. Ludmilla Pitoëff la fera revivre en 1930.*

Ibsen envoya à Paris le metteur en scène danois Bang pour guider les acteurs français, déconcertés par les personnages et le style de l'œuvre. Bang détestait les symboles, les abstractions et la psalmodie. Il apprit à Réjane et à Suzanne Després à jouer Ibsen dans un sens simplement humain et plus réaliste. Sur cette page, Maison de Poupée, *reprise à l'Œuvre, avec Suzanne Després, en 1905.*

deux jeunes Danois survinrent heureusement pour atténuer les étranges psalmodies des interprètes et suggérer à Lugné-Poe plus de réalisme et de vivacité dans l'interprétation. « Aussi bien sans Jed Pedersen eussions-nous davantage déraillé... Il nous fit comprendre les ressources qu'on peut trouver en sachant associer les moyens vrais, réels, humains, aux mouvements lyriques d'une comédie si exceptionnelle dans l'œuvre d'Ibsen. » Ce jeu lent et psalmodié, cette mélopée par laquelle l'acteur-officiant veut paradoxalement s'effacer dans le poème, ce débit égal, cette voix blanche qui paraît, écrit Jacques Robichez, « comme inexorablement dictée, inhumaine, venue de très lointains au-delà », sera une des caractéristiques du style de Lugné-Poe à l'Œuvre. Suzanne Després jouera elle aussi dans ce ton. A une représentation de *Peer Gynt*, sa voix psalmodiante rappellera à Bernard Shaw celle de Sarah Bernhardt. Et sans doute le sobriquet de Jules Lemaître reflétait-il l'impression étrange que devait donner Lugné : le *clergyman somnambule*. Plus tard Lugné-Poe fit remonter l'origine de cette psalmodie, « dont nous devions souffrir et faire souffrir les autres », à l'interprétation allemande de 1886-1887, déconcertée par la difficulté du jeu. Enfin Bang, dépositaire de la pensée d'Ibsen, vint compléter le travail des deux Danois. Il vint pour *Rosmersholm*. Il était contre la psalmodie, contre le jeu abstrait, tolérant à peine, note Lugné, les jeux de lumière que Vuillard dirigeait. C'est lui qui apprit à Réjane à jouer Nora dans *Maison de Poupée* au Vaudeville en 1894. Il fut là aussi pour *Un Ennemi du peuple* et pour *Solness le Constructeur*, mettant l'accent sur le mouvement, l'action, la vie, la représentation fidèle des personnages, arrêtant les ténébreuses recherches de Lugné-Poe, qui avoua « avoir cherché de midi à quatorze heures » d'impossibles symboles. Dernière étape : la rencontre avec Ibsen en 1894.

Le Chariot de Terre Cuite *(1895), décor de Toulouse-Lautrec, chef-d'œuvre du théâtre Indien, attribué au Roi Soudraka. Un défi aux fioritures de la toile peinte : quelques indications typiques suffisent pour suggérer les bords du Gange. Les acteurs n'ayant pas revêtu le maillot collant de rigueur, Sarcey s'indigna : « C'est la première fois que j'ai vu des hommes tout nus marcher sur la scène. » Ci-contre,* La Fille de Jorio, *acte II, de Gabriele d'Annunzio (1905), avec Suzanne Després et Lugné-Poe. Celui-ci suivit fidèlement les directives du poète et alla étudier les costumes en Italie.*

« Un auteur de passion doit être joué avec passion. » Cette phrase retentit en Lugné-Poe. « Ibsen, en une seconde, par une parole, raconte-t-il, avait modifié tout le caractère jusque-là languissant et un peu chantant de notre interprétation. » Lorsque Ibsen vit *Solness le Constructeur* joué par l'Œuvre à Oslo, il dit : « Cela a été la résurrection de ma pièce. »

Lugné-Poe montera *Le Petit Eyolf, Brand, Les Soutiens de la Société, la Comédie de l'Amour, John-Gabriel Borkmann*. Mais c'est en 1897 que l'Œuvre, renonçant définitivement aux symboles, rompra avec les « interprétations fantastiques » que lui reprochait, par exemple, G. Brandès. Lugné-Poe s'en tiendra à un *réalisme mitigé*, admirablement soutenu par le jeu simple de Suzanne Desprès. Ibsen prendra alors en France la place qu'il occupait déjà sur d'autres scènes d'Europe. Mais le terrain était partout propice. Considéré

d'abord comme révolutionnaire par une élite aux aspirations progressistes ou anarchistes; applaudi par ceux qui partageaient sa foi dans le petit groupe d'individus révoltés qu'il appelait « minorité », dressé contre la « majorité » pourrissante; enfin admis par ceux qui comprenaient que ses thèmes conservateurs étaient de tout repos devant le danger des revendications précises des masses, Ibsen et son socialisme généreux devaient trouver un écho dans un assez vaste public.

Prétendant moins rénover la technique théâtrale que s'orienter vers « la pensée nouvelle et inexplorée », l'Œuvre s'engagera sur la voie tracée par le Théâtre d'Art et qui mène jusqu'à Rouché et même Copeau. Lumière, couleurs, quelques objets improvisés formaient le cadre. « L'esprit derrière la lettre », avait exigé Paul Adam. Parfois un fond aux teintes sourdes, quelques draperies mobiles, le rayon d'un projecteur. Cela coûtait moins cher que les ruineuses reconstitutions naturalistes, et le public s'étonnait un peu de l'indigence du décor et de la mise en scène. Un même salon aux tapisseries sombres encadra *Rosmersholm*, *Maison de Poupée*, d'autres pièces... Le même fond de montagnes fabuleuses servit pour Maeterlinck et pour Rod. Des nombreux décors de Vuillard, Cérusier, Maurice Denis, Dethomas, futurs collaborateurs de Rouché, il ne reste que des programmes, à travers lesquels on peut imaginer un style. L'Œuvre annonce encore le décor double à deux plans : celui du fond séparé du premier par un rideau s'ouvrant lorsque l'action se situe dans un lieu extérieur ou public. Ainsi Lugné-Poe voulut diviser en deux le décor de *Peer Gynt*, l'un réel, servant pour les scènes réalistes, l'autre, indéterminé, pour les scènes philosophiques. Décor suggestif, *expressionniste*, dira plus tard Lugné-Poe pour *Solness le Constructeur*, joué sur un plan incliné qui augmentait la force dramatique du cadre. Autre essai pour *La Gardienne*, d'Henri de Régnier, où, tandis que le poème est récité dans la fosse d'orchestre, les acteurs miment les scènes derrière une gaze verte, dans un décor de Vuillard décrit par Jules Lemaître : « La toile de fond figurait un paysage de songe, les arbres bleus, un sol violet, un palais mauve, une fresque de Puvis de Chavannes imitée par une main incertaine d'un nouveau-né atteint de daltonisme, quelque chose comme de la peinture balbutiée. »

Sur son programme des Bas-Fonds, *de Gorki, Lugné-Poe reproduisit la photographie de la même pièce au théâtre de Stanislavski. En 1905, la Duse joua les* Bas-Fonds *à l'Œuvre et renfloua la caisse de son ami Lugné-Poe.*

Deux décors de l'Annonce faite à Marie (1912). Le contraire d'un commentaire : un cadre pour image sainte. Jean Variot — frappé par les réalisations scéniques allemandes — réussit la synthèse décorative recherchée par Lugné-Poe pour la pièce de Claudel que lui avait léguée Paul Fort à la fermeture du Théâtre d'Art en 1892.

Mais dans la ligne de cette désintégration des anciens clichés, l'explosif idéal reste l'*Ubu Roi* d'Alfred Jarry (1896), spectacle-témoin d'une époque. Y soufflait le « vent de destruction », écrivait alors Henry Bauer, « l'inspiration de la jeunesse contemporaine qui abat les traditionnels respects et les séculaires préjugés ». Le lendemain, Catulle Mendès essayait de situer Ubu : « Fait de Pulcinella et de Polichinelle, de Punch et de Karajeux, de Mayeux et de M. Joseph Prud'-homme, de Robert Macaire et de M. Thiers, du catholique Torquemada et du juif Deutz, d'un agent de la sûreté et de l'anarchiste Vailland, énorme parodie malpropre de Macbeth, de Napoléon et d'un souteneur devenu roi, il existe, désormais, inoubliable... » Inoubliable aussi, dans le tumulte d'une salle déchaînée, le spectacle à demi improvisé par Gémier, Louise France, Irma Perrot. Mise en scène embrouillée à dessein, décor unique qu'un écriteau orné de fautes d'orthographe situait à chaque changement de scène, partie mimée

pour suggérer sur l'étroit plateau la course de vitesse, l'armée polonaise. « Pour remplacer la porte de la prison, raconte Gémier, un acteur se tenait en scène avec le bras gauche tendu. Je mettais la clé dans sa main comme dans une serrure. Je faisais le bruit du pène, cric crac, et je tournais le bras comme si j'ouvrais la porte. » Et Romain Coolus s'étonnait de ces « signes susceptibles de suggérer ce qu'on ne pouvait montrer », de ces actions « en raccourci très expressivement synthétique » et parlait même « d'une sorte de langage théâtral nouveau sur lequel il y aurait lieu de revenir ».

Si avant 1899 — date de la fermeture provisoire de l'Œuvre — les productions étrangères l'emportent sur les pièces françaises (Bjornson, Strindberg, Van Lerberghe, Kalidasa, Hauptmann, Gogol), c'est le nombre des ouvrages français qui grandit au cours des années suivantes. Mais qu'en dire ? Auprès de Verhaeren (1900), Gide (1901), Jullien (1903), Savoir (1906), c'est Faramond, Sonnier, Schuré,

Lugné-Poe voulait que le décor de la forêt de Cheroche (à gauche) fût non peint et donnât une « impression farouche de forêt assez impénétrable ». Des bandes de calicot brun foncé tombaient du cintre, entremêlées de quelques bandes vertes. Ci-dessous, en fac-similé, l'une des indications de Claudel sur la manière de jouer ses drames.

Gasquet, suivis d'une liste de trente noms... Parallèlement, l'Œuvre joue d'Annunzio (1905), Gorki (1905), Wilde (1907), Hofmannsthal (1908), Marinetti (1909), Schnitzler (1912), créations entrecoupées de tournées autour du monde, d'éclipses passagères jusqu'au foudroyant retour de l'Œuvre durant les deux saisons qui précédèrent la guerre, avec Claudel. En 1906, Lugné-Poe devient impresario. Il dépense l'argent des longues tournées pour jouer quelques jeunes, à Paris, s'évertuant, dit-il, « à flirter avec le sort, à chercher des combines, et même à manger ». Alors recommencent les acrobaties financières et s'affirme l'extraordinaire « agent de liaison intellectuel » dont parle Mauclair. Il entraîne en Norvège, en Suède, au Danemark, Eleonora Duse, qui, en 1905, joua dans *Les Bas-Fonds* à l'Œuvre, pour renflouer la caisse que l'indifférence du public avait laissée vide. En 1907, il la conduit en Amérique du Sud. De 1908 à 1909, c'est une tournée européenne triomphale avec Suzanne Desprès, qui joue alternativement Ibsen, *Poil de Carotte*, *Phèdre*. En 1908, il fait venir à Paris Giovanni Grasso ; en 1911, Ermete Zacconi ; il révèle Isadora Duncan qu'accompagnent les orchestres de Colonne et de Lamoureux. Enfin, il organise les représentations au Marigny du Schauspielhaus de Munich qui auront une influence directe sur les recherches de Jean Variot.

Les décors de Jean Variot pour *L'Annonce faite à Marie* (déc. 1912) marquent une date dans l'histoire du théâtre français. En même temps que prend corps, en pleine médiocrité théâtrale, la formidable cosmogonie catholique de Claudel, se cristallisent dans les décors de Variot, avec une sensibilité toute latine où transparaît l'enseignement des primitifs siennois, les recherches scéniques des animateurs du théâtre européen. La voie, certes, était tracée. Après l'Œuvre, les décors simplifiés de Vuillard, il y eut les Ballets Russes, le théâtre de Jacques Rouché, les tournées à Paris des théâtres allemands. Mais, vers 1912, le glissement s'accentue sur les scènes parisiennes : les meilleurs critiques protestent contre le luxe parasitaire des décors et des costumes qui étouffe la mise en scène. Ce qui était positif dans le cadre du ballet devenait catastrophique au théâtre. Variot avait fait en Allemagne et en Autriche de longs séjours. Il suivait les essais d'Erler, de Gordon Craig, d'Appia, de Littmann, et surtout de Georg Fuchs, et connaissait les expériences d'architecture théâtrale, les mises en scène simplifiées du Deutsches Theater de Berlin, du Künstlertheater de Munich, leurs scènes tournantes, leur utilisation complexe des projecteurs. Lui aussi est contre la mise en scène *compliquée*, le carton-pâte, la toile peinte servile, la « manie du décor ». Aux décorateurs, il reproche leur ignorance des lois de l'harmonie et de « traiter les scènes en peintres et non en dramaturges ». Il ne peut ni ne veut imiter le « surcroît de luxe » des Russes et leur « école de surdécoration ». Mais, à son tour, il proclame : « N'essayons pas de tricher. » « Peignons au contraire (la toile) en montrant qu'elle est un fond et rien qu'un fond

LUGNÉ-POE ET PAUL CLAUDEL AU COURS D'UNE RÉPÉTITION DE « L'OTAGE » EN JUIN 1914.

pour l'acteur. » Le décor de *L'Annonce* veut être le contraire d'un commentaire. C'est un cadre. Pour « donner à certains tableaux l'allure d'une image sainte », Variot accentue la convention nécessaire en entourant la scène d'une sorte de cadre décoré. Et dans la ligne de vol de la pièce, couleur, lumière, musique tendent à une constante unité. Enfin, rampe et herse sont supprimées et remplacées par des projecteurs. C'est une innovation. La représentation fut triomphale. On doit encore à Jean Variot les décors de *La Brebis égarée* de F. James (1913), de *L'Otage* de Claudel (juin 1914) et ceux d'*Hamlet* donné au Théâtre Antoine (1913), dans une intéressante mise en scène dite « synthétique » de Lugné-Poe.

Sitôt démobilisé, Lugné-Poe n'a qu'une pensée : faire revivre l'Œuvre. Début des « années folles ». Copeau et Jouvet annoncent la réouverture du Vieux-Colombier (octobre 1919), Gémier s'apprête à jouer au Cirque d'Hiver. D'autres novateurs montent, envers qui Lugné-Poe sera souvent injuste : Dullin, Baty, l'inquiétant Pitoëff. En 1919, la « Maison de l'Œuvre » est fondée rue de Clichy, proclamant invariablement qu'elle reste ouverte au théâtre étranger, aux jeunes auteurs. De 1919 à 1929, l'Œuvre reprend Ibsen, Strindberg, d'Annunzio, Claudel, Jarry. Lugné-Poe révèle ou joue les pièces de Crommelynck (1920), Jean Sarment (1920), Natanson, Mazaud, Shaw (1922), Steve Passeur (1924), Salacrou (1925), Pierre Brasseur (1928), Tristan Bernard (1928). Une double exigence : la valeur du texte et l'interprétation. Si Lugné-Poe prétend parfois ne pouvoir utiliser toutes les ressources techniques, la décoration « synthétique, stylisée, etc. », sur son petit plateau, il affirme se désintéresser de plus en plus des recherches de mises en scène « modernes » qu'il qualifie d'extérieures, d'attrape-nigauds... Qui vise-t-il ? Les hommes du Cartel ? Rageusement, il écrit en 1923 : « La rénovation n'est pas venue. Je crois bien qu'elle ne viendra jamais. » En 1927, son malaise grandit encore. « L'Œuvre, mon Œuvre, celle rêvée depuis longtemps, ne fait que se survivre. Elle agace, elle lasse, elle irrite. On veut autre chose. » Et Lugné-Poe « file en douce », comme il dit, cédant l'Œuvre trente-six ans après l'avoir fondée. Dénicheur de manuscrits et comédien hors de pair, il aura ouvert la voie à la décoration théâtrale moderne sans avoir pu, faute de moyens matériels peut-être, ou d'ambitions théoriques, réaliser ses idées avec la rigueur des grands metteurs en scène européens. Entre le peintre sans métier théâtral et le décorateur sans génie, l'Œuvre, à quelques exceptions près, se sera frayé un difficile passage. Les animateurs étrangers lui rendront hommage. Stanislavski, présentant Lugné-Poe à Moscou en 1915, déclara publiquement, note Léon Moussinac, qu'il devait beaucoup aux décorations du Théâtre d'Art et de l'Œuvre « et que la mise en scène exécutée par le peintre Vogler pour *Pelléas et Mélisande* lui avait notamment été fort utile ». Lugné-Poe fut un grand pionnier, comme Antoine, auquel, jusque dans sa réaction idéaliste, il reste indissolublement lié.

F. T.

Les

Metteurs en Scène

Étrangers

STANISLAVSKI

Premier spectacle du Théâtre Artistique de Moscou : Le Tsar Fiodor, d'A. Tolstoï, acte II (1898). Énorme travail de documentation historique. Les intérieurs du vieux palais sont reconstitués avec corniche et plafond. Les tournées des Meininger, entre 1885 et 1890, ont porté des fruits. La figuration s'inscrit dans l'action dramatique.

Dans le dernier quart du XIXᵉ siècle, le théâtre russe, comme le théâtre occidental, connaissait un intense besoin de renouvellement. Depuis deux cents ans (le monopole théâtral ne fut aboli qu'en 1882), l'administration impériale maintenait la priorité du ballet et de l'opéra, tandis que les scènes dramatiques étaient encombrées de fades adaptations ou imitations de mélos et de vaudevilles étrangers, surtout français. Le répertoire classique était réduit au minimum, et le haut répertoire national consistait en quelques chefs-d'œuvre isolés : *Le Malheur d'avoir trop d'esprit* de Griboïédov (1825), *Le Révizor* de Gogol (1836), et les pièces d'Ostrovski (depuis 1850), violente peinture naturaliste du « royaume ténébreux » des milieux marchands. Cela ne pouvait plus suffire au nouvel acteur national formé à l'école du réalisme psychologique que, depuis 1830, avait affirmé Michel Stchepkine, le plus grand acteur russe. Cela ne suffisait pas davantage au spectateur assailli par des problèmes psychologiques et sociaux. La dramaturgie scandinave et allemande, rapidement acclimatée en Russie, venait combler ces exigences, et, du côté russe, lui répondait l'œuvre de Tchékhov (*Ivanov*, 1887).

Mais pour passer la rampe la nouvelle dramaturgie avait besoin de moyens d'expression scénique neufs, à la fois dans la présentation et dans l'interprétation. Le mouvement, amorcé par les Meininger et continué, dans des directions diverses, par les novateurs occidentaux, trouvait en Russie un répondant en la personne de Constantin Stanislavski (nom de guerre de Constantin Alexeïev, 1863-1938).

Issu de la grande bourgeoisie moscovite, mécène et théâtromane par tradition, il fut acteur, peut-on dire, dès la chambre d'enfants. Son autobiographie : *Ma Vie dans l'Art* (écrite au cours d'une tournée aux États-Unis, elle y parut d'abord en anglais, en 1924, puis, sensiblement complétée, à Moscou, en russe, en 1926), est l'histoire d'un homme entièrement absorbé par le théâtre.

Tout jeune, il entra dans la bataille, apportant un double message de metteur en scène et d'acteur. Il avait eu la chance de se former hors des chemins battus, dans des cercles d'amateurs dont l'entraînement allait bien au delà d'un simple dilettantisme. De ses fréquents voyages à l'étranger, surtout à Paris, il avait rapporté la notion de la manière française, mais non point classique. Il essaya de s'initier à celle-ci en suivant, pendant plusieurs semaines, les cours du Conservatoire en qualité d'auditeur libre, mais cette tentative se solda par un violent refus du conventionnel. Stanislavski, par contre, était charmé du rythme rapide et de l'élégance de l'acteur français du Boulevard. Quel que fût son jugement ultérieur, dans sa prime jeunesse et pendant des années, il s'exerça au vaudeville et à la comédie musicale. Lecoq, Hervé, Audran fournissaient leur répertoire aux jeunes amateurs de ce « Cercle Alexeïev » que fascinait l'art d'une Judic. Avec reconnaissance, Stanislavski se souvient de sa grand-mère maternelle, Marie Varlet, actrice du Théâtre Michel de Pétersbourg, qui entretenait en permanence une troupe française : « Heureusement, non seulement nous parlions tous français, mais nous comprenions la musique de cette langue. Ce n'est pas pour rien que nous avions du sang français dans les veines... Rapidement, je m'assimilai la manière française de parler et de me mouvoir... »

Jusqu'à la fin de sa vie, il garda la conviction que le vaude-

Un triomphe : La Mouette, *de Tchékhov, acte IV (1898). Ici encore les recherches naturalistes réagissent contre le réalisme conventionnel. La sincérité de l'interprétation, les bruitages, l'éclairage naturel, la justesse du « détail expressif » firent des miracles. Mise en scène de Stanislavski et Nemirovitch-Dantchenko.*

Décor pour : Quand nous nous réveillerons d'entre les morts, *d'Ibsen, acte II (1900).*

Les Bas-Fonds, *de Gorki (1902), acte II et détail de l'acte IV. Pour rendre l'atmosphère, Stanislavski et N. Dantchenko organisèrent une visite dans un asile de nuit au Marché Khitrov. La part de l'invention scénique fut considérable. Les brèves indications de Gorki sont développées au maximum : chaque figurant (muet) a tout un* passé, *un rôle d'une absolue précision. L'atmosphère de l'acte II était définie comme « automnale » : le mot servait pour donner le ton aux acteurs. Gorki fut bouleversé par la mise en scène. En bas et à gauche, Stanislavski paie son tribut aux tendances nouvelles.* La Vie de l'Homme, *de Andreïev (1907). Stanislavski donne à fond dans le symbolisme scénique (effets musicaux et sonores, taches de couleurs, draperies) et va même jusqu'à des recherches abstraites.*

ville et l'opérette à la française sont les meilleurs moyens de développer la technique de l'élève en art dramatique. Et ce n'est certainement pas par hasard qu'il se sentit pour la première fois « dans la peau de son personnage » en interprétant le rôle de Sottenville.

Aux influences françaises vinrent s'ajouter les leçons tirées du jeu des grands acteurs : Rossi, Salvini, Barnay, et sur le plan scénique, celles que lui apportèrent les représentations des Meininger ; il les suivit avec dévotion lors de leurs tournées en Russie en 1885 et surtout en 1890. Il y découvrait les mêmes enseignements qu'Antoine y avait trouvés en 1888 : les soins méticuleux apportés au décor, le praticable solide remplaçant la toile, la véracité de la reconstitution historique, l'éminente importance du figurant, l'art de l'ensemble assuré par la volonté du metteur en scène, nouveau « chef d'orchestre dramatique », bref, ce réalisme scénique qui, à cette époque, était l'antidote le plus sûr contre les poncifs d'une tradition périmée.

Comme pour Antoine, le réalisme ne deviendra pas pour

lui un but en soi, mais seulement une somme de procédés servant à « dégager le style des grands poètes » ; et, comme Antoine, il fera le pas décisif en appliquant les nouvelles méthodes non plus à des pièces historiques, mais à un répertoire moderne, vibrant d'actualité.

Dès 1888, sur la scène de la Société d'Art et de Littérature dont il est le fondateur et qui le conduira de l'amateurisme vers un théâtre public, Stanislavski s'attache à l'œuvre de renouveau. En 1898, en collaboration avec Vladimir Némirovitch-Dantchenko, il fonde le Théâtre Artistique de Moscou (Théâtre d'Art, dans la nouvelle terminologie soviétique). Son co-fondateur est auteur dramatique et novateur avisé, mais le prestige et le rayonnement de la personnalité de Stanislavski l'éclipsent, injustement sans doute.

Sur cette grande scène de résonance mondiale, Stanislavski inaugure une longue série d'expériences. Ouvert à tous les courants, mais infiniment modeste, refusant de se sentir « maître », il met en œuvre tour à tour toutes les tendances esthétiques qui, en ces années, agitent l'Occident. Toutefois il les subordonne toujours au réalisme, qu'il juge être la vraie voie de l'art russe. Tout en suivant attentivement le mouvement théâtral européen, il continue la haute tradition de Michel Stchepkine, l'acteur de Gogol, dans sa haine du cabotinage, dans son respect absolu de la pensée de l'auteur, dans le fondement même de l'art de l'acteur qui, pour lui, est le « revivre » s'opposant à la « représentation ».

Le réalisme de Stanislavski est loin d'être simpliste. Il revêt des aspects multiples, allant du vérisme naturaliste de la mise en scène à une vérité humaine de l'expression, qui n'a besoin que d'une ébauche de décor.

En 1908, après une période de recherches symbolistes très poussées, il note :

« Bien sûr, nous sommes revenus au réalisme, mais, enrichis d'expérience et de travail, à un réalisme affiné, profond et psychologique. C'est même pour cela que nous avons appelé Craig : nous errerons encore, puis, de nouveau, nous enrichirons notre réalisme. »

A quelque outrance qu'il se soit livré et dont il est le premier à reconnaître l'erreur, jamais Stanislavski n'a succombé à l'éclectisme d'un Max Reinhardt, pour qui la mise en scène est une fin en soi. C'est que, avant tout, il se sentait acteur. Il était doué de cette légèreté, de cette délicatesse qui en faisaient l'inoubliable interprète de personnages pudiques et vulnérables. Ses meilleurs rôles furent ceux de Verchinine (Les Trois Sœurs, de Tchékhov) et du docteur Stockmann (Un Ennemi du Peuple, d'Ibsen). Grand, beau, élégant, il irradiait le charme ; « ensoleillé », disait-on de lui à Moscou. Lui-même se considérait comme un acteur de composition. Il construisait son personnage à partir d'un geste, d'un indice caractéristique, expressif et souligné, puis, petit à petit, son jeu s'épurait, « s'intériorisait ». Si parfois il manquait de vigueur, toujours il émanait de lui une profonde humanité, dont il réussissait à imprégner même le rôle d'Argan.

C'est le fil d'Ariane qu'il ne faut jamais perdre quand il s'agit de Stanislavski, même lorsque sa débordante imagination le porte aux extrêmes. C'est aussi à cette lumière qu'il faut étudier son travail de metteur en scène. Possédant au plus haut degré la suprême faculté d'un homme de théâtre : le self-contrôle lucide, il a défini les principales tendances, successives mais le plus souvent connexes, qui dominèrent ses recherches :

Ligne de reconstitution historique et de genre, inaugurée dès l'ouverture du Théâtre Artistique par Le Tsar Feodor, d'Alexis Tolstoï (1898), qui permit un renouvellement total, à la Meininger, du style conventionnel boyard (fin du XVIᵉ siècle) : image scénique colorée, groupements et dispositifs imprévus, rythme musical du mouvement d'ensemble, création d'une foule entièrement constituée de personnages individualisés. Stanislavski avait abordé cette manière précédemment avec Uriel d'Acosta, de Karl Gutzkow (1895), et Othello (1896) et la continua avec La Puissance des Ténèbres, de Léon Tolstoï (1902). Beaucoup plus tard, elle l'emportera souvent encore dans ses mises en scène de Griboïedov (1906) ou du Révizor (1908). Là, il est proche du Théâtre Libre. Ligne de l'imagination, chère à son ingéniosité. Il s'y était attaché avec des moyens limités, par exemple, dans

Le Juif polonais, d'Erckmann-Chatrian (1896), mêlant le genre au fantastique. Il fut heureux de pouvoir utiliser la machinerie très moderne du Théâtre Artistique dans La Cloche engloutie, de Hauptmann (1898), ou Sniégourotchka, d'Ostrovski (1900). Son inépuisable invention s'est donné libre cours dans L'Oiseau bleu, de Maeterlinck (1908), qui enchanta Verhaeren et que Réjane essaya en vain de reproduire.

Ligne du symbolisme et de l'impressionnisme : série des pièces d'Ibsen, où Stanislavski se rapproche le plus des conceptions de Lugné-Poe, même les plus outrancières, allant jusqu'à des mises en scène « décadentes » avec Le Drame de la Vie, de Knut Hamsun, et La Vie de l'Homme, de Léonide Andreïev (1907). En marge de ces expériences, se place son travail en commun avec Gordon Craig, sur la mise en scène d'Hamlet au Théâtre Artistique (1908-1911).

Ligne sociale et politique, qui éveille de vastes résonances et fait du Théâtre Artistique le porte-parole des milieux avancés de la société russe, surtout avec Un Ennemi du Peuple, d'Ibsen (1900), et les premières pièces de Maxime Gorki : Les Petits Bourgeois et Les Bas-Fonds (1902).

Cependant, toutes ces lignes ne sont que complémentaires de la ligne essentielle : du sentiment et de l'intuition. Elle s'épanouit grâce à Tchékhov, le vrai, le grand auteur du Théâtre Artistique (La Mouette, 1898 ; Oncle Vania, 1899 ; Les Trois Sœurs, 1901 ; La Cerisaie, 1904 ; Ivanov, 1905). Dans cette œuvre nuancée, en demi-teintes, où le quotidien le plus gris révèle l'angoisse poétique, avec ses personnages d'une vie intense mais secrète, le « sous-texte » résonne plus haut que les répliques, et les moyens de la mise en scène : décor et lumières intimes, bruitage multiple, éclairages tamisés, concourent à la découverte du « réalisme intérieur ». Tchékhov ouvre la voie vers le Hauptmann des Solitaires (1899), le Maeterlinck des Aveugles, de L'Intruse, d'Intérieur (1904), vers Tourguéniev et ses personnages délicats et dolents (Un mois à la campagne, 1909 ; les petites pièces, 1912), enfin vers les abîmes psychologiques des adaptations de Dostoïevski. Sans prendre part à leur mise en scène proprement dite (sauf pour Le Village de Stépantchikovo, 1917, que lui-même avait adapté et joué en 1891), Stanislavski a rendu possible ces spectacles hallucinants grâce à la « technique intérieure » à laquelle il a entraîné les acteurs (Les Frères Karamazov, 1910 ; Les Possédés, Nicolas Stavroguine, 1913).

Constantin Stanislavski présente l'exemple de l'homme de théâtre complet. Acteur, il laisse le souvenir d'une galerie de figures émouvantes. Metteur en scène, chercheur infatigable, il expérimenta toutes les ressources et toutes les méthodes, toujours en fonction de l'acteur. Sa voie va des truquages les plus ingénieux vers le dépouillement. De plus en plus, l'art de l'acteur lui apparaît comme la clé de voûte de l'édifice théâtral. Pédagogue, il consacre les vingt dernières années de sa vie à élaborer un solide instrument à son service : une monumentale « grammaire d'art dramatique » (baptisée à tort « système ») où, indissolublement liées, l'esthétique et l'éthique théâtrales indiquent à l'acteur les moyens pratiques d'atteindre l'état créateur, pour reproduire indéfiniment sur la scène, dans une fraîcheur toujours renouvelée, « la vie de l'esprit humain ».

NINA GOURFINKEL.

STANISLAVSKI DANS ORGON, DU MALADE IMAGINAIRE (1913).

APPIA

CRAIG

Les premiers travaux d'Adolphe Appia se situent l'année même qui suit la fondation du Théâtre Libre. Ils apparaissent, dans le domaine de la mise en scène tout au moins, comme le prélude à un vaste mouvement de réaction antiréaliste dont Edward Gordon Craig sera, quelques années plus tard, le second grand promoteur. Mais, qu'il s'agisse d'Appia ou de Craig, cette réaction ne traduit que l'aspect négatif de leurs travaux, qui ont abouti, par ailleurs, à établir les principes du renouvellement qu'a connu l'art dramatique au cours des soixante dernières années, en tentant de lui redonner son autonomie, son unité, sa pureté, sa grandeur.

Né à Genève en 1862, fils de médecin, petit-fils de pasteur, Appia reçoit une solide formation musicale dans cette ville même, puis à Leipzig, à Paris et à Dresde. Il dessine et peint par plaisir. Ses études musicales le conduisent au théâtre. C'est, pour lui, la révélation de sa vocation véritable. Cette vocation s'affirme de façon décisive en découvrant l'œuvre et les idées de Wagner, faisant du théâtre la synthèse des moyens artistiques d'expression, l'Art total ; mais en même temps Appia dénonce les défauts que comporte le style résolument réaliste propre à l'exécution scénique de cette œuvre sous la direction de Wagner lui-même. Il entreprend de rechercher les moyens de réformer le théâtre. Mais, après en avoir étudié l'histoire et les manifestations à Dresde, à Vienne et à Paris, au lieu de constituer une troupe, de prendre la direction d'un théâtre, comme le firent Wagner lui-même ou le duc de Saxe-Meiningen, comme le feront Lugné-Poe, Stanislavski, Max Reinhardt, Appia se retire à la campagne. Il invoquera sa timidité, le bégaiement dont il est affligé : en fait, un immense effort de méditation s'avère indispensable. Il ne s'agit rien de moins que de renverser des formules qui ont pour elles les succès d'argent, l'adhésion des plus grands esprits, l'engouement de la mode. Il s'agit de repenser

En haut : Dessin de Rythmique (L'escalier) conçu par Adolphe Appia en 1909. En Bas : Projet de Gordon Craig pour la scène II de l'acte II de Jules César (1905).

le théâtre tout entier. Mais cette méditation s'accompagnera d'une intense recherche concrète : esquisses de décors et de plantations, mises en scène écrites, pour la Tétralogie d'abord, mais aussi pour nombre d'œuvres qui vont de *Prométhée*, d'Eschyle, à *L'Annonce faite à Marie*, de Claudel.

En 1895, les premiers résultats de ces travaux sont publiés à Paris sous le titre *La Mise en scène du drame wagnérien*. Ils sont repris et considérablement développés dans un second ouvrage qui paraît à Munich en 1899 en traduction allemande sous le titre : *Die Musik und die Inscenierung*. A différentes reprises, cependant, il quitte sa retraite. A Paris, en 1903, il monte pour trois représentations privées *Astarté*, tirée du *Manfred*, de Byron. Trois ans plus tard, *La Rythmique*, de son compatriote Jaques-Dalcroze, lui est révélée. Certains des principes sur lesquels s'appuie cette méthode qui se répandit avec succès à travers toute l'Europe confirme et complète providentiellement ses propres réflexions, puisqu'elle a pour objet, selon sa propre définition, de « jouer de ce clavier merveilleux qu'est le système musculaire et nerveux, pour rendre plastiquement (une) pensée mesurée dans l'espace et le temps ». Une collaboration fervente s'établit entre les deux artistes, Appia dessinant pour Jaques-Dalcroze des *Espaces rythmiques*, mettant en scène à Hellrau, où un Institut Jaques-Dalcroze est fondé, *Orphée*, de Glück (1912). Puis il est chargé, deux ans plus tard, des *Fêtes de Juin* à Genève, où son dernier ouvrage : *L'Œuvre d'Art vivant* paraîtra en 1921. Des expositions de ses esquisses de décors firent connaître ses recherches en Allemagne, en Suisse, en Hollande, en Angleterre et en Suède. Sa collaboration à deux mises en scène : *Tristan et Yseult* à la Scala de Milan, sous la direction musicale de Toscanini (1923), *L'Or du Rhin* et *La Walkyrie* au Théâtre de Bâle (1925) marquent ses dernières années.

Esquisse d'Adolphe Appia pour le premier acte de Siegfried.

Un an après sa mort, survenue en 1929, ses amis publient un album de reproductions de ses projets de décors.

Ces maquettes, ces quelques essais, conçus pour la plupart en dehors du théâtre, apparaissent comme la source même des idées et des productions les plus originales de la mise en scène et de la scénographie moderne. Jacques Copeau, qui se reconnut deux maîtres, Appia et Craig, dénonçant l'injuste oubli du nom même d'Appia, écrivait : « S'il est donné à ceux qui nous suivront de rétablir un jour dans toute sa dignité et dans tout son éclat l'art suprême du théâtre, c'est alors qu'on pourra mesurer ce qui est dû au génial, au simple, au modeste Appia ». Ce qui lui est dû ? Un aperçu forcément incomplet ne peut qu'être donné ici.

Constitué de tous les moyens d'expression artistique, le *Théâtre total*, cher à Wagner, a une nature propre, celle constituée non par l'un des moyens d'expression mis en œuvre : texte littéraire, musique, jeu des acteurs, éclairages, mais par le jeu combiné de tous. Ce jeu ne saurait avoir d'harmonie, d'unité que s'il comporte une hiérarchie. Au sommet de cette hiérarchie, comme moyen direct d'expression de l'action dramatique, se situe le jeu de l'acteur. Et comme principe interne d'agencement des différentes parties, s'impose le mouvement rigoureusement tiré de la partition, s'il s'agit du théâtre musical ; du texte, s'il s'agit du théâtre parlé. Mais, pour traduire le mouvement, la musique aura une vocation véritable, en ce qu'elle exprimera le mouvement intérieur propre aux sentiments des personnages, en ce qu'elle mesurera et déterminera, dans l'espace scénique, leurs évolutions, leurs attitudes et leurs gestes. Par ses qualités analogues de mobilité et ses pouvoirs d'expression irrationnels, la lumière sera utilisée à la fois pour créer l'ambiance et pour mettre en valeur les qualités plastiques de l'acteur. Mais cette mise en valeur exige un renouvellement de la conception de l'espace scénique : exclusion ou limitation de l'emploi des toiles peintes dont les motifs décoratifs signifient, informent rationnellement mais n'expriment pas et exigent, pour être vus, d'être éclairés au détriment de l'acteur lui-même. De plus, placées derrière le corps de l'acteur à trois dimensions, ces toiles ne peuvent que déconcerter le spectateur avec leur surface bidimensionnelle. Ainsi débarrassé des décors traditionnels, le plateau offre, au corps de l'acteur, en fonction de l'action, des dispositifs construits, architecturés, praticables : plans inclinés, plates-formes, escaliers. Ce renouvellement de l'architecture scénique s'inspire également chez Appia du désir de faire participer plus étroitement le public au spectacle : à cet effet, la suppression du rideau et de la rampe constituent les premières mesures qu'il préconise. Puis, afin de cesser de nous placer *vis-à-vis* de l'art, de faire participer l'art à notre vie, Appia propose de renoncer à la division entre scène et salle pour faire dans un « espace libre, vaste, transformable », à partir des manifestations les plus diverses de notre vie sociale et artistique, d'un spectacle un acte.

Ces idées, valables pour le théâtre lyrique et aussi, selon les derniers essais d'Appia, pour le théâtre dramatique, interprétées, exploitées ou redécouvertes, se retrouveront fréquemment dans le présent ouvrage, liées aux conceptions et aux réalisations les plus marquantes de la scène moderne : en France, avant Copeau, chez Gémier ; puis, chez Baty, Artaud et Pitoëff ; chez Vilar et même chez certains décorateurs de notre télévision. A l'étranger, reprises par de véritables mouvements, tels que l'expressionnisme et le constructivisme, elles serviront trop souvent de prétexte à des recherches formelles sans le lien — qu'Appia voulait « organique » — avec l'œuvre interprétée. Longtemps dédaignées à Bayreuth, elles y triomphent enfin anonymement aujourd'hui.

Esquisse de Gordon Craig pour Hamlet *(acte I, scène 2), conçue en 1910, exécutée en 1911 au Théâtre d'Art de Moscou. En plus du décor, le jeu et les attitudes des personnages, l'éclairage et l'atmosphère de la scène se trouvent indiqués par référence précise au texte.*

DES esquisses, des essais, quelques productions : l'apport de Craig ne diffère guère, à première vue, de celui d'Appia ; mais son action — plus ou moins exactement interprétée mais passionnément discutée — a connu un incomparable éclat.

Né à Stevenage (Grande-Bretagne) en 1872, fils de la célèbre actrice anglaise Ellen Terry et d'un architecte passionné de théâtre, c'est à l'âge de treize ans qu'il débute à la scène. Sa carrière d'acteur est brève, puisqu'elle s'achève en 1897, mais son interprétation de certains grands rôles du répertoire shakespearien, quelques-uns sous la direction d'Henry Irving, est particulièrement remarquée. Sa carrière de metteur en scène est, elle aussi, de courte durée. Elle débute en 1893 avec *On ne badine pas avec l'amour*. Trois ans plus tard, Craig constitue une compagnie et donne au Pakhurst Theatre, en en réglant la mise en scène, *Roméo et Juliette* et *Hamlet*. Puis, en 1905, il monte *Venise sauvée*, d'Otway, au Lessing Theatre de Berlin ; l'année qui suit, *Rosmersholm*, qu'interprète Eleonora Duse. En 1908, Stanislavski l'invite à monter *Hamlet* au Théâtre d'Art de Moscou. Plusieurs centaines de représentations sont données à partir de 1912. Enfin, en 1926, il met en scène à Copenhague *Les Prétendants à la Couronne*, d'Ibsen. Les controverses que suscite encore aujourd'hui sa mise en scène d'*Hamlet*, à laquelle Craig préféra d'ailleurs ses précédentes réalisations, n'empêchent que la profonde influence qu'il n'a cessé d'exercer est due beaucoup plus à ses esquisses et à ses écrits.

Si l'on met à part les esquisses des *Prétendants à la Couronne*, son œuvre de dessinateur et de graveur se constitue entre 1900 et 1910. Elle sera révélée par de nombreuses expositions et quelques publications où ces esquisses se trouvent le plus souvent abondamment commentées par lui : Souvenir-Programme d'*Acis et Galatée*, *Towards a new theatre*, *The Pretenders*, une édition d'*Hamlet* (parue à Berlin en 1930). Les éditions anglaises de ses principaux essais : *L'Art du Théâtre* et *De l'Art du Théâtre* paraissent successivement en 1905 et 1911. Ils seront réunis et publiés par la suite, notamment en français, en allemand, en japonais, en russe. Installé à Florence en 1908, il créera, à l'Arena Goldoni, une école de théâtre et y fera paraître une luxueuse revue *The Mask*, qu'il publiera, avec quelques interruptions, jusqu'en 1929. Cette revue, et différentes publications françaises notamment, recueilleront de nombreux articles postérieurs.

Il est plus aisé de caractériser brièvement l'art de Craig que de résumer ses conceptions. Ses esquisses de décors, ses dessins de scène où, sur quelques répliques précises de la pièce, la place et l'attitude des différents personnages se trouvent fixées, et l'éclairage même, dans une certaine mesure, suggéré, s'imposent par leur saisissante harmonie, et Jacques Rouché fut l'un des premiers à le souligner, par leur « simplicité grandiose ». A cet égard, ils opèrent une rupture radicale avec les errements de la pratique courante du début de notre siècle : surcharge décorative des toiles peintes, envahissement des plateaux par des éléments agrestes ou du mobilier. Au souci de reconstitution des détails qui disperse l'attention, Craig oppose une sobre stylisation et s'attache aux seuls effets d'ensemble. S'inspirant des exemples fournis par les théâtres orientaux, il substitue, ainsi qu'il l'a lui-même indiqué, « le signe à la chose ». Dans les esquisses ou les scènes dessinées pour *Venise sauvée* ou *Hamlet*, par exemple,

CRAIG   *Etude de Gordon Craig pour* Scene *(1908).*

lui sont étrangères, au lieu de se préoccuper de sa nature, de son essence, de ses exigences d'art autonome et de ses ressources artistiques propres.

Pour Craig, en Orient et en Occident, l'art du théâtre « est né du geste — du mouvement — de la danse ». Ainsi que l'étymologie du terme même de théâtre contribue à l'établir, il est spectacle fait de lignes, de couleurs, de mouvements (gestes et danses), de voix et de rythmes avant que d'être audition ; mais le spectacle ne saurait atteindre sa totale efficacité artistique si son élaboration ne résulte de l'intervention du seul homme de théâtre authentique : le metteur en scène.

Contradictions ? Paradoxes ? Prophéties ?... De tels propos ont provoqué le scandale que Craig, dans une certaine mesure, espérait. Luttant à peu près seul à contre-courant, il fallait provoquer avant de chercher à convaincre. Après avoir assisté de longues années aux controverses acharnées que ses propos sur l'acteur et l'auteur dramatique ont déchaînées, Craig remarquera qu'il n'a jamais eu l'intention d'éliminer quoi que ce fût du théâtre, « hormis le non-dramatique ». Derrière les contradictions et les paradoxes auxquels s'arrêtent ses détracteurs, il faut aller en réalité jusqu'aux principes permanents de son enseignement, qui trouve dans l'étude comparée des autres arts une confirmation des plus positive : le théâtre considéré comme art indé-

APPIA

et sans que pour autant les qualités picturales soient absentes, surfaces et lignes *appellent* en quelque sorte l'action tout en suggérant l'atmosphère de l'œuvre. Décors et personnages ne sont pas là pour être vus mais pour jouer ensemble. Comme Appia, Craig sera sensible — par exemple dans ses esquisses pour *Macbeth*, *Rosmersholm* et *Les Prétendants à la Couronne* — aux nouvelles possibilités offertes par une meilleure utilisation de l'espace scénique ; mais, moins architecte que peintre, Craig s'accommodera de l'architecture et du cadre des scènes à l'italienne. A cet égard, il est vrai, un autre motif (qui se trouve à l'origine d'incessantes et violentes controverses) intervient : la place accordée par Craig à l'acteur. Au lieu d'attribuer à l'acteur le premier rang dans la hiérarchie des moyens scéniques d'expression, Craig, en vue d'atteindre à une parfaite harmonie du spectacle, tantôt le rejette en dehors du théâtre (incapable de contrôler son émotion, « l'acteur disparaîtra, à sa place nous verrons un personnage inanimé — qui portera si vous le voulez le nom de « sur-marionnette »), tantôt préconise de l'utiliser comme un simple « élément mobile du décor ». Craig ne fait d'ailleurs pas à l'écrivain meilleur sort, l'excluant du théâtre ou n'admettant que de véritables dramaturges.

A l'acteur, à l'écrivain, ainsi d'ailleurs qu'au musicien et au peintre, Craig reproche en effet leur tendance commune à s'emparer du théâtre en lui imposant des techniques qui

LE ROI LEAR, *vu par Adolphe Appia et Max Reinhardt (décor de Czeschka).*

pendant, le spectacle étant l'œuvre authentiquement dramatique ; l'harmonie et l'unité étant la condition d'élaboration de cette œuvre ; le recours aux grandes traditions orientales ou occidentales ; le goût du travail concerté, achevé, probe...

Qu'il s'agisse des esquisses de Craig ou de ses réflexions, c'est bien d'*enseignement* qu'il faut parler. Jean-Louis Barrault a considéré *De l'Art du Théâtre* comme un véritable « catéchisme ». Quelles soient ou non composées — comme cet ouvrage — de répliques, Craig, raillant avec humour, attaquant avec humeur ou dévoilant avec ferveur de nouveaux motifs d'enthousiasme, n'a jamais cessé de dialoguer : travers d'un homme de théâtre, sans doute, mais aussi souci très habilement mis en œuvre de convaincre.

Dans quelle mesure y est-il parvenu ? Un bilan de l'influence qu'il a exercée, dans le domaine des réalisations comme dans celui des idées, montrerait toute l'étendue du rayonnement de son enseignement : mise en scène, jeu, décoration, éclairage, art du costume, art des marionnettes, art du mime, formation des professionnels, esthétique et psychologie du théâtre sont les disciplines et les arts qui lui doivent le plus : en France, de Copeau à nos plus jeunes animateurs d'aujourd'hui ; en Allemagne avec Reinhardt, Jessner et Schumacher ; en Pologne, avec Léon Schiller ; aux États-Unis avec Bel Geddes et Robert Edmund Jones. Mais plus important que de dénombrer ses imitateurs ou ses continuateurs nous paraît être de marquer l'incomparable vertu de cet enseignement, qui est et restera de susciter, en faveur d'un art du théâtre indépendant et noble, passions et vocations. Craig aura été le porteur de feu.

ANDRÉ VEINSTEIN

REINHARDT

Œdipe, de Sophocle, dans la mise en scène spatiale de Max Reinhardt au Cirque Schumann de Berlin en 1910.

Max Reinhardt se révèle essentiellement comme un réalisateur : peu d'écrits, sinon pour dénoncer les préjugés esthétiques et les théories arbitraires, mais un nombre incalculable de pièces portées à la scène, d'auteurs, d'acteurs et de décorateurs découverts. Est-il réaliste, impressionniste, expressionniste ? Reinhardt n'est pas l'homme qu'on puisse classer dans une catégorie toute faite ou définir par une formule. Il est né à Baden, près de Vienne, en 1873. Jeune acteur, il débute à Vienne dans une pièce de Schiller. Otto Brahm, le fondateur de la « Freie Bühne » (le « Théâtre Libre » allemand) et défenseur du naturalisme, le découvre à Salzbourg et l'engage en 1894 au Deutsches Theater de Berlin, où il interprète des rôles de composition. Mais, formé à l'école naturaliste, Reinhardt n'était pas fait pour lui rester fidèle. Tout l'inclinait vers « un art de la beauté, de l'âme et de la sérénité ». Membre d'une société de jeunes artistes « die Brille », il fonde bientôt un cabaret artistique, « Schall und Rauch », qui devient le « Kleines Theater », où s'affirment les idées nouvelles de la jeune génération et sa propre révolte instinctive contre le naturalisme : la représentation des *Bas-Fonds* de Gorki conserve encore les traces extérieures du réalisme mais porte déjà en elle les germes d'un art neuf, la volonté de créer avant tout une atmosphère vivante.

En 1905, sa mise en scène du *Songe d'une nuit d'été* au Neues Theater répand sa renommée dans toute l'Allemagne : l'utilisation de la scène tournante, du décor plastique (arbres en relief), l'union du jeu, de la musique, de la danse, du mouvement et de la lumière révèlent au spectateur un art théâtral riche de tous ses moyens combinés et d'une poésie retrouvée. Le succès lui vaut la direction du Deutsches Theater, où il monte Kleist, Shakespeare, Hofmannsthal, Molière, Gœthe, Gogol, Ash, Schiller, Grillparzer, Hebbel, parmi tant d'autres. Il y adjoint un théâtre de dimensions plus réduites, le « Kammerspiel », où il présentera des pièces à caractère plus intime : Ibsen, Wedekind, etc. Ne se limitant pas à un genre déterminé, il met en scène opérettes et opéras-comiques, voire même des pantomimes dans lesquelles, renonçant au mot, il confirme sa maîtrise des moyens scéniques : *Sumurûn* (1910), conte oriental adapté par Friedrich Freksa et Victor Holländer, lui permet d'unir une nouvelle fois musique, danse, rythme, décors très colorés en un spectacle dont aucun élément ne joue le rôle d'accompagnateur, chacun prenant une part active au jeu théâtral. Pour cette autre pantomime qu'est *Le Miracle* (1911), où l'on retrouve l'esprit des mystères médiévaux, il transforme l'Olympia Hall de Londres en une cathédrale gothique enserrant acteurs et spectateurs. Il affirme par là son goût des spectacles grandioses qu'il avait déjà révélé dans sa mise en scène de l'*Œdipe* de Sophocle, au Cirque Schumann de Berlin, en 1910, où il utilisait la piste même du cirque, un décor monumental de colonnes et de marches, la puissance d'une lumière créatrice d'espace, échappant ainsi aux servitudes de la scène à l'italienne.

Après la première guerre mondiale, le « Grosses Schauspielhaus » de Berlin réalisera son idéal d'un « Théâtre des Cinq Mille », d'un théâtre de masse, recréant les principes du théâtre antique et de la scène élisabéthaine par son podium en éperon, cadre idéal de l'*Orestie* et des grands drames shakespeariens. Il sera l'initiateur du Festival de Salzbourg, présentant *Jedermann*, d'Hofmannsthal, sur le parvis de la cathédrale. L'arrivée d'Hitler au pouvoir le contraindra à l'exil. Il continuera à travailler aux U. S. A., où il mourra en 1943.

Une telle diversité dans le choix des pièces, des moyens d'expression et des lieux scéniques est l'image même de l'éclectisme de Reinhardt, éclectisme qui n'alla pas sans lui faire commettre parfois des fautes de goût. Pour lui « la scène représente la forme d'art la plus puissante et la plus directe. La plus puissante parce qu'elle ne s'adresse pas seulement à un individu, mais au public en général, et parce qu'elle a le pouvoir de le dominer et de l'influencer... (la plus directe), parce que ni lettres, ni sons, ni pierre, ni bois, ni toile ne sont son moyen d'expression, mais l'homme même ». D'où l'extrême importance qu'il attache à l'acteur : « Le salut (du théâtre), proclame-t-il, ne peut venir que de l'acteur, car c'est à lui et à aucun autre qu'appartient le théâtre. » Toute sa vie, il enrichira et renouvellera sa troupe, découvreur de talents et de personnalités nouvelles, dont Moissi, qu'il sut élever au premier rang des acteurs allemands, malgré les nombreuses critiques qui l'accueillirent à ses débuts.

Une fois reconnue cette place prépondérante de l'acteur, l'important est de dépasser l'existence littéraire de la pièce, d'en faire une réalité vivante indépendante, de lui donner la caisse de résonance qui lui soit la plus favorable, et d'agir sur les sens du spectateur. Pour la mise en valeur du drame, tous les moyens d'expression sont utiles. Reinhardt a conservé de ses origines viennoises le goût d'une certaine tradition, en même temps que la sensibilité à un art baroque essentiellement théâtral, à un art devenu spectacle. Il demeure un visuel et un visionnaire, influencé par les idées de Richard Wagner, sa notion du « Gesammtkunstwerk », de « l'Œuvre d'art totale » unissant tous les arts pour la promotion du drame, et par celles de Gordon Craig, dont il s'est fréquemment inspiré en organisant l'espace scénique selon ses principes.

Pour créer cette forme de théâtre, il a su, aidé sur le plan administratif par son frère Edmond, créer un « ensemble », promouvoir un véritable travail d'équipe, réunir des peintres, des décorateurs opposant au naturalisme un sens de l'évocation picturale ou un goût de la décoration ornementale stylisée, de Munch à Max Rée et Czeschka, d'Orlik à Fritz Erler, de Hofmann à Ernst Stern, son principal collaborateur dans ce domaine. Il a repris, généralisé ou utilisé pour la première fois des procédés techniques que l'on copiera, que ce soit la scène tournante pour *Le Songe d'une nuit d'été* ou pour *Faust*, qui confère au spectacle une nouvelle unité, les marches qui donnent à la mise en scène sa dimension verticale et servent le jeu de l'acteur (*Jules César* au Grosses Schauspielhaus), les chemins roulants, les scènes en éperon, sans se laisser dominer par la technique et sans faire de ces procédés une fin en soi. Il a mis à profit la puissance de la lumière qu'avaient découverte Craig et Appia, tantôt en la combinant avec les possibilités du cyclorama et en créant une nouvelle profondeur scénique, tantôt en utilisant l'efficacité dramatique des faisceaux lumineux et en jouant savamment de l'éclairage coloré. Quelle que soit la diversité de ses styles, il chercha toujours à créer une relation intime entre l'action dramatique et le public, à les unir par un contact plus étroit. La proximité de l'acteur et du spectateur au « Kammerspiel », l'utilisation du proscenium au Deutsches Theater, le principe du « Chemin de fleurs », repris au théâtre japonais pour la représentation de *Sumurîn*, la forme même du Grosses Schauspielhaus répondent à ce but, de même que les acteurs placés dans le public. Reinhardt s'efforçait toujours de créer une participation effective du public à l'action dramatique, et c'est dans ce sens qu'il voulait œuvrer pour un théâtre populaire.

Son influence a été très importante, particulièrement en Allemagne, mais également dans toute l'Europe et en Amérique, grâce à ses tournées et à son travail à l'étranger. L'expérience de Gémier au Cirque d'Hiver rappelle curieusement la sienne au Cirque Schumann de Berlin. Les expressionnistes se sont inspirés de ses méthodes d'éclairage. Après lui, les théâtres intimes se sont multipliés. Toutes les tenta-

Décor naturaliste d'Alfred Roller pour Faust, *de Goethe, monté par Reinhardt en 1909 (Deutsches Theater Berlin).*

tives de spectacles de masse, où Reinhardt se révélait un étonnant manieur de foules, ont été suivies et répétées par d'autres. Certains de ses principes avaient déjà été énoncés avant lui, mais il a pu les concrétiser et leur donner une dimension nouvelle, et il est fréquemment à l'origine de la recherche contemporaine d'un contact plus étroit entre le public et l'action dramatique.

GEORG FUCHS ET FRITZ ERLER

Au début de ce siècle, Munich fut l'un des centres les plus actifs de l'effort de rénovation dramatique. C'est là qu'en 1907 Georg Fuchs fonda le Künstler Theater, qui répondait, tant par ses principes architecturaux que par les réalisations de Fritz Erler, aux conceptions qu'il exprimait dans « *Die Schaubühne der Zukunft* » (la scène de l'avenir) et « *Die Revolution des Theaters* » (la révolution du théâtre) (1909).

Selon Fuchs, le problème du théâtre est essentiellement un problème de civilisation : il faut créer le théâtre qui corresponde aux besoins de notre civilisation, rejeter la forme périmée de la scène à coulisse, du théâtre stéréoscopique, le réalisme et le naturalisme, qui ne permettent pas au spectateur de vivre la pièce dramatiquement, lutter contre le goût du pompeux et la fallacieuse séduction des décors. « (Il s'agit), pour nous, ajoute Fuchs, de faire sortir de l'union du drame et des arts un art nouveau : l'art de la scène..., le développement du théâtre conventionnel lui-même nous a prouvé que ce théâtre, avec ses coulisses, ses portants, ses praticables, sa rampe, ses frises et ses dessous machinés, était totalement inutile. C'est pourquoi nous disons : assez de rampes, de coulisses, de praticables, de maillots rembourrés ; plus de théâtre stéréoscopique ! tout ce faux univers de papier mâché, de fil de fer, de toile à sac et de clinquant est prêt à la ruine ! » Il faut faire vivre l'œuvre dramatique dans l'âme du spectateur. C'est à partir de ce moment qu'elle existera réellement, et l'art théâtral sera le choix des moyens qui permettront son « exaltation » : acteurs, voix, lumière, proportions, musique, etc. L'architecture même devra établir une union étroite entre le public et l'acteur.

La solution proposée par Fuchs est la substitution d'un amphithéâtre unique à la salle italienne à balcons et la « scène-relief ». L'acteur a tendance à s'avancer vers le public, à se « mettre en relief ». C'est au niveau du proscenium que son mouvement dramatique devient émotion du spectateur. La scène préconisée comprendra donc un fond, un

Jules César de Shakespeare, mise en scène de Max Reinhardt.

plan d'action, se développant en avant par le proscenium. Elle ne devra pas être profonde et renverra l'action théâtrale vers le public. Et, ajoute Fuchs, « les peintres (chargés de la réalisation des éléments scéniques) resteront dans leur domaine sans chercher à donner l'illusion de la profondeur, à rendre les trois dimensions ; ils s'attacheront au problème des lignes et des plans ». Cette solution, malgré son caractère trop systématique et les limites qu'elle imposait au mouvement scénique, était riche de suggestions.

C'est selon ces principes que le peintre Fritz Erler, qui devait également collaborer avec Reinhardt, créa ses décors pour *Faust* et *Hamlet* (1909) au Künstlertheater de Munich. Erler désirait « conserver au théâtre son caractère de *jeu* » et il lui « apparut évident que tout devait se passer sur une *scène*, dans le sens propre du mot, de manière qu'elle fût toujours reconnaissable comme telle », qu'il ne s'agissait pas de faire concurrence à la nature, mais qu'il fallait laisser le plateau « à l'être vivant, son aspect sensible et l'expression de son âme », à l'acteur, premier facteur du théâtre. Des éléments simples devaient indiquer les milieux caractéristiques, le lointain créerait chez le spectateur, par la puissance de la lumière et le recours à la peinture, les impressions désirées par l'auteur sans nuire au phénomène essentiel de l'action, deux pans de mur plastiques et mobiles réunis par un soffite, également mobile, peuvent soit disparaître, soit se rapprocher et même se réunir et, par la neutralité de leurs tons, évoquer un intérieur ou un extérieur, voire servir de cadre conventionnel à certaines scènes, tandis que les toiles de fond se développent à l'arrière-plan. Un dispositif d'éclairage spécialement étudié permet d'éclairer le proscenium et la scène moyenne d'en haut, les toiles de fond d'en haut et d'en bas, de manière à les « dématérialiser » et à susciter une impression de profondeur. Tout en conservant l'unité du spectacle par l'utilisation d'éléments constants, mobiles, complétés par l'adjonction d'une fontaine ou d'une ogive, ce système permet de suggérer tour à tour les lieux les plus divers sans hacher l'action, de promouvoir la vérité poétique de la pièce au lieu d'une réalité plus ou moins naturaliste.

Si l'architecture de cette scène, malgré la reprise de ses principes dans certains cas précis de mise en scène, n'a pas eu les suites que Fuchs pouvait en attendre, son effort pour « rethéâtraliser le théâtre » (c'est là sa maxime) a été suivi par un Reinhardt ou un Baty, ses conceptions ont conduit à la synthétisation du décor, et la notion même de l'acteur en relief se retrouve aujourd'hui sur nombre de nos scènes : il suffit de penser aux réalisations d'un Jean Vilar.

DENIS BABLET.

PARIS-SUR-SCÈNE

en 1900

LES ÉTOILES DU CAF' CONC'

ALBERT CARRÉ

LE BALLET EN FRANCE

DIEUX ET DÉESSES

GÉMIER

LES AUTEURS

1894 ★ 1907

CHRONIQUE ILLUSTRÉE

UNE période de l'histoire aussi complexe que celle que l'on nomme encore « fin de siècle » ne pourrait être comprise que si on la présentait sous toutes ses faces. Grossir la plus superficielle, la plus pittoresque de ces faces, c'est entretenir la légende qui en a fait une fois pour toutes « la Belle Époque », c'est ne voir qu'un aspect de la réalité. Mais que l'on pratique une « coupe » dans cette époque, que l'on cherche à l'embrasser d'un seul coup d'œil sur plusieurs plans, aussitôt sa diversité et ses contradictions déconcertent.

Au rayon scientifique, c'est l'ère des découvertes et des inventions prodigieuses qui bouleverseront peu à peu les conditions de vie : en 1895, les rayons X (Roentgen), le tube de Crookes, le cinématographe construit par les frères Lumière, les premiers pneumatiques d'automobiles ; en 1896, la

★————————★

22 octobre 1895. Chacun, dans la gare, devine la catastrophe... Le train passa, rapide, a une vitesse d'au moins 15 kilomètres a l'heure.

★————————★

UNE DES PREMIÈRES MACHINES VOLANTES : L'AÉROPLANE STACKEL.

LE TRAIN FOU DE LA GARE MONTPARNASSE

télégraphie sans fil inventée par Marconi, la découverte de la radioactivité (Becquerel) ; en 1897, c'est le premier vol en avion, le premier moteur Diesel ; en 1898, la découverte du radium par Pierre et Marie Curie, les premières ampoules à filaments métalliques. Ce sont encore les premiers tramways électriques, les premières courses d'automobiles, la construction du Métropolitain de Paris. En cinq ans, sont nées toutes les techniques vitales de notre monde actuel.

A l'étage politique, c'est la fièvre des procès, l'agitation, les querelles. Les scandales se succèdent. La France est malade : les foyers d'infection sont au Palais-Bourbon, au ministère de la Guerre et à l'École Militaire. Cependant ses conquêtes se multiplient. Ses ambitions africaines inquiètent l'Angleterre. Avec la Russie, c'est le grand amour — intéressé.

★————————★

LA PREMIÈRE LIGNE DU MÉTROPOLITAIN, ENTREPRISE, EN 1898.

LES NOUVEAUX TRAMWAYS ÉLECTRIQUES PARISIENS : (1897)

Dans la vie quotidienne, qu'observe-t-on ? Les répercussions de cette crise politique, certes. Un fossé sépare peu à peu les Français. Le sentiment national se renforce chez les uns, en même temps

DEUX VERSIONS DE L'AFFAIRE DREYFUS ET QUI EN RÉSUMENT TOUTE LA TRAGÉDIE.

qu'une haine antisémite ; l'indignation s'empare des autres, qui, contre l'étendard de l'armée, brandissent le flambeau de la justice et de la liberté, tandis que les socialistes s'organisent sur le plan international et que les anarchistes continuent à mettre des bâtons dans les roues.

1895. L'année a commencé par la dégradation du capitaine Dreyfus. Un adjudant lui déchire ses galons, brise son sabre, et Dreyfus, qui ne cesse de clamer son innocence, défile devant quatre mille hommes de troupe tandis que la foule l'insulte et lui crie « à mort ! ». Le soir de cette séance, écoutant le récit que lui en fait Léon Daudet, Zola s'indigne

DERNIER TABLEAU DE L'AFFAIRE DE PANAMA (1897). A G. : DREYFUS ; A D. : DÉROULÈDE.

et les dénégations de Dreyfus le troublent. La tragédie était commencée, à l'insu du public, qui se croyait vengé d'un traître et fredonnait en toute quiétude les refrains ineptes de l'époque : *En voulez-vous des z'homards ? — Ah ! les sales bêtes, ils ont du poil aux pattes !* « scie populaire » lancée par le squelettique Brunin, qui avait déjà provoqué l'enthousiasme des Parisiens en chantant *La Saucisse et le Saucisson, Tiens, voilà Mathieu !, Comment vas-tu, ma vieille ?*, et autres refrains spirituels, avant que Dranem lance à son tour *Les P'tits Pois et Pétronille, tu sens la menthe.*

Eugénie Buffet, chanteuse de la misère, les mains dans les poches de son « pauvre jupon », chantait alors dans les cours *La Sérénade du Pavé*; mais le genre réaliste, créé par Bruant, se dégradait peu à peu en se répandant dans tous les « beuglants » de Paris, où l'on chantait *Ma gigolette, elle est perdue !* ; « l'air est charmant, mais triste à faire pleurer, lisait-on dans un journal sérieux, le Café-Concert est devenu une chose lugubre : les gaudrioles y sont plus brutales ; les plaisanteries, macabres ; la musique, désolée. »

Au Moulin-Rouge, pourtant, l'ambiance était joyeuse. On s'y écrasait pour admirer les danseuses du French Cancan : la Goulue, Nini Patte-en-l'air, la Môme Fromage et les pirouettes de Valentin le Désossé, tandis que derrière un paravent un public distingué était attentif aux concerts du fameux Pétomane, « le seul, disait-on, qui ne paye pas de droits d'auteur ». Pour renouveler le café-concert, certains directeurs présentaient de piquants divertissements, comme *Le Coucher d'Yvette*, au Concert Lisbonne, puis à l'Alcazar, où Mlle Blanche Cavelli quittait « son chapeau, sa robe, ses jupons, son

corset, ses jolis dessous blancs et roses, laissant s'écouler entre chaque étape du déshabillage un raisonnable intervalle pour permettre aux spectateurs de ressaisir leur sang-froid », comme le nota le célèbre critique Francisque Sarcey, qui ne dédaignait pas ce strip-tease de l'époque entre deux spectacles de la Comédie-Française. On alla plus loin dans le scandale : en 1896, tout Paris se précipita au Concert du Pendu pour assister à la pendaison parfaitement simulée d'un certain Joseph Durand.

« Grâce aux beuglants, écrira Jean Lorrain, en 1898, nous allons maintenant vers tout ce qui ridiculise et avilit, nous aimons ce qui est bas ; nous descendons à niveau. » De même, Yvette Guilbert écrira : « De bassesse en bassesse, la bêtise triviale primera partout, pervertissant le goût national. »

Pourtant les affiches de Lautrec et de Chéret, les toiles de Bonnard, nous montrent cette grande parade des caf' conc' « fin de siècle » sous un jour enchanteur qui continue à nous donner la nostalgie d'une époque exaltante et richement colorée. Cet Alcazar d'été, ce Jardin de Paris, peint par Bonnard en 1896, la lumière tamisée des candélabres à globes blancs sous les feuillages des Champs-Élysées, les boas à plumes, les sourires sous les capelines à fanfreluches, les fiacres débordant de dentelles, la musique des tziganes à brandebourgs jouant *La Valse des Bas noirs* ou *Tout ça n'vaut pas l'amour !*

Pourtant l'esprit soufflait parfois dans ces caf' conc', lorsque Yvette Guilbert passait à l'Horloge, à l'Eden, au Divan Japonais. Mais c'est surtout au *Chat Noir*, de Rodolphe Salis, ainsi que dans les cafés littéraires de la rive gauche, comme la Taverne du Panthéon, où l'on rencontrait Pierre Louÿs et le jeune André Gide ; le Procope, fréquenté par Anatole France, Huysmans et Mallarmé ; le Club des Hydropathes, du poète Émile Goudeau, où depuis vingt ans « la foule impure » se mêlait aux poètes et aux artistes — que dans cette époque de bêtise, de lucre et de frivolité, se réfugiaient le goût, l'humour, la poésie, le sens de l'humain et aussi la révolte ; c'est là que, depuis 1880, la bourgeoisie parisienne s'initiait à la culture, non sans y être durement traitée. *Je dis des vers devant des gens qui* doivent *être intelligents*, chantait Goudeski en dévisageant avec un air navré ce public du Chat Noir auquel il présentait un miroir peu flatteur. Maurice Donnay récitait les poèmes de ses « pièces d'ombre » : « Il était laid et maigrelet — Ayant sucé le maigre lait — De sa nourrice pessimiste — Et c'était un nourrisson triste... »

Alors que ces pièces d'ombres — dont la plus célèbre fut *L'Epopée* napoléonienne, de Caran d'Ache — défilaient tous les soirs sur l'écran arrondi du

Chat Noir, eut lieu, en 1895, dans les sous-sols du Café de Paris, la première projection publique du cinématographe : *La Sortie des usines Lumière à Lyon*. 1896. L' « Affaire » rebondit à la suite de la découverte de la traîtrise du commandant Esterhazy, bien que le Général Billotte réaffirme sur son honneur de soldat que Dreyfus est coupable. La cafetière bout. Les esprits sont surexcités. Dans toutes les familles on tape du poing sur la table, on se claque des portes au nez, on ne se parle plus. Des fossés se creusent pour toujours entre parents, entre amis. Cependant, en vertu d'une loi qui maintient l'équilibre des forces, un événement vient consolider l'unité nationale au moment où elle se rompt : l'arrivée à Paris du Tsar et de la Tsarine. Sur la fièvre de dissension, sur le malaise grandissant se greffe une fièvre patriotique sous le signe de l'Alliance franco-russe. Le 5 octobre 1896, la foule, massée sur les avenues et les places, voit passer dans une voiture qu'entraîne le galop de deux chevaux un jeune homme d'aspect maladif et souffreteux : Nicolas II. Paris l'acclame. Des pièces de circonstance, hâtivement fabriquées par des industriels dramatiques, célèbrent l'Alliance dans une prose emphatique ou en vers de mirliton (*Les Deux Peuples, Gloire aux Alliés, Les Deux Drapeaux*, etc.).

ELEONORA DUSE A PARIS. 1897.

EUGÉNIE BUFFET, CHANTEUSE DE LA MISÈRE.

Cependant les deux fleuves du théâtre de l'époque continuent à couler parallèlement. Le courant romantique est représenté par un drame historique de François Coppée, *Pour la Couronne*, « œuvre claire », à l'Odéon, et par *La Princesse lointaine*, d'Edmond Rostand, dont on avait déjà joué au Français, en 1894, la première pièce *Les Romanesques*, et qu'interprètent cette fois Sarah Bernhardt et de Max. Mais le courant réaliste issu de Becque et du Théâtre Libre passionne davantage le public, qui préfère les comédies psychologiques de Jules Lemaître (*Le Pardon, L'Age difficile*) et de Maurice Donnay (*Amants*, avec Lucien Guitry et Jeanne Granier), les études de mœurs (*Viveurs*, de Lavedan, *Les Demi-Vierges*, de Marcel Prévost, *Les Tenailles*, de Paul Hervieu, *L'Evasion*, d'Eugène Brieux).

De 1897 à 1900, une sorte de compétition semble mettre aux prises le théâtre de la prétendue vérité psychologique et sociale et le théâtre pseudo-poético-héroïque. La partie est pourtant très inégale : en face de Becque, Porto-Riche, Brieux, Curel, Jules Renard, qu'y a-t-il ? Rostand ; seul contre tous ? Non, il y a aussi d'Annunzio,

COQUELIN DANS « CYRANO » (1897).

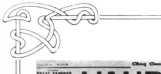

L'AURORE
Littéraire. Artistique. Sociale

J'Accuse…!
LETTRE AU PRÉSIDENT DE LA RÉPUBLIQUE
Par ÉMILE ZOLA

dont Sarah Bernhardt montera *La Ville morte*.

C'est d'abord Porto-Riche qui marque un point en 1897, avec un « drame du cœur », *Le Passé*, où l'on voit une femme victime de son amour trop constant pour un homme léger qui ne le mérite pas. Sarah Bernhardt riposte par *La Samaritaine*, de Rostand, qui au pathétique sentimental de Porto-Riche oppose le « mysticisme ». C'est alors qu'en marge de ce combat d'auteurs a lieu, en juin 1897, un duel d'interprétation entre les deux plus célèbres actrices du temps : Sarah Bernhardt, qui ne craint aucune concurrence, invite courtoisement — ou perfidement — Éléonora Duse à jouer quelques uns de ses propres rôles dans son propre théâtre. La Duse obtient un grand succès de public, mais la critique française grince, défendant son idole nationale, et les esprits romantiques reprochent à la grande actrice italienne de jouer *La Dame aux Camélias* en petite bourgeoise, voire en grisette… Tirant une leçon très significative de cette confrontation, Jean Jullien écrit dans *L'Image* : « Les effets que la Sarah obtient par une composition haute et vibrante qui contient toute l'humanité,

MARGUERITE DEVAL DANS UNE REVUE DES MATHURINS, OÙ ELLE TIENT LA GROSSE CAISSE.

la Duse les cherche dans la simplification humaine du personnage. L'une atteint au sublime de la poésie, l'autre réalise la vie dans ce qu'elle a de plus intime et de plus intense. » Opposant ainsi au jeu

romantique de Sarah Bernhardt l'interprétation moderne de la Duse, Jullien rapproche celle-ci des auteurs réalistes et se réjouit que son succès « ait fortement contribué au triomphe définitif de l'art nouveau, l'art vivant, l'art de vérité ».

Le triomphe de cet « art de vérité » allait être fort compromis quelques mois plus tard. Pendant que le Théâtre Antoine, qui venait d'ouvrir, affichait *Le Repas*

LE CINÉMATOGRAPHE
CONSTRUIT PAR LES FRÈRES LUMIÈRE EN 1895.

« LE VOYAGE DANS LA LUNE », DE MÉLIÈS.

du Lion, où François de Curel posait le problème d'un jeune aristocrate tentant vainement l'expérience du socialisme, le nouveau défenseur du théâtre en vers préparait sa bombe. Elle éclata le 28 décembre 1897, à la Porte Saint-Martin, où *Cyrano de Bergerac* obtint un triomphe unique dans l'histoire du théâtre de cette époque, triomphe dont le retentissement se prolongea durant de nombreuses années. Le soir de la première, on hurla de joie, on s'embrassa. « C'était un délire, écrira Jean Cocteau, cette fanfare réveilla le cheval de cirque endormi dans l'âme de tous les Français. » Et Cocteau ajoute : « Ceux qui ne vécurent pas le drame de l'affaire Dreyfus ne peuvent imaginer les haines, les angoisses, les discordes, et, j'ajouterai, les brumes naissantes du théâtre intellectuel, d'Ibsen à Porto-Riche, balayées en un soir par le panache de Bergerac. »

Ce ne fut qu'un exutoire temporaire. L'incendie du Bazar de la Charité qui, « allumé par le cinématographe », fit cent vingt morts, l'acquittement d'Esterhazy, la lettre indignée de Zola dans *L'Aurore* (« J'accuse »), et sa citation en Haute Cour en 1898, provoquèrent une nouvelle hausse de la température. Le Palais-Bourbon est transformé en arène de pugilat. Le colonel Henry, chef du service

de renseignements et complice d'Esterhazy, se suicide. Les ministres de la guerre se succèdent. La révision du procès est décidée, mais l'affaire sévit toujours, et le camouflet de Fachoda n'arrange pas les choses. L'agitation pénètre partout, dans la rue, à la Société des Gens de Lettres et jusqu'au corps de ballet de l'Opéra, où elle se traduit par des crêpages de chignon, tandis que *Tannhäuser* retentit sur la scène. A l'Œuvre, *Les Loups*, de Romain Rolland, font scandale : dans les trois personnages d'officiers entre lesquels se joue le drame, le public croit reconnaître Dreyfus, Picquart et Henry. Les remous de l'affaire atteignent même le paisible Rodin, qui, risquant à propos de la souscription au monument de son Balzac d'être pris entre les dreyfusards et leurs adversaires, décide de garder son œuvre. Le paroxysme de tension est atteint en 1899, qui est aussi, après maintes tergiversations, l'année du dénouement. Venant de Guyane, Dreyfus débarque à Quiberon. Reconnu coupable, il est condamné à dix ans de détention jusqu'à ce que Waldeck Rousseau décide la remise de la peine et de la dégradation et que le ministre de la Guerre déclare : « L'incident est clos. »

Entre temps eurent lieu des intermèdes burlesques dont le principal interprète fut Paul Déroulède, Don Quichotte nationaliste qui, après les funérailles de Félix Faure, le 16 février 1899, tenta d'entraîner le général et la troupe à marcher sur l'Élysée et à renverser la République. Siège du « Fort Chabrol », coup de canne de Christiani, ces farces politiques amusent moins le public que *Les Gaîtés de l'Escadron*, de Courteline, que joue Gémier, au théâtre Antoine, et *La Dame de chez Maxim*, de Feydeau, aux Nouveautés, où « la pétulante Cassive » déchaîne le rire.

PAUL DÉROULÈDE EN MARCHE SUR L'ÉLYSÉE,
PAR LÉANDRE (1899).

★ *L'expo' 1900* ★

Cependant, des bâtiments de staff poussaient en hâte le long de la Seine, au milieu du mécontentement général. Les dépenses considérables engagées, le retard des constructions, l'écroulement de certains pavillons, les accidents mortels qui se multipliaient parmi les ouvriers, tout

ÉDITH LA SYLPHE INCARNE LA « LIGNE » 1900 ET ÉVOQUE LES ENTRÉES DU MÉTROPOLITAIN.

contribuait à créer un climat défavorable autour de cette exposition, qui surgissait à un moment inopportun dans un Paris épuisé par des années de lutte politique et qui n'avait nullement le cœur aux fêtes. La surprise fut d'autant plus grande lorsque après l'inauguration par Félix Loubet, le 14 avril — le plâtre des palais étant à peine sec — les premiers visiteurs, s'attendant à trouver une foire avec des attractions, découvrirent une véritable cité resplendissant le soir de mille feux. Personne n'en croyait ses yeux. Le rideau s'était levé sur un spectacle enchanteur, « babylonesque », qui allait attirer pendant huit mois, venus des quatre coins de la France et du monde, plus de cinquante millions de spectateurs. Fiasco sur le plan commercial — on n'y achetait pas — l'exposition de 1900 dut son succès, comme les précédentes, au progrès scientifique, et, en l'occurrence, au miracle de l'électricité qui annonçait réellement la naissance d'une ère nouvelle. Sur le plan social et politique, l'Exposition ne fut que l'entr'acte d'une tragédie qui, en fait, n'était pas close, la trêve d'un mal qui ne devait trouver son remède définitif que dans un mal encore plus grave : la guerre de 1914.

On a dit : « Antoine, c'est l'affaire Dreyfus au théâtre. » En fait, si, dans les dernières années du siècle, la France fut divisée en deux camps ennemis, le théâtre, miroir de la société, le fut de même, et avec une netteté particulière lors du passage d'un siècle à l'autre. Ce n'est pas un hasard si Antoine et Lugné-Poe furent dreyfusards — ce qu'ils prouvèrent, l'un en allant à Rennes en 1899 suivre la révision du procès, l'autre en donnant une représentation exceptionnelle d'*Un Ennemi du Peuple*, d'Ibsen, à l'occasion de la lettre d'accusation

de Zola. Leurs répertoires étaient dans la « ligne », tandis que « l'autre théâtre » accusait les tendances de l'autre camp. Ainsi en 1899, alors qu'Antoine présentait *La Nouvelle Idole*, la meilleure pièce de François de Curel, qui mettait en doute l'infaillibilité des lois scientifiques, *France d'abord*, pièce héroïque, à tendance natio-

SADA YACCO, « LA DUSE JAPONAISE », AU THÉATRE DE LA LOÏE FULLER, A L'EXPOSITION.

LES MONTAGNES RUSSES.

naliste, d'Henri de Bornier, obtenait un égal succès. En 1900, au moment de la récréation de l'Exposition, une grande « finale » se jouera entre le réalisme social et le dernier sursaut du romantisme. D'une part, trois grands succès : *Poil de Carotte*, de Jules Renard, avec Suzanne Desprès, *La Robe rouge*, de Brieux, drame de la déformation professionnelle chez les juges, que joue Réjane, et la reprise de *L'Assommoir*, de Zola, par Lucien Guitry, à la Porte Saint-Martin ; de l'autre : *L'Aiglon*, que présente et joue Sarah Bernhardt, nouvellement installée dans le théâtre qui porte désormais son nom... Un triomphe ! Triomphe dérisoire de Rostand sur Jules Renard, Becque et Zola. Triomphe éphémère du plastron blanc de Sarah Bernhardt sur le velours à côtes des paysans de *Poil de carotte* et les bras des blanchisseuses de *L'Assommoir*.

« Des gens bâilleront d'admiration », note Jules Renard dans son *Journal*, le lendemain de la première. « On est comme devant une belle chute d'eau ; bientôt on voudrait s'en aller. » Quant à Zola, la gloire de Rostand l'atteint d'autant plus que le succès de *L'Assommoir* était dû pour une grande part à l'interprétation si simple et si attachante de Suzanne Desprès, et surtout à Lucien Guitry, qui avait bouleversé le public dans la scène du *delirium tremens*.

Cependant la partie n'était pas gagnée. Le réalisme social connut lui aussi son triomphe non pas au théâtre « dramatique », mais sur la seconde scène lyrique : *Louise*, de Gustave Charpentier, mise en scène par Albert Carré, qui, après la mort de Léon Carvalho, en 1898, avait pris la direction de l'Opéra-Comique et avait déjà révélé *Fervaal*, de Vincent d'Indy, et *La Vie de Bohème*, de Puccini. Dans cette « féerie réaliste », le peuple de Paris retrouva son image, ses aspirations et même ses revendications : « Tout être a le droit de vivre, tout être a le droit d'aimer, tout être a le droit d'être libre », chantait l'héroïne populaire, type même de la jeune couturière, sortie d'une famille pauvre et laborieuse et qui attirait toutes les sympathies. Sifflée aux premières représentations par un public offensé, *Louise* devait bientôt triompher grâce à l'enthousiasme communicatif de ceux que certains critiques appelèrent avec mépris les « fauves du poulailler ». Il régnait dans le monde lyrique et dans la salle de l'Opéra-Comique un climat révolutionnaire que l'on retrouva deux ans plus tard lors de la création de *Pelléas et Mélisande*, de Debussy, événement de même envergure mais qui eut un autre retentissement sur le plan musical.

1902. *Louise* avait heurté la critique bien pensante et conquis le « grand public ». *Pelléas* se heurta à l'incompréhension.

Jamais accueil ne fut aussi grossier au théâtre lyrique. Les musiciens eux-mêmes criaient au scandale, et il fallut, pour imposer l'œuvre au public, la clique passionnée des étudiants, dont les acclamations tombaient comme le tonnerre des galeries supérieures sur la tête des récalcitrants. Ici encore le triomphe « vint d'en haut », le parterre représentant une fois de plus cette élite officielle, conservatrice, sclérosée, hostile à ce qui est nouveau et présente un « danger ». Après *L'Ouragan*, de Bruneau, chef du naturalisme musical, Debussy rompait avec les traditions, les récitatifs pompeux et ampoulés, l'écrasement de la voix humaine par les tempêtes de l'orchestre, le placage grossier de la musique

COLETTE WILLY DANS UNE DE SES PANTOMIMES AUX MATHURINS

sur les dialogues chantés, la recherche des effets ; le premier, il rompait enfin totalement avec Wagner, dont la plupart des musiciens (Chabrier, d'Indy, Bruneau, Charpentier), sauf Massenet, subissaient encore l'influence. La même année (1902), Jean de Reszké chantait *Siegfried*, sixième drame wagnérien présenté à l'Opéra, après *Lohengrin* (1891), *L'Or du Rhin* et *La Walkyrie* (1893), *Tannhäuser* (1895), *Les Maîtres Chanteurs* (1897), deux ans avant *Tristan et Yseult*. Durant tout le règne de Pedro Gailhard (1884-1907) et celui de Messager et Broussan (1908-1914), c'est grâce à Wagner, qui fit toujours de grosses recettes, que l'Opéra put vivre ; et c'est à cause de Wagner, joué en France avec vingt ans de retard, que l'Opéra se ferma à tout renouvellement du théâtre lyrique. Ainsi le voulut le prudent Gailhard, ancien baryton, qui, plutôt que de compromettre l'économie du théâtre en risquant

des fours glorieux, réservait sa générosité aux chanteurs et aux chanteuses qu'il avait su choisir parmi les meilleurs de l'époque : Lucienne Bréval, créatrice des *Maîtres Chanteurs* et de *L'Etranger*, de Vincent d'Indy (1903), Marie Delna, interprète de *La Prise de Troie*, de Berlioz (1899), et des *Barbares*, de Saint-Saëns (1901), Delmas, qui débuta en 1886 dans *Les Huguenots*, Muratore, etc., plus tard, en 1907, Felia Litvinne qui triomphera, en 1907, dans *La Juive* et *La Walkyrie*.

En cette année 1902, année de *Pelléas*, Waldeck Rousseau se retirait, Rutherford publiait ses études sur la radio-activité, Henri Poincaré, *Science et Hypothèse*, André Gide, *L'Immoraliste* et *Saül*, Polaire jouait *Claudine à Paris*, de Willy, aux Bouffes-Parisiens, et Sarah Bernhardt, *Françoise de Rimini*, où débutait Yvonne de Bray, aux côtés de de Max, tandis que la Duse créait à Rome la *Francesca da Rimini*, de d'Annunzio. Les Capucines tenaient un grand succès avec *Chonchette*, opéra-bouffe de Flers, Caillavet et Claude Terrasse, où Max Dearly composait une silhouette de vieux comédien qui restera une des meilleures interprétations de sa carrière. En 1900, alors que Charles Lecocq, vingt-huit ans après le triomphe de *La Fille de Madame Angot*, faisait représenter sans succès sa dernière opérette, *La Belle au Bois dormant*, Claude Terrasse s'était affirmé avec *La Petite Femme de Loth*, de Tristan Bernard comme un musicien comique de grande classe (« sa musique n'était qu'un long éclat de rire »). *Les Travaux d'Hercule*, autre opéra-bouffe, avait consacré l'année suivante le nouveau trio Flers, Caillavet, Claude Terrasse, jugés dignes successeurs de Meilhac, Halévy et Offenbach. Comme *La Belle Hélène*, de ces derniers, *Les Travaux d'Hercule* étaient une charge de l'antiquité grecque ; après *Chonchette*, la nouvelle équipe de l'opéra-bouffe s'attaquera, avec *Le Sire de Vergy* (1903), au moyen âge, comme l'avaient fait leurs prédécesseurs avec *Geneviève de Brabant*. Cependant, malgré ce nouvel essor que semblait prendre l'opéra-bouffe, l'opérette était menacée, et seuls les Bouffes-Parisiens et la Gaîté restaient fidèles au genre.

Firmin Gémier, séparé d'Antoine, avait pris en 1901 la direction de la Renaissance, dont il voulait faire un second théâtre Antoine. C'est alors, en 1902, une guerre d'influence entre les deux bastions du théâtre nouveau : Gémier monte *La Vie publique*, d'Émile Fabre, *Le Portefeuille*, de Mirbeau, le *14 Juillet*, de Romain Rolland. Antoine contre-attaque avec *La Terre*, de Zola, une reprise de *La Parisienne*, *Boule de Suif*, d'après Maupassant, plus tard *Oiseaux de Passage*, de Lucien Descaves et Maurice Donnay (1904). Gémier, vaincu par les difficultés financières, cède la Renais-

SARAH BERNHARDT DANS
« L'AIGLON » (1900).

SARAH BERNHARDT
CHEZ ELLE.

sance à Lucien Guitry, qui y montera *La Paix chez soi*, de Courteline, et *Crainquebille*, d'Anatole France, pièce sur les déshérités de la société et où l'on retrouve un peu l'atmosphère de *L'Assommoir*.

La Comédie-Française, ravagée par l'incendie de 1900 et qui s'était réfugiée chez Sarah Bernhardt, fait sa réouverture en mai 1901, avec une reprise inévitable de *Patrie*, de Sardou. Remise à neuf, clinquante, coiffée du nouveau plafond de Besnard, toujours pilotée par l'honnête et souple Jules Claretie, la Comédie accueille maintenant des auteurs modernes. Ses grandes reprises classiques : *Œdipe Roi*, où triomphe Mounet-Sully, *Les Burgraves*, à l'occasion du centenaire de la naissance de Victor Hugo, *Phèdre*, où échoue Suzanne Desprès, *Le Malade Imaginaire*, où débute l'espiègle Dussane, *Les Précieuses*, où débute André Brunot, alternent avec des pièces modernes qui seront les plus grands succès du théâtre de l'époque : *L'Enigme*, de Paul Hervieu, où s'affrontent Julia Bartet et Marthe Brandès, *Le Marquis de Priola*, de Lavedan, où triomphe Le Bargy dans le rôle d'un Don Juan 1902, *Les Affaires sont les Affaires*, d'Octave Mirbeau (1903), où Féraudy, remplaçant Silvain, campe le financier Isidore Lechat ; plus tard, en 1905, *Le Duel*, de Lavedan, qui met aux

prises deux frères ennemis, l'un représentant la Foi (Le Bargy), l'autre le matérialisme libre penseur (Raphaël Duflos). Les succès de l'Odéon sont des adaptations : *Résurrection*, par Henry Bataille (1902), et *La Rabouilleuse* (1903), par Émile Fabre, dont Gémier montera en 1905 *Les Ventres dorés* (toujours les financiers !). Au boulevard, on joue Capus, Brieux, Donnay, Wolff ; ce sont aussi les premiers succès des deux Henry, Bernstein et Bataille, qui deviendront vite les maîtres de la nouvelle comédie bourgeoise : après *La Passerelle*, *Le Masque*, Bataille s'impose avec *Maman Colibri* (1904), qui traite de l'« amour désespéré d'une mère pour le jeune ami de son fils ». Bernstein donne *Le Détour* (1902), *Le Bercail*, où débute Simone Le Bargy (1904), *La Rafale*, avec Gémier (1905). Enfin, Feydeau (*La Main passe* (1904) et Tristan Bernard (*Triplepatte* (1905) se partagent les succès de rire.

En 1906, Antoine prend la direction de l'Odéon et cède son théâtre à Gémier, tandis que *Miquette et sa mère*, de Flers et Caillavet, triomphe aux Variétés, avec Eve Lavallière, Max Dearly et Brasseur, que Colette Willy, habillée en faunesse, interprète ses patomimes aux Mathurins, où débute par ailleurs le jeune Sacha Guitry (*Nono*), et que Régina Badet

mène la danse dans les ballets d'*Aphrodite*, d'après Pierre Louys, s'inspirant des atti-

MAURICE DE FÉRAUDY DANS « LES AFFAIRES SONT LES AFFAIRES », D'OCTAVE MIRBEAU, GRAND SUCCÈS DE LA COMÉDIE-FRANÇAISE, 1903.

Les Reines de La Belle Époque

LIANE
DE
POUGY.

LA BELLE CLÉO DE MÉRODE, « DAN-
SEUSE ÉTOILE » DE L'OPÉRA.

LA PRINCESSE DE CARAMAN CHIMAY ET
LE VIOLONISTE RIGO (TABLEAU VIVANT).

EMILIENNE
D'ALENÇON.

tudes antiques d'Isadora Duncan, qui avait obtenu en 1904 son premier succès de public. Ibsen meurt ; son ombre s'étend sur cette grande foire du théâtre parisien et révèle d'avance le vide qu'elle laissera, champ de ruines et d'illusions où, parmi les valeurs évaporées, les débris d'une folle gaîté, ne se dressent que de très rares monuments, et d'où ne nous parviennent que les justes accents de Becque et de Jules Renard, les rires amers de Courteline et de Feydeau, les mots d'esprit de Tristan Bernard. En ces années 1905, 1906, les vrais événements se passent ailleurs : en Suisse, où Einstein découvre les photons, dans le silence du cabinet d'Henri Bergson, qui vient d'achever *L'Evolution créatrice*, dans l'atelier de Matisse, autour duquel se groupe le mouvement des Fauves, qui fera faire un bond en avant à la peinture. Enfin a lieu la réhabilitation du « traître » Dreyfus, que l'on décore de la Légion d'honneur...

LA BELLE OTÉRO.

MATA-HARI.

Les Étoiles Du Caf' Conc'

Si l'idée d'un café où l'on présenterait des parades et des scènes dialoguées remonte au XVIIIe siècle, ce n'est qu'au Second Empire, au milieu des Champs-Élysées, que naquit le « café-chantant », qui fut appelé bientôt « café-concert ». Vers 1860, les plus en vogue de ces établissements étaient l'Alcazar, les Ambassadeurs, surtout l'Eldorado, boulevard de Strasbourg, où triomphèrent, entre 1864 et 1870, les premières reines du caf' conc', Judic et la grande Thérésa, qui fit accourir tout Paris avec sa *Fleur des Alpes*, romance comique. C'est elle qui, la première, détourna le public de « la poésie sucrée, dont on avait un tel écœurement, l'expression banale et efféminée de l'amour à roulades » (Théodore de Banville). Dans une atmosphère enfumée on y écoutait tour à tour ténors, barytons, chanteurs et chanteuses comiques, et l'on pouvait suivre dans les premières chansons d'actualité les inventions nouvelles et les événements du jour. La guerre de 1870 y amena tout un répertoire de la Revanche en même temps qu'une invasion de chansons militaires.

Peu à peu les artistes du café-concert, autorisés à se costumer depuis 1867 (privilège, jusque-là, des théâtres), se spécialisèrent. Les genres se multiplient : Troupiers ou « tourlourous » (Ouvrard, puis Polin) ; Ivrognes (Bourgès) ; Gommeux excentriques, Monologuistes, Sentimentaux, bouche en cœur et moustaches en croc (Marius Richard, Mercadier, puis Dalbret, Tino Rossi de l'époque) ; Réalistes, à la suite de Bruant (Mévisto, du Théâtre Libre, qui chante *Quand tu feras un gosse* ; Eugénie Buffet, chanteuse de la misère, Angèle Moreau) ; Scieurs, lançant les refrains stupides comme *les-z-Homards* et *les P'tits Pois* (Libert, Sulbac, Maurel, puis Dranem) ; Phénomènes, exploitant leur difformité physique (le squelettique Brunin) ; Gambilleurs (Paulus). Parmi les femmes, outre les chanteuses réalistes, les Romancières, à la suite de Thérésa (Mme Duparc, qui chante *Les Écrevisses*, Anna Thibaud) ; enfin, les chanteuses patriotiques ; comiques comme Jeanne Bloch, véritable « tourlourou féminin », tragiques comme Mlle Amiati. Plus tard, le succès de Polaire, « l'agitante et l'agitée », provoque une éclosion de « gommeuses », parmi lesquelles apparaît la jeune Mistinguett.

Cependant, entre 1890 et 1900 règne une « divette » dont le genre n'appartient qu'à elle : Yvette Guilbert. Éprise de vérité — elle avait suivi avec passion le mouvement naturaliste — elle ne se contente pas de chanter ou de dire avec sa verve blagueuse les couplets de Paul de Kock, Gustave Nadeau ou Xanrof ; elle « joue », fait vivre des personnages avec un talent de comédienne que de nombreux écrivains de l'époque, comme Alphonse Daudet et Catulle Mendès, lui reprochèrent de gaspiller au café-concert. La divette s'était pourtant essayée au théâtre, avant de débuter, en 1885, à l'Eldorado puis à l'Eden-Concert, dont Polin était le chanteur à succès. Elle y chante pour la première fois *Le Fiacre*, après avoir découvert chez un bouquiniste des quais les chansons de Xanrof. On la retrouve ensuite dans les plus célèbres cafés-concerts de Paris : Moulin-Rouge, Divan Japonais, Concert Parisien, Scala, Horloge, Ambassadeurs. Engagée par Zidler au Bal du Moulin-Rouge — où le « concert » était encore accessoire, avant de détrôner le bal en 1900 — elle rencontre les danseuses du French Can Can, la Goulue et sa clique, Valentin le Désossé, le Pétomane... Passant du bal au cabaret montmartrois, elle découvre au Divan Japonais la bohème de la Butte, de Willette à Lautrec, de Bruant à Maurice Donnay, et elle y chante *les Vierges*. Au Concert Parisien, où elle entre en 1891, trois jours après le départ — définitif — de Thérésa, le directeur Musleck la surnomme « la diseuse fin de siècle ». Elle y remporte son premier grand succès. Quatre ans plus tard, à ce même Concert Parisien, débutera Mayol, arrivant de Marseille avec son toupet et son brin de muguet ; puis y apparaîtra le flegmatique Max Dearly, en compagnie de Dranem et de Mayol. A l'Horloge, en 1891, Yvette Guilbert triomphe, tandis que débute Polaire, qui chante : *Si j'avais un petit cousin !* et que Fragson essaye devant son piano ses premiers couplets. A la Scala, où passaient la plupart des « étoiles » — Ouvrard, Marius Richard, Caudieux, Polin, Anna Held, Sulbac, Kam Hill, le chanteur en habit rouge — Yvette chante pour la première fois les chansons de Bruant : *A Saint-Lazare, A Saint-Ouen* ; en 1905, une revue : *Paris fin de sexe* y révolutionne le café-concert. A l'Alcazar d'été où, en 1886, Paulus lança : *En revenant de la Revue*, Polin, Dranem et Mayol sont réunis, en 1910, sur la même affiche, tandis que Maurice Chevalier passe au Parisiana et qu'à l'Eldorado, Mistinguett, se trémoussant en robe de gommeuse, chante : *J'ai le cœur en feu ! feu ! feu !* et connaît ses premiers triomphes.

Mistinguett ! Chevalier ! Deux noms qui allaient illustrer une nouvelle ère du théâtre de variétés. Déjà, en 1893, Joseph Oller, créateur du Moulin-Rouge et du Jardin de Paris, avait fait construire à l'emplacement de ses Montagnes Russes, le premier grand music-hall : l'Olympia. Devant le succès croissant de cette nouvelle formule, la « revue » et l'attraction de cirque remplaçaient peu à peu la chansonnette. Le music-hall allait détrôner le café-concert, et le cinématographe ne devait pas tarder à lui porter le coup de grâce.

Le Moulin-Rouge

QU'IL était pittoresque alors, le Moulin-Rouge ! Avec son jardin où l'on chantait l'été, et son éléphant géant dans lequel on montait voir « des attractions ». La salle de bal, avec sa muraille du fond tout en glaces, devant laquelle les fameuses danseuses de l'époque, quand le public avait déserté la salle, à minuit, s'amusaient à créer entre elles et pour elles des pas inouïs de fantaisie acrobatique. Zidler permettait à l'orchestre de jouer quinze minutes après le départ du public afin de favoriser leur délassement de chaque soir, et c'était le moment où les familiers de la maison voyaient vraiment les danseuses professionnelles en pleine action.

La Goulue, aux bas de soie noire, son pied de satin noir dans la main, faisait virevolter les soixante mètres de dentelles de ses jupons et montrait son pantalon cocassement brodé d'un cœur qui se tendait, farceur, sur son petit postérieur, lorsqu'elle s'inclinait en des saluts irrespectueux... »

YVETTE GUILBERT.

LE BAL DU MOULIN-ROUGE APRÈS LE SPECTACLE VERS 1895. A DROITE : LA GOULUE.

JANE AVRIL, PAR TOULOUSE-LAUTREC : SUR SCÈNE ET SORTANT DU MOULIN-ROUGE.

Avec La Goulue, « Étoile de la danse », il y avait *Grille d'égout* (ancienne institutrice) ; ses dents écartées « comme une grille » lui valurent cet horrible surnom.

Puis *Rayon d'Or*, au chignon roux, longue, longue, souple. *Jane Avril*, folle de la danse, secrétaire d'Arsène Houssaye, je crois bien, était lettrée, artiste, distinguée, fine comme une fleur de narcisse, dont elle avait la pâleur, une très longue et souple robe rouge, un chapeau noir... »

Y. G.

Toulouse-Lautrec a fixé sa silhouette de « longue sangsue », son cou de cygne, ses bras, « tentacules gantés de deuil ». Sa voix, enregistrée, nous fait mesurer combien son grand talent de diseuse et de comédienne a survécu à son époque, quel que soit le vieillissement de son répertoire, « pot pourri de parisianisme de l'heure présente et de l'antique langue facétieuse de Panurge » (E. de Goncourt). « Son allure, sa mimique créait le décor et l'atmosphère, écrivit Dussane, elle était, à elle seule, *tous* les personnages, et même leurs spectateurs, par-dessus le marché. »

« UNE taille douloureuse de minceur... dans un corsage étroit jusqu'au spasme » (Jean Lorrain). Colette assiste à son « épilepsie » alors qu'elle chante le vicieux portrait du Petit Chat, « en crispant tout son corps, en frémissant comme une guêpe engluée, en souriant d'une bouche convulsive, comme si elle venait de boire le jus d'un citron vert ». Ce frémissement, Polaire l'attribuait au « trac », et avoua : « C'est ça qui fit mon succès ! » Mais Willy appréciait aussi en elle « ses gazouillis de rires clairs » et « ses yeux de fellahine » où « rêve une indicible mélancolie ».

1. FRAGSON
2. POLIN
3. MAYOL
4. DRANEM

Avec son toupet, son habit, son muguet à la boutonnière, ses gestes précieux, ses minauderies, qu'il chantât : *Viens, Poupoule !* ou *La Cabane Bambou*, qu'il fût obèse ou mince, comme à ses débuts, Félix Mayol fit salle comble ; il incarnait, dit-on, la « légèreté de Paris ». Lanceur de « scies populaires » comme ses fameux *Petits Pois*, Dranem incarnait, lui, « le roi des idiots ». « Ses souliers que nous retrouvâmes aux pieds de Charlot, ce légendaire chapeau qui restera comme celui de Tabarin, cette figure ahurie jusqu'à l'aliénation mentale, cette voix fêlée d'ivrogne en goguette, tout cela est passé dans l'imagerie populaire », écrivit Antoine, qui lui fit jouer *Le Malade imaginaire* à l'Odéon. Le képi sur l'oreille, le mouchoir à carreaux à la main, Polin, créateur des « tourlourous », chantait en marquant le pas, d'une voix fine, *Mademoiselle Rose*... Avec son piano et sa silhouette de fêtard londonien, Fragson apporta au café-concert un rythme nouveau qui convenait au style du music-hall.

ALBERT CARRÉ
ET
L'OPÉRA COMIQUE

Pelléas et Mélisande : *décor de Jusseaume pour la forêt et début de la partition de Claude Debussy.*

1898

✳ 1913

ALBERT CARRÉ

1925

1918 ✳

Pendant toute la période qui s'étend de 1880 à 1925, le Théâtre de l'Opéra-Comique joua un rôle considérable dans l'histoire lyrique du théâtre contemporain et connut une époque particulièrement faste, grâce à la personnalité d'un de ses directeurs, Albert Carré, qui prit en main sa gestion, une première fois de 1898 à 1913, une seconde fois de 1918 à 1925.

Ses prédécesseurs, certes — Du Locle, Paravey, Léon Carvalho — avaient donné leurs chances à des ouvrages lyriques qui se sont définitivement imposés, et parmi ceux-ci : *Mireille*, de Gounod (1874), *Carmen*, de Bizet (1875), *Les Contes d'Hoffmann*, d'Offenbach (1881), *Lackmé*, de Léo Delibes (1883), *Manon*, de Massenet (1884), *Le Roi malgré lui*, de Chabrier (1887), *Le Roi d'Ys*, de Lalo (1888), puis *Cavalleria Rusticana*, de Mascagni et un autre Massenet : *Werther*. A côté de ces sommets de la musique de théâtre de demi-caractère, *Le Rêve*, d'Alfred Bruneau (1891), sur un livret d'Emile Zola, avait fait sensation. Précédant l'école des « véristes » italiens, avant *Louise*, de Gustave Charpentier, un compositeur avait osé porter à la scène des héros lyriques choisis parmi les humbles et habillés en costumes modernes. Commencés en 1898, les deux règnes d'Albert Carré — en tout vingt-trois ans — auront été extraordinairement fertiles. Il montra un éclectisme assez rare dans le choix des œuvres

qu'il retint. Sans doute dans cette masse d'ouvrages y eut-il du déchet, mais le directeur de théâtre lyrique qui a donné le jour à quatre chefs-d'œuvres tels que *Louise* (1900), *Pelléas et Mélisande* (1902), *Ariane et Barbe-Bleue*, de Paul Dukas (1907); *L'Heure espagnole*, de Maurice Ravel (1919), et accueilli sans hésiter la *Pénélope*, de Gabriel Fauré (1919), peut être considéré, à juste titre, comme un grand animateur. Chacune des œuvres qu'il a su découvrir n'occupe pas dans l'évolution de l'art lyrique une place aussi significative. Mais toutes contiennent d'incontestables valeurs musicales. Gustave Charpentier, reprenant à sa manière le naturalisme de Bruneau, a fait de sa *Louise* un roman musical populaire. Ce mélange de blague et de sentimentalisme, auquel le compositeur a ajouté une sorte d'auréole à la médiocrité humaine, témoigne d'un sens efficace et un peu facile de l'effet théâtral. Son vocabulaire musical, assez wagnérien, porte néanmoins la marque d'une personnalité de premier plan. Tout autre est *Pelléas et Mélisande*, chef-d'œuvre de Claude Debussy (1902). Avec un langage qui, en son temps, fut révolutionnaire, Debussy, par son impressionnisme, rompant définitivement avec le réalisme de *Louise* — et aussi avec le wagnérisme si en faveur à l'époque — rejoignit en quelque sorte le symbolisme littéraire. Que cherchait Debussy lorsque, séduit par la pièce de Maeterlinck, il décida d'en faire un

MAURICE RAVEL

DESSIN DE CAPPIELLO

JULES MASSENET

drame lyrique ? Hanté par une nouvelle forme lyrique, il s'en est expliqué lui-même : « Qui pourrait écrire un poème répondant à ma conception musicale ? Ce sera celui qui, disant les choses à demi, me permettra de greffer mon rêve sur le sien, qui concevra des personnages dont l'histoire et la demeure ne seront d'aucun temps, d'aucun lieu, qui ne m'imposera pas despotiquement la scène à faire et me laissera libre, ici et là, d'avoir plus d'art que lui et de parachever son ouvrage. Mais qu'il n'ait crainte, je ne suivrai pas les errements du théâtre lyrique où la musique prédomine insolemment, où la poésie est reléguée et passe au second plan, étouffée par l'habillage musical tout court. Au théâtre de musique, on chante trop. Il faut chanter quand cela en vaut la peine et réserver les accents pathétiques. Il est nécessaire, par endroit, de peindre en grisaille... Rien ne doit ralentir la marche du drame ; tout bouleversement que les mots n'appellent pas est une faute. Sans compter qu'un développement musical, tant soit peu prolongé, est incapable de s'assortir à la mobilité des mots... Je rêve de poèmes qui ne condamnent pas à perpétuer des actes longs, pesants, qui me fournissent des scènes mobiles, diverses par les lieux et le caractère, où les personnages ne discutent pas, mais subissent la vie et le sort. »

Il faudra attendre le *Wozzeck*, d'Alban Berg (1920), pour que l'art lyrique s'engage dans une nouvelle voie.

Parmi la multitude des compositeurs dont les ouvrages ont été montés par Albert Carré, il y eut, en premier chef, les épigones de Wagner, ceux qui se sont jetés tête baissée dans la nouvelle formule « à musique continue » (en opposition avec l'ancien opéra, divisé en airs, duos, trios et autres ensembles), celle du drame lyrique : Vincent d'Indy (*Fervaal*, 1898), Xavier le Roux (*Le Chemineau*, 1907), Raoul Laparra (*La Habanera*, 1908), Albéric Magnard (*Bérénice*, 1911), Sylvio Lazzari (*La Lépreuse*, 1912), Guy Ropartz (*Le Pays*, 1913), Alfred Bachelet (*Quand la Cloche sonnera*, 1922), etc. D'autres s'attachèrent aux ouvrages de demi-caractère, tels Massenet (*Le Jongleur de Notre-Dame*, 1904), André Messager (*Fortunio*, 1907) — ce même Messager qui occupa si longtemps auprès

GUSTAVE CHARPENTIER   ANDRÉ MESSAGER

DESSINS DE CAPPIELLO

d'Albert Carré les fonctions de directeur de la musique et qui fut pour lui, en maintes occasions, un conseiller précieux ; Claude Terrasse (*Le Mariage de Télémaque*, 1910), Henri Rabaud (*Marouf* ou *Le Savetier du Caire*, 1914), Louis Aubert (*La Forêt bleue*, 1924), Florent Schmitt, avec un ballet (*Le Petit Elfe ferme l'œil*, 1924), Darius Milhaud, avec sa première œuvre lyrique (*La Brebis égarée*, 1923). Enfin il y eut les « véristes » italiens ; ceux-là mêmes qui constituent la base du répertoire de tout théâtre lyrique en lui assurant des recettes confortables, en tête Giacomo Puccini avec trois œuvres : *La Vie de Bohème* (1898), *La Tosca* (1903), *Madame Butterfly* (1906). On a beaucoup médit, et peut-être exagérément, des « véristes » italiens. Ils ont eu — ce qui est rare chez les compositeurs — le sens du théâtre (tel d'aujourd'hui Menotti), et ils ont su se plier aux nécessités de l'action et du texte avec autant de souplesse que de promptitude, ce qui explique que leurs œuvres ont encore une efficacité certaine auprès du public.

CLAUDE DEBUSSY

GABRIEL FAURÉ

LES MISES EN SCÈNE

C'est à ces compositeurs, aux « véristes » italiens, que le metteur en scène Albert Carré a donné le meilleur de son talent. Tout le portait vers leurs œuvres et, en premier lieu, le fait d'avoir été formé à l'école de Sardou. Il fut un fanatique de la couleur locale. On peut dire qu'il a été l'apôtre du « Théâtre Libre Lyrique ». Le décorateur Jusseaume fut son bras droit (l'admirable Jusseaume, ne cessait-il de dire de celui qui n'est plus à nos yeux qu'un praticien à l'habile métier). A propos de *La Bohème*, Albert Carré a écrit : « J'avais fait reconstituer par Jusseaume, dont ce fut une grande réussite, Saint-Séverin avec ses ruelles tortueuses de 1830 et son café Momus, dont l'auvent abritait un marchand de marrons. Là-dedans, j'avais voulu que grouillassent les lorettes, les grisettes,

les étudiants, les poètes, les bourgeois, les gardes nationaux et les petits métiers de l'époque, et j'avais demandé à Multzer de reconstituer les célèbres types de Gavarni. J'ajoutai, pour que l'effet soit plus pittoresque, une dizaine d'enfants, un cheval tirant un fiacre et même un chien qui figurait la mascotte du regiment qui défilait. » Pour la reprise de *Carmen*, en 1898, Carré visita Madrid, Séville et Grenade en compagnie du costumier Bianchini : « Nous avions rôdé pendant des semaines, visitant les manufactures de tabac, tavernes, posadas, plaza de toros. Nous avions ramené toute une documentation qui permit à Édouard Detaille de reconstituer l'uniforme des dragons d'Alcala conformément à la vérité. » Pour *Louise*, Albert Carré raconte que les escaliers de Montmartre n'eurent plus de secret pour Jusseaume. Et il ajoute : « Je me levais à 4 heures du matin pour m'en aller surprendre

LOUISE

Sur la page de gauche : *la petite salle à manger ouvrière avec son papier peint et ses rideaux de cretonne, dont la fenêtre ouvre sur le balcon du rapin d'en face. Sur scène, à l'acte I : Marthe Rioton (Louise) et Fugère (le Père), créateurs de ces deux rôles, en 1900. Ci-dessus : décor d'Utrillo, pour la dernière reprise de* Louise *à l'Opéra-Comique. A droite : Montmartre au petit jour, reproduit par Jusseaume ; la scène des chiffonniers, à l'acte II de* Louise.

au travail les chiffonniers, auxquels nous achetions bottes et lanternes. » Pour la reprise de *Mireille*, Carré va en Crau ; pour *La Tosca*, il s'ingénie à reconstituer l'atmosphère de Rome en 1880 et à installer en haut du château Saint-Ange « un drapeau flottant qui donnait l'impression qu'il faisait grand vent ». On trouva le décor de *Butterfly* si exotique que le Directeur de la Compagnie des Wagons-Lits demanda à Carré de permettre à son dessinateur, M. Toussaint, de s'en inspirer « pour mettre en affiche un joli paysage japonais ».

Ce souci persistant de réalisme dans le décor, dans le costume, dans l'accessoire, ce désir de reproduire la nature dans ses moindres détails, photographiquement, sont les raisons pour lesquelles Albert Carré n'a pas su donner à *Pelléas et Mélisande* un cadre en correspondance visuelle avec la musique de Debussy, un cadre qui aurait dû être confié à un Vuillard ou à un Bonnard. De même le décor réaliste de Bailly pour *L'Heure espagnole*, de Ravel, eût parfaitement illustré *Les Tisserands*, de Gerhardt Hauptmann chez Antoine.

On peut en dire autant de toutes les autres mises en scène d'Albert Carré, lesquelles furent en contradiction flagrante avec les principes mêmes de n'importe quelle mise en scène lyrique, antiréaliste par nature, sauf en de très rares exceptions. « J'accepte la simplification du décor où trop de détails s'accumulent — a bien voulu reconnaître Albert Carré vers la fin de sa carrière — puisque le réalisme, poussé à l'extrême, n'est plus de mode, mais faut-il encore que ce décor simplifié me rappelle la nature s'il doit servir de cadre et de milieu aux évolutions naturelles. »

PELLÉAS
ET
MÉLISANDE

La Fontaine des Aveugles. En haut : *panneau de Vuillard (1913), d'après le décor de Jusseaume pour la création, en 1902.* Ci-dessus : *décor d'André Boll au théâtre Royal d'Amsterdam, en 1929.* Ci-contre : *celui de Valdo Barbey pour l'Opéra-Comique, en 1930.* Sur la page de droite : *maquette de Valentine Hugo conçue pour la reprise de* Pelléas *à l'Opéra-Comique, en 1948, et non réalisée.*

Mary Garden (Mélisande). « C'était la douce voix secrètement entendue, avec cette tendresse défaillante, cet art si prenant auquel je ne voulais pas croire jusque-là. » (Debussy.) A droite : Jean Périer, créateur du rôle de Pelléas.

LES INTERPRÈTES

Il faut porter à l'actif d'Albert Carré le fait d'avoir su s'entourer d'une troupe de chanteurs de premier ordre et d'avoir veillé avec une attention extrême à la manière dont les ouvrages étaient distribués. Ayant pratiqué la mise en scène dramatique, il avait le souci constant de faire jouer ses chanteurs, mais là encore selon des données trop réalistes. Hélas ! ce désir de faire vrai s'est perpétué jusqu'à nos jours et pèse

terriblement encore sur la conception de la plupart des metteurs en scène lyriques. Et si l'art dramatique s'est débarrassé assez rapidement du réalisme du « Théâtre Libre », s'il a subi de successives révolutions, tant dans le jeu des acteurs que dans la mise en scène et le décor, on ne saurait en dire autant de l'art lyrique, lequel, contaminé par un Albert Carré, qui a fait école, demeure attaché aux pires traditions véristes. Parmi les cantatrices et les chanteurs de grand renom il convient de citer : Sybil Sanderson, Emma Calvé (Carmen de grande classe), Marthe Rioton (la créatrice de Louise), Mary Garden (étonnante Mélisande), Marie Delna, Marguerite Carré (femme d'Albert), et, plus près de nous, Lucienne Bréval, Marthe Chenal, Germaine Lubin, Ninon Vallin... Fugère, Muratore, Clément, Maréchal, Vieuille, Jean Périer (inoubliable Pelléas) et beaucoup d'autres...

S'il nous fallait conclure sur cette période d'environ un demi-siècle, nous dirions que le principal artisan « des grandes heures de l'Opéra-Comique » a bien été Albert Carré, lequel, au cours de sa longue carrière, fut, à l'image d'un Antoine et d'un Lugné-Poe, un grand découvreur, et qu'il a de la sorte accompli la plus belle mission que puisse revendiquer un directeur de théâtre : celle de révéler des œuvres et quelques chefs-d'œuvre assurés de pérennité.

ANDRÉ BOLL.

a mon ami Massenet
son tres reconnaissant
Lucien Fugère

Grisélidis
20 9e 1901

Les

LUCIEN FUGÈRE

Un des plus célèbres
chanteurs de l'Opéra-
Comique. Il y débuta,
en 1877, dans le rôle
de Jean des Noces de
Jeannette, puis il fut
notamment Bartholo du
Barbier de Séville,
Leporello de Don
Juan, Sancho de Don
Quichotte, de Masse-
net, Papageno de La
Flûte enchantée. A
gauche : le Diable, dans
Grisélidis, de Massenet,
qui fut créé en 1901.

Chanteurs

1. Maurice Renaud dans le rôle du Hollandais du Vaisseau Fantôme, *lors de la reprise de l'opéra de Wagner, en 1904, à l'Opéra-Comique, où il avait débuté, en 1890, dans Karnak du* Roi d'Ys. — *2. Ernest Van Dyck, célèbre interprète en France des drames wagnériens, dans* Lohengrin, *présenté pour la première fois en France en 1891. — 3. Jean de Reszké dans* Siegfried, *à l'Opéra, en 1902. — 4. Edmond Clément dans le rôle de Rodolphe de* La Vie de Bohème, *à la reprise à l'Opéra-Comique, en 1915. Il y avait débuté en 1889.*

1. RENAUD
2. VAN DYCK
3. DE RESZKÉ
4. CLÉMENT

1. LILI LEHMANN DANS « DON JUAN ». — 2. LUCIENNE BRÉVAL DANS « LA WALKYRIE ». — 3. MILKA TERNINA DANS « TRISTAN ET ISOLDE ». — 4. Mme SCHUMANN-HEINK DANS L'OGRESSE DE « HANSEL ET GRETEL ». — 5. Mme ROSE CARON DANS « SIGURD ». — 6. Mme MARIA BRÉMA DANS « PARSIFAL ». — 7. Mme GEMMA BELLINCIONI DANS « LA CABRERA ». — 8. Mme MARCELLE SEMBRICH DANS « LA FILLE DU RÉGIMENT ». — 9. MARY GARDEN DANS « PELLÉAS ET MÉLISANDE ». — 10. Mme MELBA DANS « HÉLÈNE. — 11. LINA CAVALIERI DANS « THAIS ». — 12. EMM. CALVÉ DANS « CARMEN ». — 13. ADELINA PATTI DANS « FAUST ». — 14. EMMA DESTINN DANS « SALOMÉ ». — 15. FÉLIA LITVINNE DAN. « ARMIDE ». — 16. Mlle KRUCENISKA DANS « SALOMÉ ». — 17 Mme NORDICA DANS « LOHENGRIN ». — 18. Mme GULBRANSON DAN. « LA WALKYRIE ». — 19. Mme DE NUOVINA DANS « MEFISTOFELE ». — 20. Mme FREMSTADT DANS « TRISTAN ET ISOLDE ». — 21. GÉRALDIN.

Le Monde de.

FARRAR DANS « LE CLOWN ». — 22. Mᵐᵉ HÉGLON DANS « MIARKA ». — 23. CLAIRE FRICHÉ DANS « L'ÉTRANGER ». — 24. JANE HATTO DANS « SIGURD ». — 25. GEORGETTE LEBLANC DANS « THAIS ». — 26. MARIE DELNA DANS « LA VIVANDIÈRE ». — 27. HENRIETTE MOTTL DANS « LOHENGRIN ». — 28. AINO ACKTÉ DANS « PAILLASSE ». — 29. SUZANNE ADAMS DANS « ROMÉO ET JULIETTE ». — 30. MARGUERITE CARRÉ DANS « LA CABRERA ». — 31. MARIE THIÉRY DANS « MIREILLE ». — 32.

Mᵐᵉ MARIÉ DE L'ISLE DANS « CARMEN ». — 33. Mᵐᵉ JACQUES ISNARDON DANS « LES MAITRES CHANTEURS ». — 34. Mᵐᵉ ADINY DANS « WERTHER ». — 35. JEANNE RAUNAY DANS « IPHIGÉNIE EN TAURIDE ». — 36. Mᵐᵉ DONALDA DANS « MANON ». — 37. LOUISE GRANDJEAN DANS « ARIANE ». — 38. LUCIE BERTHET DANS « THAIS ». — 39. CÉCILE THÉVENET DANS « MESSALINE ». — 40. LINA PACARY DANS « HÉRODIADE ». — 41. NELLY MARTYL DANS « ARMIDE ». — 42. GENEVIÈVE VIX DANS « ARMIDE ».

Cantatrices

FÉDOR CHALIAPINE

Il chante pour la première fois à Paris, en 1908, Boris Godounov, de Moussorgski, à l'Opéra, et remporte un triomphe. Ses autres principales créations : Ivan le Terrible, La Kowantchina, Don Quichotte, Mefistofele, *Basile du* Barbier de Séville *et le Prince Galitsky du* Prince Igor.

Don Quichotte, *de Massenet (Opéra de Monte-Carlo, 1910), ci-dessus, et Basile du* Barbier, *ci-contre (Casino de Deauville, 1913) : « Basile ! Chaliapine sembla jaillir du plateau, comme un grand fantôme noir, griffu, crochu, formidable et comique, l'œil méchant, le nez féroce et sale, la bouche édentée, le cou boudiné, cherchant avec sa main, dans les dessous du théâtre, les notes graves qu'il ramenait lentement et donnait d'unevoix d'orgue.»* (Michel Georges-Michel.)

LE BALLET
EN FRANCE

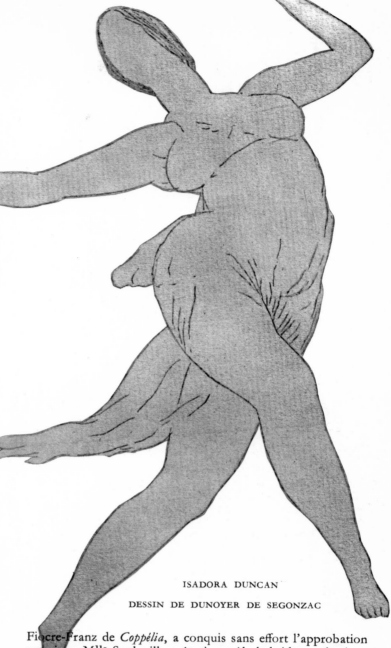

ISADORA DUNCAN

DESSIN DE DUNOYER DE SEGONZAC

Berceau de la danse académique, l'Opéra de Paris a connu durant près de deux siècles le triomphe du ballet. L'ère romantique, en particulier, lui a prêté le visage même de ses rêves. Tour à tour willie ou gitane, la ballerine, cependant, par un succès de plus en plus exclusif, précipite le déclin de son art.

Peu à peu, le public cultivé se détourne du ballet, asile des conventions fantasques et hostile par essence au naturalisme en vogue.

Sur les pas mêmes d'Italiennes comme Taglioni et Grisi, c'était la danse française qui jouissait auparavant de la primauté, qu'enseignait le célèbre Blasis. Détrônée par la technique italienne, elle ne reparaîtra à Paris ébloui que sur les pas des Russes, élèves de Marius Petipa. Après Léontine Beaugrand, tous les rôles principaux sont en effet confiés à des étrangères de formation italienne. Et, ultime preuve de la désaffection publique, en quarante ans, trois noms seulement réussissent à s'imposer : Rita Sangalli, Rosita Mauri, Carlotta Zambelli, toutes trois d'obédience milanaise.

Maître de ballet honnête, Louis Mérante préside laborieusement aux destinées du ballet. Surnommé le Capoul de la danse, à cinquante-cinq ans, il incarne encore les jeunes premiers.

En vingt ans, cependant, quatre ballets sont créés que distinguent des qualités musicales rares à l'époque des Minkus, Pugni et Olivier Métra. Faites certes pour la danse, ces partitions de valeur sont en effet signées Delibes, Widor, Lalo et Messager ; elles resteront longtemps au répertoire.

Le 14 juin 1876, Rita Sangalli crée *Sylvia*, repris plus tard par Rosita Mauri et surtout par l'inoubliable Carlotta Zambelli. Plus qu'à sa danse, elle doit ce rôle à son « superbe physique et ses merveilleux tours de reins ». Selon le critique, c'est une « danseuse de force, d'audace et d'action plutôt que de grâce, de charme et de moelleux, elle procède par grandes envolées, par bonds léonins, par parcours vertigineux ». Trois ans plus tard, elle triomphe dans le pas des harpes de *Yedda*, japonaiserie d'Olivier Métra, inspirée par la récente Exposition du Japon.

Pour *La Korrigane*, de Charles Widor, François Coppée imagine, à l'instar des poètes romantiques, un livret unissant monde terrestre et surnaturel. Toutefois, la vivacité souriante de la Catalane Rosita Mauri en appelle plus aux sens qu'au rêve. L'écrivain la décrit en plein élan : « Elle s'ébroue et s'élance comme un jeune poulain, elle vole et glisse dans l'espace comme un libre oiseau et il y a en effet dans sa beauté brune, un peu sauvage, quelque chose du cheval arabe et de l'hirondelle. »

La défaveur exceptionnelle où les Français tiennent alors le danseur a progressivement réduit le corps de ballet masculin, de sorte que, pour interpréter la fameuse « danse des bâtons », la direction doit engager des amateurs de bonne volonté, fussent-ils à leurs heures garçons de recette. Peu à peu, en effet, le travesti, inauguré sous le Second Empire par Eugénie

Fiocre-Franz de *Coppélia*, a conquis sans effort l'approbation unanime. Mlle Sanlaville prête à ce rôle hybride sa plastique élégante. Pourtant un « porteur » est parfois nécessaire, aussi assistera-t-on, le 12 novembre 1891, à un curieux débat entre Camille Cousset et le ministre Léon Bourgeois. Le député discutant les traitements alloués à ces quelques indésirables, ira jusqu'à proposer : « ... puisque les danseurs ne sont là que pour soutenir les danseuses, l'administration de l'Opéra pourrait aussi bien prendre pour remplir cet emploi des conducteurs d'omnibus, à qui elle donnerait trois ou quatre francs par soirée ». Paris aurait-il oublié sans retour l'art de Ballon, de Vestris et de Duport ?

En trois mois, Édouard Lalo écrit sur un livret confus une de ses plus belles pages, *Namouna*. Hélas ! la musique est jugée « wagnérienne », l'orchestration vulgaire, le rythme inexistant, quelques critiques éclairés la défendent vainement. Rita Sangalli n'interprète qu'avec inquiétude le pas de la flûte. Repris plus tard par Zambelli, ce ballet reparaîtra enfin, grâce à Serge Lifar, sous la forme pure de la *Suite en blanc*.

A *La Farandole*, fantaisie provençale vite oubliée, succède en 1886 un dernier chef-d'œuvre : *Les Deux Pigeons*, inspiré à Messager par la fable de La Fontaine. Auprès de Mlle Sanlaville, volage Pepio, Mélanie Hirsch-Djali fait valoir une technique impeccable. La grande triomphatrice demeure

ROSITA MAURI DANS LA « SABOTIÈRE » DE LA « KORRIGANE »

également les jambes célèbres, audacieusement dévêtues, du travesti, Mlle Invernizzi.

Bien qu'ancien chanteur, le directeur de l'Opéra, M. Pedro Gailhard, ne néglige pas complètement le ballet ; il imagine en 1893 un livret banal sur lequel Vidal écrira la partition de *La Maladetta*. Cette origine officielle n'est évidemment pas sans influencer le grand nombre de représentations que connaîtra celle-ci en dépit de sa médiocrité. Dans un curieux décor de stalagmites dû à Jambon, rivalisent la Fée des Neiges, incarnée par Rosita Mauri, et la Fiancée-Julia Subra; cette dernière joint à la précision une mimique expressive, mais elle a le double défaut vis-à-vis du public d'être française et de s'empâter rapidement. Elle reprend toutefois avec succès, l'année suivante, le rôle de Gourouli dans *Les Deux Pigeons*. Déjà Rosita Mauri annonce sa prochaine retraite ; qui lui succédera ? Une nouvelle venue, la Milanaise Carlotta Zambelli, formée par Coppini, et qui deviendra sa plus fervente disciple.

C'est dans un simple rôle de courtisane que Zambelli fait, le 14 décembre 1894, ses débuts, au cours du divertissement de *Faust*, de Gounod, dont c'est la millième représentation. Six mois plus tard, elle reprend le rôle de la Fée des Neiges. Peu à peu on lui confie la première place dans les divertissements de *Hellé*, de Duvernoy, de *Messidor*, d'Alfred Bruneau... Très vite aussi elle reprend Zénaïde dans *L'Etoile*, dernière création de Rosita Mauri. Le sujet populaire trahit le goût nouveau. Hansen n'hésite pas à incarner Vestris. De 1897 à 1902, on ne compte aucune création, des reprises seulement de *La Korrigane* et de *Coppélia*. Mlle Sandrini fait valoir ses charmes dans *La Maladetta*.

Dès octobre 1892, une jeune Américaine, Miss Loïe Fuller, vient à Paris. Éconduite par Pedro Gailhard, elle remplace aux Folies-Bergère une de ses imitatrices. Rapidement sa « danse serpentine » lui vaut l'admiration d'artistes comme Sarah Bernhardt, Rodin, d'écrivains, de savants comme Anatole France et Camille Flammarion. Ignorante de toute technique académique ou autre, elle se révèle novatrice sur le plan même du spectacle. La première, elle a en effet l'idée

Rosita Mauri, en particulier dans le second acte, où elle fait applaudir une variation à deux temps « qui comporte les effets les plus variés, danse à cloche-pied, ébourriffage de chevelure, tour de rein, etc. ». Si les abonnés admirent surtout ses tresses noires flottant sur ses épaules nues « lascivement diaboliques », par une prescience toute poétique, Stéphane Mallarmé découvre au delà des apparences la nature même de la danse, qui selon lui « est ailes, il s'agit d'oiseaux et les départs en l'à-jamais, des retours vibrants comme flèche », et il dépeint Mauri lorsque, « avant un pas, elle invite avec deux doigts un pli frémissant de sa jupe et simule une impatience de plume vers l'idée ».

Celle qui demeure encore dans le ballet français n'apparaît guère dans les ballets italiens présentés à la même époque par Manzotti, Danesi et Pallerini à l'Eden-Théâtre. En dépit d'un éclairage électrique cru et trop brutal, de la médiocrité profonde de la chorégraphie symétrique et monotone et d'une musique assourdissante, peuvent cependant se révéler des artistes comme la Cornalba, douée d'un prodigieux ballon, de pointes infatigables, et Carlotta Brianza, future créatrice de *La Belle au Bois dormant*. Mallarmé voit avec ravissement la première « qui danse comme dévêtue, c'est-à-dire sans que le semblant d'aide offert à un enlèvement ou à la chute d'une présence volante et assoupie de gazes, elle paraît, appelée dans l'air, s'y soutenir, du fait italien d'une moelleuse tension de sa personne ».

Le 17 juillet 1887 disparaît Mérante. Après lui la décadence de la danse française devient de plus en plus rapide, les balletomanes, de plus en plus rares. Venu de Moscou, un Belge lui succède — Hansen — qui se montrera encore moins inspiré, bien que toujours actif dans son double rôle de maître de ballet et de premier Sujet-Mime. Le 9 juin 1890, reprenant les recettes de *Yedda*, il crée *Le Rêve*, de Léon Gastinel. On loue beaucoup l'effet de l'éventail gigantesque qui dissimule brusquement Rosita Mauri, dont la grâce mutine et spirituelle brille surtout dans la voluptueuse « Mikagouna »... on loue

LOUIS MÉRANTE, JEUNE PREMIER INATTENDU, OU L'ÉCOLE SANS LE GÉNIE, ALORS QUE DUNCAN SERA LE GÉNIE SANS L'ÉCOLE

CARLOTTA ZAMBELLI DANS « BACCHUS »

d'utiliser la lumière en soi. Sous les feux divergents et colorés des projecteurs, elle agite autour d'elle, telle une nébuleuse, des voiles flottants. Jean Lorrain écrit : « Modelée dans de la braise ardente, la Loïe Fuller ne brûle pas... elle est la flamme elle-même... » Stéphane Mallarmé est ébloui par ces métamorphoses fantasmagoriques, et il s'étonne « qu'une femme associe l'envolée des vêtements à la danse puissante ou vaste au point de les soutenir, à l'infini, comme son expansion ». Plus que la danse, l'art de la scène subit l'influence de ce nouveau spectacle. Au *Bouton d'or*, présenté à l'Eden-Théâtre, aux danses de papillon, des lilas, de l'*Ave Maria* (Gounod) succèdent au Théâtre des Arts la danse de la crainte de *Salomé* de Florent Schmitt, les *Nocturnes* de Debussy. Autour d'elle des disciples se groupent, venues de tous pays.

Sous la férule d'Hansen, l'Opéra, pour sa part, ne subit guère d'influence révolutionnaire. Le 26 novembre 1902, le chorégraphe esquisse un sage retour à la mythologie traditionnelle avec *Bacchus*, de Duvernoy. L'intrigue est jugée confuse, la musique, joliment rythmée. Auprès de Louise Mante, énigmatique Bacchus, Zambelli joint à la netteté souple l'audace tourbillonnante. Les critiques voient en elle « un papillon, une flèche, une Erigone, un derviche tourneur, oui, tout cela ensemble et aussi une joie pour les yeux ». En dépit de ces éloges, le ballet est vite oublié. Hansen cède bientôt la place au très insignifiant M. Vanarra. La désaffection du public est de plus en plus unanime. La

réputation de Zambelli, plus grande encore à l'étranger qu'en France, la conduit quelque temps à Saint-Pétersbourg, où elle interprète un chef-d'œuvre français bien oublié à Paris, *Giselle*. Seul le divertissement de *Faust* connaît la faveur du public. La danse est-elle définitivement enfouie sous la poussière des conventions mortes ?

Pour la seconde fois, c'est d'Amérique que vient la révolte contre cette morne routine. En 1901, une jeune fille inconnue, Isadora Duncan, découvre Paris. Délaissant une école dont elle ne pressent que les contraintes, elle néglige chaussons, tutu classique et décide d'évoluer pieds nus, vêtue de draperies souples et mouvantes. La nature, l'art sont ses maîtres. Guidée par sa seule intuition, elle s'inspire de partitions de qualité : Gluck, Chopin, Beethoven, Wagner, des maîtres italiens et des reliefs antiques. Sous la protection de Mme Lemaire, elle paraît tout d'abord au cours de soirées mondaines, ou dans l'atelier de l'avenue de Villiers ; elle illustre des conférences de Rodin, Clemenceau, Madeleine Lemaire.

En juin 1903, Isadora Duncan décide d'affronter au Théâtre Sarah-Bernhardt le grand public. L'accueil est très froid, la presse indifférente ou hostile. Toutefois, elle ne se laisse pas rebuter et revient l'année suivante. On la remarque d'autant plus qu'elle suscite la cabale des balletomanes, animés par Willy. Elle devient à la mode et le sera plus encore lorsqu'on apprendra que Mme Wagner l'a invitée à régler les danses du Venusberg à Bayreuth. Rodin, Dunoyer de Segonzac dessinent ses attitudes. Le public cultivé découvre grâce à elle les attraits du récital de danse. Il cesse de considérer cette dernière comme une parente pauvre vouée aux basses besognes et aux sautillements futiles. Gustave Charpentier déclare : « Avec toute l'architecture affinée de sa personne, avec ses bonds, avec ses langueurs, avec les tressaillements de sa nudité qui la parcourent sous son chaste voile, elle a créé un vocabulaire nouveau, un ensemble de métaphores capables de tout chanter dans le plus immédiat et le plus harmonieux des langages. » Par un curieux paradoxe, Isadora Duncan prépare inconsciemment le succès de ce qu'elle a brûlé, c'est-à-dire l'enthousiasme suscité par les Ballets Russes de Serge de Diaghilev, le triomphe de son admirateur, le chorégraphe classique Michel Fokine, disciple du Français Marius Petipa.

La présence de l'Américaine aux pieds nus n'est cependant pas passée inaperçue aux yeux des gens de métier. Chorégraphe de l'Opéra-Comique, Mme Mariquita s'en inspire discrètement lorsqu'elle règle, le 30 mai 1904, les danses grecques d'*Alceste*, de Gluck, repris par Albert Carré, puis le 3 juin 1905, *Thamyris*, de Jean Nougues, interprété par une aimable débutante, Régina Badet. Ces premiers succès sont suivis sur cette même scène, en 1906, de ceux des danses sacrées et bacchiques d'*Aphrodite*, de Camille Erlanger, et d'*Endymion et Phœbé*, de Francis Thomé. Auprès de la charmante Régina Badet-Endymion, c'est Cléo de Mérode, transfuge de l'Opéra, qui incarne Phœbé.

A l'Opéra, d'autre part, en dépit d'une partition due à Henri Busser, de la grâce et du charme spirituel de Carlotta Zambelli, la *Ronde des Saisons*, créée le 22 décembre 1905, ne fait guère sensation. Deux ans plus tard, toujours réglé par Vanarra, *Le Lac des Aulnes*, ballet-féerie, se distingue surtout par un curieux effet de projection mouvante. Aux côtés de la prima-ballerina Carlotta Zambelli et de sa partenaire Louise Mante on remarque une débutante de qualité, Natascha Trouhanowa. Nouveaux directeurs, MM. Messager et Broussan succèdent à Pedro Gailhard. Rapidement, ils confient à Zambelli deux reprises importantes, *Coppélia* puis *Namouna*, dans une chorégraphie nouvelle de Léo Staats. Vincent d'Indy écrit alors à la danseuse : « Vous m'avez révélé hier soir la beauté du geste rythmique, que je ne savais point apprécier avant de vous avoir vue, et je veux vous en remercier. » Peu après se révèle dans *Hippolyte et Aricie*, de Rameau, l'élégante Aïda Boni, future interprète de *L'Etoile*.

L'une après l'autre, les étoiles russes sont attirées par le prestige ancien de Paris. A l'Opéra-Comique, le 30 mai 1907, Véra Tréfilova et Michel Legat font valoir dans un fragment du *Talisman* une grâce délicate et raffinée. A l'Opéra, le 23 mai, Mathilde Kschessinska paraît triomphalement dans *Coppélia*, où elle ne parvient pas toutefois à détrôner Zambelli, malgré les prouesses vertigineuses de son infaillible technique. Auprès d'elle se fait applaudir dans le rôle de Franz, travesti jusqu'alors, Michel Legat. Cette approbation tacite incitera le chorégraphe et danseur Léo Staats à interpréter lui-même le rôle de Jean dans *Javotte*, de Camille Saint-Saëns, réglé jadis par Mariquita, et à confier à trois danseurs un pas interprété entre autres par le jeune Albert Aveline. Mais le musicien est surtout sensible à l'aisance souveraine de Javotte. « Mlle Zambelli, écrit-il, dont la virtuosité est prodigieuse, me paraît être, au point de vue du rythme et de l'harmonie parfaite de la danse avec la musique, la danseuse la plus étonnante que j'aie vue ».

Séduits par la révélation des Ballets Russes, les spectateurs méprisent d'autant plus l'afféterie conventionnelle. En vérité, la nouvelle maîtresse de ballet, Mme Stichel, ne peut guère rivaliser avec Fokine, et sa banale *Fête chez Thérèse* ne fait pas oublier, en 1910, le récent émerveillement des *Sylphides* et du *Prince Igor*. Sur une gentille partition de Reynaldo Hahn, Carlotta Zambelli et Aïda Boni, respectivement Mimi Pinson et la Duchesse, évoluent aimablement. Bientôt, du reste, c'est sur cette même scène que triomphent *Shéhérazade* et *L'Oiseau de Feu*, la fougue passionnée des ensembles, la nostalgie romantique de Karsavina et surtout les bonds et pirouettes infinies de Nijinsky, Bolm et Rozay. L'insuccès de Mme Stichel dans la médiocre suite extraite d'*España*, de Chabrier, par Mme Catulle-Mendès entraîne la nomination au poste de maître de ballet du chorégraphe moscovite Ivan Clustine. Aussitôt celui-ci reprend les thèmes à la mode avec *La Roussalka*, tout d'abord, tirée du folklore russe et médiocrement orchestrée par Lucien Lambert. Carlotta Zambelli et Albert Aveline en sont les heureux interprètes. Ils se retrouvent auprès d'Aïda Boni dans *Les Deux Pigeons*, puis dans *Les Bacchantes*, inspirées par *Daphnis et Chloé*. Clustine, en effet, n'hésite pas à introduire dans les variations de Carlotta Zambelli des poses de profil et des bonds inspirés des bas-reliefs grecs, c'est-à-dire par l'intermédiaire de Fokine et de Nijinsky des réformes d'Isadora Duncan. Dans *Suite de Danses*, il évoque *Les Sylphides*, dans *Philotis danseuse de Corinthe*, un retour au goût néo-antique de *Narcisse*. Avec une prudente réserve, ces différents ouvrages suivent sagement la leçon russe et, bien qu'agréables, ne se révèlent nullement originaux. Aveline bondit à l'instar de Nijinsky, le corps de ballet subit passivement ces innovations. Au seuil de la guerre, *Hansli le Bossu*, sur une musique de Jean et Noël Gallon, ne conservera un intérêt éphémère que grâce à la présence de Carlotta Zambelli, Aïda Boni et l'excellent Bourdel. Mais déjà s'annonce la nouvelle direction de Jacques Rouché. Tour à tour au Théâtre des Arts, puis au Théâtre du Châtelet et à l'Opéra-Comique, Natascha Trouhanowa, souvent accompagnée par Robert Quinault, utilise également avec adresse les idées nouvelles. Elle sait joindre à l'intelligence une certaine virtuosité et choisit avec un goût sûr des partitions de Gluck, Chopin ou Liszt, qu'elle illustre au cours de ses « Concerts de danse ».

En 1912, elle interprète en particulier quatre œuvres de rare qualité — *La Péri*, de Paul Dukas, *Istar*, de Vincent d'Indy, *La Tragédie de Salomé*, de Florent Schmitt, et, sous le titre d'*Adélaïde ou le Langage des fleurs*, les Valses nobles et sentimentales de Maurice Ravel. Elle demande ses décors à René Piot, Dethomas et Drésa.

En dépit de sa médiocrité heureuse, il serait certes injuste de juger trop sévèrement cette période de transition. Tout en déplorant l'inexplicable oubli où elle a laissé vieillir un artiste comme Jules Perrot et la désaffection générale, cause de cette lente décadence, il faut noter la pérennité de l'école académique. Déjà, par le chemin détourné des influences étrangères, qu'elles soient italiennes, américaines ou surtout russes, s'annonçait pour le ballet un nouvel âge d'or.

MARIE-FRANÇOISE CHRISTOUT.

LOIE FULLER DANS LA DANSE DU LYS, TRÈS " MODERN STYLE "

DIEUX

ET DÉESSES

MOUNET-SULLY
DANS « ORESTE »

PAR DUSSANE

MOUNET-SULLY DANS « HAMLET ». 1886. A DROITE : DANS « ŒDIPE-ROI », CRÉÉ EN 1881.

A la Comédie-Française...

MOUNET-SULLY

JUPITER DANS « AMPHITRYON ».

PAR la difficile beauté des œuvres interprétées, par la noblesse de l'ambition, par le désintéressement du service, aucun acteur illustre d'aucune époque n'a mieux mérité que Mounet-Sully cette appellation hyberbolique de « dieu » de la scène. Aucun sans doute n'a provoqué de plus nobles exaltations. Exceptionnel par les dons de la nature : muscles élégants et forts, ample thorax, et le masque même de la tragédie antique, voix élevée, d'une grande étendue, qui devenait cuivre ou velours avec un bonheur égal. Exceptionnel par la fougue musicale de son lyrisme, qui osait l'extrême tension des courbes mélodiques du verbe sans que jamais cela devînt stridence ou désaccord. Exceptionnel enfin par la haute idée qu'il se faisait de son art, concevant le théâtre très exactement comme un sacerdoce, et recherchant l'approche de ses personnages à travers les exigences et les périls d'une sorte de contemplation mystique. Aussi, en avançant en âge (il allait avoir soixante ans en 1901) s'affirmait-il dans une beauté chenue, lumineusement olympienne, et par les héros en qui s'incarnent les aspects majeurs du destin de l'homme : Hamlet, Polyeucte, Joad... L'*Œdipe-Roi*, par lequel il a ressuscité le Théâtre d'Orange, vers 1893 (les récits délirants des témoins en font foi), transcenda la simple manifestation dramatique pour atteindre à la magie de la célébration religieuse.

PAUL MOUNET, ORESTES DANS « LES ERINNYES », ET SON FRÈRE MOUNET-SULLY, ORESTE D'« ANDROMAQUE ».

LES MOUNET

UN heureux destin voulut que ce dieu régnât sur un Olympe en somme digne de lui. La fameuse troupe tragique, qui fit la gloire de la Comédie-Française entre 1890 et 1910, comprenait, outre son frère Paul, splendide athlète grondant, d'allure spontanément héroïque, Albert-Lambert fils, jeune premier rôle, beau et chaleureux, Silvain, diseur subtil dont l'intelligence éclairait tous les détours des Prusias, des Auguste et des Narcisse, et, pour l'élément féminin, Julia Bartet dans l'amoureuse plainte d'Andromaque et de Bérénice ; enfin (à partir de 1902) l'altière et sculpturale Weber dans Camille, Pauline, Hermione, Roxane et Phèdre...

106

« LES BURGRAVES ». 1902.

PAUL MOUNET, DANS « ALKESTIS », D'APRÈS EURIPIDE. 1901.

SILVAIN DANS LE ROLE DE CHARLEMAGNE.

DANS « LA FURIE », AU FRANÇAIS,
1909, ET DANS « HÉLÈNE », AU THÉÂTRE
ANTIQUE D'ORANGE.

Hors de la Comédie brille
à ce moment, d'un éclat
moins pur mais peut-être plus
intense, l'autre « divinité »
Sarah-Bernhardt. Passée la cin-
quantaine (en 1894) elle semble
devenir plus pleinement elle-
même, un être à part, qu'il ne
faut essayer de comparer à
personne. Nulle en scène qui
soit plus spontanée (et jusqu'aux
caprices imprévisibles) ; nulle
cependant qui s'impose au public plus chargée de procédés
personnels : diction dentale,
voix chantante, et par instants
« déblayage » excessif... De
tous ces artifices, elle compose
une vérité — ou une incan-
tation — qui touche le cœur.

A SES DÉBUTS AU FRANÇAIS, DANS
« LES JACOBITES », DE F. COPPÉE. 1885.

SARAH BERNHARDT

DANS « THÉROIGNE
DE MÉRICOURT »
ET DANS « LÉA ».

SARAH, JEUNE.

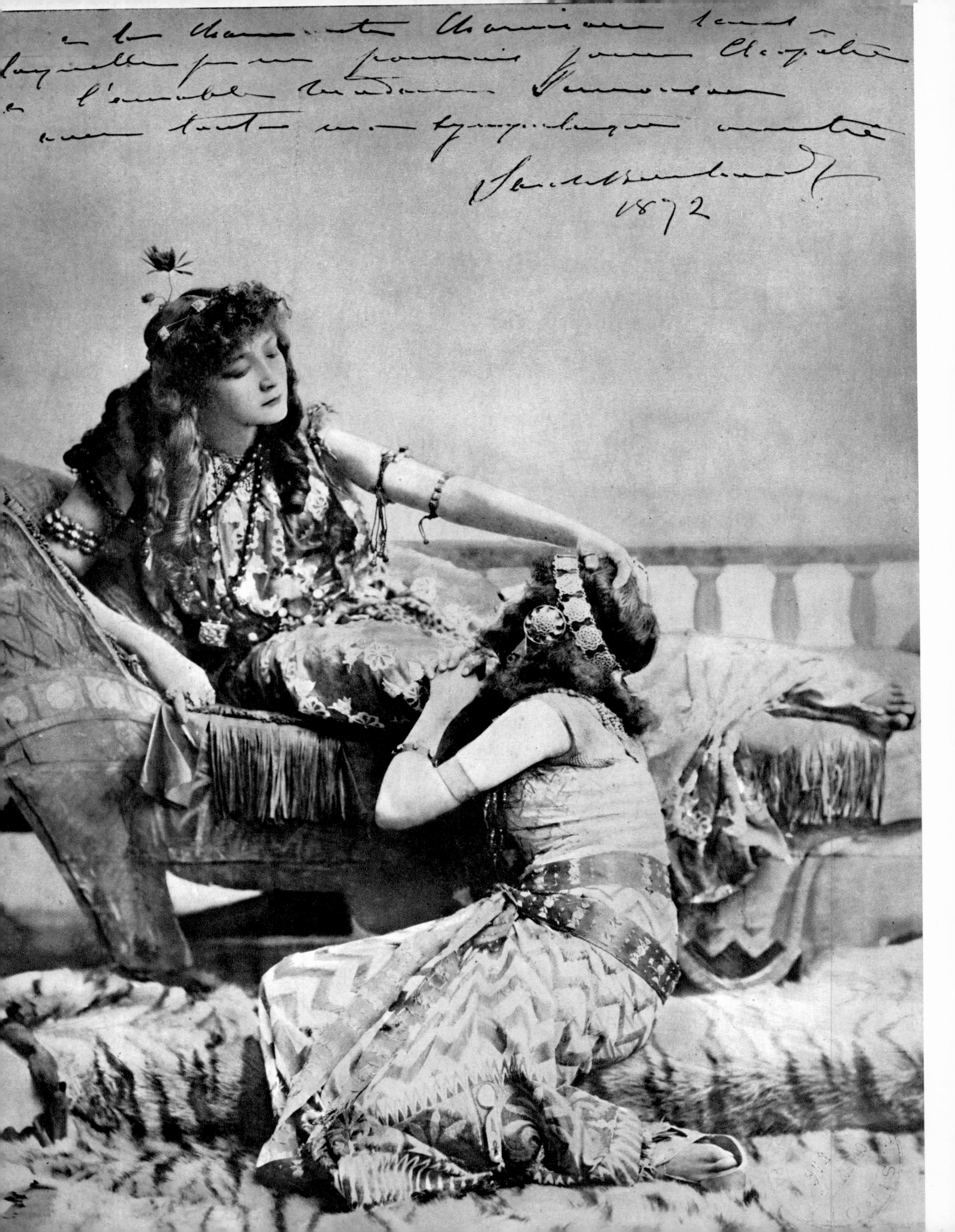
1892

SARAH BERNHARDT, DANS « LA DAME AUX CAMÉLIAS ».

SARAH BERNHARDT

ÉDOUARD DE MAX, DANS NÉRON, ET, A DROITE, DANS « LE TYPHON ». 1911.

Féminine à l'extrême : sa voix, très haute, est d'argentin cristal, ses gestes câlins, ses attitudes penchées et ses élans de brusquerie féline. Elle joue pourtant des rôles masculins avec un rare bonheur. A la Renaissance, qu'elle dirige jusqu'en 1900, elle crée le *Lorenzaccio* de Musset ; ensuite, au théâtre qui porte désormais son nom, elle crée *L'Aiglon* et aborde *Hamlet*. Parallèlement, elle fait triompher une Hermione fiévreusement souriante et une Phèdre souverainement musicale. Le monde des théâtres, et même Paris tout entier, confesse un « dogme » Sarah. Elle a d'innombrables fanatiques, de tous milieux et de tous climats. Sa popularité brasse le clinquant publicitaire avec la vraie gloire, comme ses parures mélangent les cabochons et les joyaux, comme ses mises en scène s'encombrent de fourrures éparses et de guirlandes artificielles. Parmi tout cela, où le charme personnel triomphe des fautes de goût, et dans l'intervalle de ses incessantes tournées, elle galvanise Dumas fils *(La Dame aux Camélias)*, Armand Silvestre, Mendès ou Rostand par ses trouvailles de génie, que soutient et relie la plus accomplie — la plus rusée aussi — des virtuosités.

Près d'elle passera, vers 1902 et pour peu de temps, une transfuge de la Comédie-Française : Marguerite Moreno, diseuse intelligente et poétique à qui elle ne fera pas la part belle, et qui ne s'affirmera réellement que beaucoup plus tard, après une longue absence, et dans un emploi tout différent.

DE MAX, DANS « PROMÉTHÉE », AUX ARÈNES DE BÉZIERS. 1901.

Près d'elle aussi (mais par intermittences, car leur commerce est plein d'orages) brille capricieusement une manière de demi-dieu : Edouard de Max. Roumain d'origine, et d'accent toujours reconnaissable, il est sorti du Conservatoire à vingt ans, en 1889. Son visage accusé : nez aquilin, bouche mince, menton fortement dessiné, doit sa beauté aux masses rebelles de sa chevelure noire et au gris vert de ses yeux cernés de bistre. Beauté de tourment, de satanisme, au besoin... De Max prête une voix admirable, bronze mêlé d'or que la résonance nasale de l'accent étoffe encore, aux essors d'un lyrisme passionné qui cherche sans cesse une région intermédiaire entre la diction et le chant. Mais son intelligence aiguë, volontiers railleuse et mystificatrice, lui permet d'inattendues fantaisies : il impose les hantises d'Edgar Poe ou les imprécations d'Eschyle aussi bien que le pittoresque de Sardou ; il sera tour à tour Prométhée au sommet des arènes de Béziers, ou comique excentrique dans une revue de la Cigale, ou révélateur désintéressé, dans les ateliers d'avant-garde, des poètes les plus difficiles.

Enfin, à la Porte Saint-Martin (autre bastion du drame à grand spectacle) le triomphe de *Cyrano de Bergerac* (décembre 1897) promut au rang d'idole Coquelin aîné, déserteur depuis une dizaine d'années de la Comédie-Française, où il brillait dans les Figaro, les Mascarille et les Scapin.

La nature l'avait fait tout exprès pour l'emploi : visage doguin à la large denture, petit œil gris, vif et mobile, voix de trompette. Acteur plus intelligent que sensible, virtuose prodigieux, mais rien que virtuose. Dans *Cyrano* — visiblement écrit par un auteur qu'influençait son style — il fut claironnant, infatigable, volubile et souple, parcourant en acrobate toute la gamme des intonations, littéralement éblouissant dans les couplets de gouaille ou de défi, factice dans les scènes d'amour ou de douleur. Mais qui donc alors eût osé avouer s'en être aperçu ?

COQUELIN

RÉJANE

RÉJANE, DANS « MADAME SANS-GÊNE ». CRÉÉE EN 1893, REPRISE EN 1900.

« MA COUSINE ».
1890.

Dans les théâtres dits du Boulevard (Renaissance, Gymnase, et le Vaudeville, remplacé aujourd'hui, au coin de la Chaussée-d'Antin, par le Paramount) règne le fameux Théâtre d'*amour*, servi ou — qui sait ? — dominé peut-être par deux très grands acteurs : Guitry et Réjane, qui ont triomphé ensemble en 1891 dans la pièce-type du genre : *Amoureuse*, de Porto-Riche. Guitry avait à cette date trente et un ans, et Réjane, trente-cinq. Réjane était toute mobilité et toute ardeur. Actrice intuitive, instantanément livrée à tous les élans, prodigue de rires et de larmes, de chatteries et d'emportements, même de tumulte et de cris (d'ailleurs toujours justes), aussi vraie dans la gouaille que dans la peine, gavroche et pathétique tour à tour. Tout bien pesé, il demeure possible qu'elle ait été, de toutes les actrices illustres de la «Belle Époque», la plus pleinement « authentique » sinon la plus classiquement stylée.

RÉJANE, DANS « LYSISTRATA ». 1892.

RÉJANE   Un an après les délires sensuels d'*Amoureuse*, elle triomphait
dans l'allègre crânerie de *Madame Sans-Gêne*, pour
revenir par la suite à de déchirantes héroïnes, sans cesser
jamais d'être désinvolte et directe, et de posséder ce que
l'argot de la scène appelle l'*abattage*, mélange d'autorité aisée
et d'élégance. Nulle mieux qu'elle n'a incarné l'ardent brio
du Paris d'alors, le Paris des affiches de Chéret, des attelages
piaffants et des larges loisirs tout occupés à cultiver l'amour.

116   JEANNE GRANIER, DANS « ORPHÉE AUX ENFERS ».

LUCIEN GUITRY

« LE TRIBUN ».
1911.

Taillé en force, la mâchoire puissante et la nuque taurine, la lèvre charnue, la dent éclatante et le front en apparence buté (en apparence seulement), Guitry réalisait aux yeux des spectatrices la solidité quelque peu cynique des mâles à la Maupassant; mais il la corrigeait, ou la compliquait, d'un regard gris, riche de toutes les douceurs, et d'une intelligence vive et désinvolte, capable des plus ironiques lucidités. Grand, mais un peu court de jambes et de bras, il devint vite massif, et n'en eut que plus d'autorité, par le poids de sa silhouette et la relative lenteur de ses mouvements. Sa voix claire, un peu métallique, sa diction précise jusqu'à une sorte de complaisance, se maintenaient aussi sobres d'intonations que son corps l'était de gestes : il imposait aux spectateurs la pleine suggestion de sentiments puissants qu'il semblait n'extérioriser qu'à peine.

LUCIEN GUITRY, DANS « L'ASSOMMOIR ». 1900.

Aux Variétés...

QUATRE ans après *Amoureuse*, en 1895, Guitry, jeune
premier, eut la gloire de révéler à Paris et à elle-
même une actrice qui débutait dans la comédie après une
longue carrière d'opérette : Jeanne Granier, la créatrice,
entre autres, du *Petit Duc*. C'était dans les fins dialogues
d'*Amants*, de Maurice Donnay, tout irisés de sourires
désolés, à la Renaissance. Et ce fut, quelques années
plus tard, aux Variétés, avec *La Veine*, de Capus.
Granier venait alors de franchir la quarantaine : une
quarantaine blonde, agréablement épanouie, au sourire
éclatant et prompt, aux petits yeux bleus en ciel de
giboulées : vite brillants, vite mouillés ; tout en elle
parlait de volupté gaie, d'équilibre retrouvé après les
vertiges... Et parmi cette clarté confortable, sa voix
— une voix de chanteuse qui ne peut plus chanter,
quelque peu descendue et voilée — apportant la
saveur d'un contraste aimablement irritant.

Ainsi faite, et très finement parisienne elle aussi, elle
devait par la suite, dans les œuvres brillantes et légères
de Capus, puis de Flers et Caillavet, maintenir un type
raisonnable et humain parmi les silhouettes délibérément fantaisistes où se déployaient les verves diverses
de la fameuse « troupe des Variétés ».

Jovialité bruyante d'Albert Brasseur, humour pincé
de Guy et l'ingénuité «frottée aux cantharides» d'Eve
Lavallière, dont la voix à cassure, l'accent volontairement parigot, la minceur garçonnière et les pataquès
concertés marquaient un si bizarre, si attirant désaccord avec les traits réguliers et les immenses yeux noirs
qui semblaient absorber la lumière sans la rendre,
et ne riaient jamais...

MAX DEARLY ★ ÈVE LAVALLIÈRE

Quant à Max Dearly (de son vrai nom, Rolland, et originaire du Midi), il apportait quelque chose de cette verve à la fois folle et précise qui devait resplendir longtemps plus tard chez Charlie Chaplin. Parce qu'il était féru d'élevage chevalin, il avait adopté, aussi bien que les modes, le flegme anglo-saxon, qui convenait d'ailleurs parfaitement à son profil sévère (le profil de Dante, exactement, avec le cheveu bleu et le teint de bistre). Mais sous cette impassibilité, et se servant d'elle, bouillonnait une intarissable invention de « gags » tous heureux et dont certains savaient atteindre à la poésie.

MARTHE BRANDÈS.

JULIA BARTET, DANS
ANDROMAQUE.

BARTET ★ BRANDÈS

IL faut revenir au Théâtre
d'Amour pour la part que
lui fit nécessairement pendant
cette période la Comédie-
Française, avec, comme pro-
tagoniste féminin, Julia Bartet,
rituellement surnommée
la « Divine », pour sa grâce
et son harmonie. Délicate,
mesurée, secrète et retenue
jusque dans les plus grandes
ardeurs, avec une voix chaude
aux arrière-sons mélanco-
liques, Bartet (dont la gloire
nous est plus tangible à travers ses rôles classiques :
Andromaque, Iphigénie,
Bérénice, Silvia) a soutenu et
nourri de sa pudique maîtrise
tout une longue série de pièces
qui furent modernes et qui
nous apparaissent déjà surannées : *Le Duel* et *Le Marquis
de Priola*, de Lavedan,
L'Autre Danger, de Donnay,
Le Dédale, de Paul Hervieu.

SIMONE
EX-LE BARGY
LE BARGY

Son partenaire à peu près constant était Le Bargy. Blond roux, l'œil transperçant sous un beau front pâle, la diction mordante, type du Don Juan intellectuel, dilettante, dont on regrettera toujours qu'il n'ait pas osé se mesurer avec le chef-d'œuvre de Molière.

Bartet faillit avoir, pendant quelques années, dans la troupe, une rivale en la personne de Marthe Brandès, d'une élégance peut-être plus ouvertement provocante, avec l'étrangeté de son long visage aux yeux verts. Elle frappait en entraînant, par un mordant à la fois précis et violent, une énergie volontiers révoltée. Toutes deux, à vrai dire, se complétaient en s'opposant, mais Brandès s'impatienta du second rang et suivit Guitry à la Renaissance en 1902.

LE BARGY, DANS « LE DUEL ».
Mme SIMONE, HÉROÏNE DE BERNSTEIN.

A CE moment même apparaissaient les seize ans de la blonde et frémissante Marie-Thérèse Piérat, qui allait bien vite gagner la première place par sa sensibilité racée et constituer, avec Georges Grand (venu en 1906 du Théâtre Antoine et du Boulevard), le couple étoile des pièces contemporaines de la Comédie, à quoi se joindra, à plusieurs reprises, la fraîche espièglerie de Marie Leconte. Débutaient dans les mêmes distributions, deux transfuges du Boulevard, déjà en pleine carrière, la somptueuse Sorel et la délicate Cerny, tandis que les frais éclos du Conservatoire, Géniat, Brunot, Bovy (et moi-même...) prenions peu à peu place dans les jeunes rangs, et que Madeleine Roch, avec son contralto miraculeux, devenait rapidement populaire à Paris, à Orange, à Fréjus, à Saintes et partout où florissaient ces « plein air », préludes des festivals d'aujourd'hui.

Une mention encore pour un Olympe joyeux, Olympe du vaudeville, au double sommet : Nouveautés et Palais-Royal, peuplé de deux troupes au merveilleux entraînement, où brillent Germain, Noblet, un peu plus tard Le Gallo, des duègnes comme Daynes Grassot et Leriche. Détachons-en, parce qu'elle fut la créatrice des meilleures pièces de Feydeau, et d'abord de *La Dame de chez Maxim's*, la pétulante Cassive, une des plus jolies femmes de Paris, avec quelque chose d'ingénu dans son fin profil blond et malgré son coin d'œil aisément « rigoleur ». Son entrain au chahut, nous en avons une idée par ses rôles, mais il faut préciser que rien de commun ni d'agressif ne venait gâter sa bonne humeur échevelée. Elle débordait, mais à la façon légère d'une mousse de champagne.

De la même troupe des Nouveautés sortait Félix Huguenet, qui allait partager les rôles de grand caractère, au Boulevard, avec Guitry. Décoratif, à peine lourd, le double menton harmonieux, il excellait par un jeu fait de touches furtives et toujours justes, et réussit à se mesurer brillamment, le temps d'un bref passage à la Comédie, avec l'autorité trapue et l'intelligence puissante de Féraudy, devenu vedette en 1902 par sa création des *Affaires sont les Affaires*, de Mirbeau.

A la même époque débutait au Gymnase Mᵐᵉ Simone, qui s'imposa aussitôt dans des pièces de Bernstein par une extrême intelligence et une véhémente âpreté.

Tandis que, parallèlement (quoique plus âgée), dans les pièces d'Henry Bataille — *La Marche nuptiale*, *La Femme nue*, *Maman Colibri* — l'imparfaite mais pathétique Berthe Bady, venue de l'Œuvre, façonnait à sa ressemblance des personnages que son auteur avait fait bien trop étroitement parisiens. Elle eût été, elle était, avec son regard immense, son cheveu glissant et sa voix étouffée, *la Mouette*, de Tchékhov. Enfin commençaient d'apparaître çà et là Marthe Régnier, Madeleine Lely (délivrée des tournées), Yvonne de Bray, André Brulé, Victor Boucher, sans compter celles que music-hall ou opérette retenaient encore : Polaire, Marguerite Deval et d'autres...

DUSSANE

BÉATRICE DUSSANE A SES DÉBUTS
DANS « LE PAON » DE F. DE CROISSET
A LA COMÉDIE-FRANÇAISE. 1904.

GÉMIER

Firmin Gémier dans le rôle de Bridau de La Rabouilleuse (1905).
Tableau d'Anquetin (détail). Deux des huit trains du Théâtre
National Ambulant créé par Gémier en 1910.

LE nom de Firmin Gémier évoque surtout aujourd'hui ces expériences d'un intérêt capital que furent, outre le Théâtre ambulant et les représentations d'*Œdipe-Roi* au Cirque d'Hiver, les premiers épisodes du Théâtre National Populaire, dont il fut le fondateur, trente ans avant que Jean Vilar en assume à son tour la direction.

C'est là, il est vrai, la tâche essentielle de sa carrière, l'aboutissement de recherches dont la continuité et l'opportunité au cours de vingt années n'apparaissent pas toujours nettement mais qui reflètent une constante préoccupation : rendre le théâtre accessible au plus grand nombre.

Néanmoins, avant le temps de ces grandes aventures, durant les vingt années qui précédèrent la guerre de 1914, Gémier ne cessa de se distinguer sur la scène parisienne, d'abord comme acteur, puis également comme metteur en scène. S'il ne s'affirme pas alors comme un pionnier, un novateur, au même titre qu'Antoine — qui fut son maître et son tremplin — cela tient pour une grande part à la multiplicité de ses expériences et à la dispersion de son intense activité. Depuis sa dernière création au Théâtre Libre, dans *Une Journée parlementaire*, en 1894, jusqu'au Théâtre Antoine, dont il prit la direction en 1906, comment le suivre, en effet, sans risquer de le perdre ? Il est partout, participe aux mouvements d'avant-garde, se retrempe dans le mélodrame, où il reçut sa première formation, passe de l'Odéon au Boulevard, emmène ses pièces d'un théâtre à l'autre, se manifeste dans trois théâtres en même temps... Il joue sur toutes les scènes et semble miser sur tous les tableaux.

Du Théâtre Libre il va aux Escholiers, puis à l'Ambigu, où il crée *Les Gaîtés de l'escadron* (1895). Il revient au Théâtre

Deux pièces sociales d'Emile Fabre montées par Gémier. Ci-dessous : La Vie publique, *satire des mœurs électorales dans une petite ville de province, une des premières mises en scène de Gémier, à la Renaissance (octobre 1901). A gauche :* Les Ventres dorés, *grand succès de l'Odéon ; il s'en dégageait la haine et le dégoût de l'argent ; Gémier jouait un financier (le dernier à droite sur la photographie).*

Libre (sans Antoine), entre à l'Œuvre de Lugné-Poe pour y créer brillamment *Venise sauvée*, de Thomas Otway... sans lâcher l'Ambigu, où il joue l'un des derniers mélodrames, *Les Deux Gosses* (1896). L'appel d'Antoine, directeur éphémère de l'Odéon, lui donne enfin l'occasion de rompre son contrat avec l'Ambigu pour entrer au second Théâtre Français, dont, Antoine parti, il demeure prisonnier pendant toute la saison 1896-1897, ce qui ne l'empêche nullement de remporter à l'Œuvre sa plus grande bataille d'acteur dans *Ubu-Roi*, d'y créer *Le Fardeau de la liberté*, de Tristan Bernard, puis de réaffirmer sa sympathie aux Escholiers. Mais voici qu'Antoine, installé dans le théâtre qui porte désormais son nom, l'engage de nouveau. Pendant trois ans il y reprendra le répertoire du Théâtre Libre. Sa dernière création chez Antoine sera *La Clairière*, de Lucien Descaves et Maurice Donnay, en 1900, après quoi, ne contenant plus son farouche besoin d'indépendance et son désir de plus en plus précis de voler de ses propres ailes, Gémier, remplacé par Signoret, se fâchera avec son patron, qui sentait, non sans tristesse, venir l'heure de cette séparation, et lui fera des adieux grinçants.

Au Gymnase, il apporte alors le climat du Théâtre Antoine en créant *La Poigne*, de Jean Jullien, *Domaine*, de Lucien Besnard (sa partenaire, Andrée Mégard, allait devenir sa femme), enfin *Le Pain de ménage*, de Jules Renard, un an après la révélation de *Poil-de-Carotte*, par Antoine, en 1900. Mais il ne lui suffit plus de jouer et de mettre en scène, il veut choisir son répertoire, mener sa barque seul. Pendant neuf mois, de septembre 1901 à juillet 1902, la direction de la Renaissance lui donne l'autonomie qu'il souhaitait. Il veut frapper un grand coup et ambitionne de rivaliser avec son ancien directeur. Son programme : *L'Ecolière*, de Jean Jullien, *La Vie publique*, d'Émile Fabre, *Le Voile du bonheur*, conte philoso-

phique chinois de Georges Clemenceau (!), un acte de Tristan Bernard, puis *Le Portefeuille*, d'Octave Mirbeau, *Quatorze Juillet*, de Romain Rolland, *Le Cœur a ses raisons*, de Flers et Caillavet, *Daisy*, de Tristan Bernard, etc. En tout, cinquante et un actes, comme le calcula Paul Blanchart. Puis Gémier cède la trop lourde Renaissance à Lucien Guitry. Où le retrouve-t-on ? Au Châtelet, où il figure Hatkins dans *Le Capitaine Corcoran*, spectacle féerique en vingt-quatre tableaux. Non content de cette diversion, le voici ensuite aux Capucines, dans un opéra-bouffe où il joue un rôle d'égoutier. Indigné de ce qu'il estimait une déchéance, Paul Ginisty le rappelle alors, en 1903, à l'Odéon, où *La Rabouilleuse*, d'Émile Fabre, d'après Balzac, lui permettra de se réhabiliter, en attendant qu'il mette en scène *Les Ventres dorés* (1905), du même auteur, autre triomphe, et qu'il retourne au Boulevard pour créer au Gymnase *La Rafale*, de Bernstein.

Si l'on ajoute à ce bilan les sept années qui précédèrent la guerre de 1914, au cours desquelles Gémier, assumant la direction du Théâtre Antoine, inscrivit à son répertoire les pièces les plus diverses, on ne peut qu'être déconcerté par son éclectisme. Dans un même spectacle, il associe la terreur de *Terre d'épouvante* à l'ironie de *Monsieur Codomat*, de Tristan Bernard, un drame sur les compagnies de discipline à une fantaisie du jeune Sacha Guitry ; il crée *Sherlock Holmes*, ancêtre de la pièce policière, *Le Procureur Hallers*, réplique de *Docteur Jekyll* et *Monsieur Hyde* ; dans *Anna Karénine*, il s'applique à persuader les spectateurs par les moyens les plus mécaniques qu'un train passe sur la scène, lui qui avait imposé sans décors en 1896 l'*Ubu-Roi* de Jarry, pièce symboliste qui ne se passait « nulle part » ! On peut se demander si les caprices de sa nature et son goût des contrastes, joints aux nécessités matérielles qui le poussaient parfois hors des

Le Bonheur des autres, pièce socialiste de Pierre Corneille et A.-P. de Lannoy, au Théâtre de Bordeaux. Un jeune ingénieur rêve la communion du prolétariat et du patronat, mais un beau jour la grève éclate. Au centre, l'Anarchiste : « Il faut que la société entière s'écroule comme une vieille pierre vermoulue et pourrie ! »

sentiers esthétiques, ont permis à Gémier de suivre une ligne — si brisée fût-elle — d'affirmer un « style », tant comme acteur que comme metteur en scène. Parmi toutes ces expériences théâtrales, lesquelles choisissait-il au fond de lui-même, auxquelles adhérait-il, lesquelles correspondaient le plus à ses conceptions ? Où était Gémier ?

L'ACTEUR.

Le nombre de spectacles où joua Gémier — ne serait-ce qu'entre 1892 et 1917 — est voisin de deux cents. Le défilé de ces deux cents personnages qu'il interpréta durant ces quinze années serait impressionnant, et l'on a peine à imaginer qu'il puisse avoir eu le temps d'apprendre tant de rôles, et parfois plusieurs en même temps, surtout lorsqu'on sait qu'il avait une détestable mémoire. Louis Verneuil, dans ses *Souvenirs de théâtre*, nous éclaire sur ce point : « Il lui arriva de lire en scène, sinon tout son rôle, du moins les parties de son rôle que la mise en scène ne l'obligeait pas impérieusement à savoir par cœur. C'était devenu pour lui une sorte de sport, et il le pratiquait avec une ingéniosité souvent remarquable. Les tirades écrites dans le fond d'un chapeau... sur les manchettes... sur l'éventail d'une partenaire... sur un miroir dans lequel on examine ses rides avec accablement... » « Durant plus de vingt ans — écrit encore Verneuil, qui ne semble pas l'aimer beaucoup — il joua n'importe comment, sans goût et sans application, et c'est surtout le hasard qui décida de ses succès de comédien. Il traitait d'ailleurs les représentations quotidiennes avec autant de désinvolture qu'il préparait ses rôles, arrivant au théâtre dix minutes avant l'instant de

sa première apparition en scène... » Et Verneuil de conclure que « c'est par suite de semblables négligences que Gémier ne parvint jamais à être l'un des premiers acteurs de son temps ». D'où venait donc alors le prestige considérable de l'acteur Gémier, dont la critique saluait chaque incarnation nouvelle à grand renfort de superlatifs ? Paul Léautaud (alias Maurice Boissard) ne semble point, lui, s'être aperçu, derrière ses lorgnons, des négligences et des subterfuges de l'acteur-caméléon, dont il admirait les métamorphoses : « J'ai vu souvent M. Gémier depuis le Théâtre de l'Œuvre jusqu'à aujourd'hui, écrit-il en 1907. Jamais je ne l'ai trouvé le même. J'ai vu dans ma vie bien des comédiens, et de grande réputation. Jamais je n'en ai vu un seul qui possédât comme « lui » ce qui constitue l'essentiel de l'art du comédien : le don de se différencier, d'être à un si haut degré chaque fois un nouvel individu, de changer à ce point de peau et d'âme... »

Ce que Léautaud écrivait sur Gémier, on pourrait l'appliquer aujourd'hui à un Pierre Fresnay, et il ne manquerait pas, par ailleurs, de jeunes critiques pour condamner avec ironie l'exaspérante perfection de ses métamorphoses naturalistes. Cependant, s'il semblait aussi à l'aise dans le Capitaine des *Gaîtés de l'escadron* que dans le menuisier Collonges de *La Clairière* et le snob baron Lebourg de *La Rafale*, il est un personnage qui sembla « fait pour lui » et qui, ainsi que plus tard Shylock, domina sa carrière d'acteur : l'ex-colonel Bridau de *La Rabouilleuse*. C'est dans cette silhouette balza-cienne, fixée par le peintre Louis Anquetin et Barrère, et qui résume la plupart de ses interprétations, que l'acteur Gémier est resté vivant dans la mémoire de ses contemporains. Cette brute dépravée, aux allures de bon militaire, ce persécuté persécuteur, Gémier l'incarna avec une hallucinante exactitude et dans le style qui convenait, grâce à un parfait accord entre

L'Exode, de René Fauchois (1904). Répondant à deux pièces antisémites, l'auteur prend la défense de ceux que l'on attaque. Sur la photographie : une réunion antisémite contradictoire. Des hommes crient : « A bas les Juifs ! ». Gémier compose un vieux Juif russe. Sans doute a-t-il réglé la mise en scène, où l'on reconnaît son style.

sa nature et le climat balzacien, grâce aussi à sa double formation d'acteur qui lui permit de concilier dans son jeu le réalisme, dont il avait hérité au Théâtre Libre, avec la stylisation un peu caricaturale et l'ampleur lyrique auxquelles l'avait accoutumé le mélodrame, qui fut sa première école lorsque, à vingt ans, il jouait *Les Pirates de la Savane*, *La Grande Flibuste* ou *Jack l'Eventreur*, au théâtre de Belleville et aux Bouffes-du-Nord. Ainsi rejoignait-il son ancêtre du Boulevard du Crime, Frédérick Lemaître, que Balzac avait évoqué à propos de son Bridau, un demi-siècle auparavant.

LE METTEUR EN SCÈNE ET LES FRESQUES SOCIALES.

Si *La Rabouilleuse*, d'Émile Fabre, nous donne la clé de Gémier acteur, c'est à ce même auteur, ainsi qu'à Romain Rolland, que sont liées les premières recherches du metteur en scène. « Antoine voulait un art dramatique réaliste, des analyses de mœurs impitoyables, écrit Jacques Copeau en 1909. M. Firmin Gémier rêve de grandes synthèses sociales, d'une poésie nouvelle, qui a peut-être sa source dans les vastes récits épiques d'Émile Zola, et qui trouve sur la scène, en M. Émile Fabre, son plus heureux metteur en œuvre. Et sans doute, en effet, l'esthétique de M. Fabre ne fut-elle pas sans impressionner son ami Gémier dans l'ordre de recherches où il se plaît. »

On sait que le Théâtre Libre avait donné naissance à une nouvelle génération d'auteurs qui, à la suite d'Ibsen, de Bjornson et de Hauptmann, à l'étranger, de Zola et surtout de Becque, en France, entreprirent de placer le théâtre sous le signe de la vérité humaine. Parmi eux, plusieurs voulurent évoquer les mœurs de la société bourgeoise de la fin du siècle : Eugène Brieux, tentant dans *La Robe rouge* une peinture du monde de la magistrature, Octave Mirbeau, passant du lyrisme humanitaire des *Mauvais Bergers* au portrait d'un grand financier *(Les Affaires sont les affaires)*, Lucien Descaves et Maurice Donnay, qui parurent réussir avec *La Clairière* une étude sociale vivante sur le mode léger, enfin Émile Fabre, dont Antoine avait monté la première pièce, *L'Argent*, et dont les plus grands succès devaient être, outre ses adaptations balzaciennes, *La Vie publique*, pièce sur les mœurs électorales dans une petite ville de province, et *Les Ventres dorés*, satire des milieux financiers, où Fabre condamnait davantage l'argent et l'esprit de jouissance que les messieurs de la Finance auxquels il conférait la noblesse des « bêtes fauves ».

En quoi consistaient ces premières recherches de Gémier auxquelles faisait allusion le jeune Copeau ? Il semble que ces « grandes synthèses sociales », nullement tendancieuses, d'Émile Fabre aient surtout séduit le socialiste Gémier, parce que le metteur en scène y trouvait l'occasion de transformer virtuellement le plateau en arène où, sous sa conduite fougueuse, des hommes s'agitaient et se heurtaient dans le déchaînement de leurs passions collectives. Ainsi, entraîné par sa nature lyrique bien au delà des reconstitutions naturalistes, Gémier projetait sur la scène ses visions épiques, précurseur en ce domaine des premiers poètes du cinématographe, Eisenstein ou Abel Gance.

Plus tard, au Théâtre Antoine, il continuera à monter de poignantes fresques sociales, telles que *Terre d'épouvante*, drame un peu « grand-guignolesque » inspiré par une éruption volcanique qui avait eu lieu en 1902 à la Martinique, causant la mort de quarante mille personnes. Mais son goût pour les foules grouillantes, les enchevêtrements humains dans le

Danton, « *épopée nationale* », *de Romain Rolland, au Cercle des Escholiers (1901). La pièce avait été créée en représentation populaire par le* « *Théâtre civique* », *de Louis Lumet, en 1900, précédée d'un discours de Jaurès. Deux ans plus tard, Gémier créait à la Renaissance* Le Quatorze Juillet, « *action populaire* », *de Romain Rolland.*

genre des mêlées de rugby se retrouvera dans des pièces d'un tout autre climat. Par exemple, ses scènes de champ de course dans *Anna Karénine* et *Master Bob, gagnant du Derby*, susciteront l'enthousiasme du public, comme ses saisissants effets de machinerie. Et c'est ainsi que, cédant à son vice favori, encouragé par un succès qu'en tant que directeur de théâtre il avait tout avantage à entretenir, et se souvenant peut-être de son passage au Châtelet, Gémier se laissera prendre au piège du « spectacle ».

En 1902, pourtant, lorsqu'il monta *Le Quatorze Juillet*, de Romain Rolland, le jeune directeur de la Renaissance semblait avoir de plus nobles préoccupations, auxquelles il devait revenir dix-huit ans plus tard lors de sa fondation du Théâtre National Populaire.

LE THÉATRE DU PEUPLE ET LES ÉPOPÉES NATIONALES.

Depuis Jean-Jacques Rousseau, qui exprima sa nostalgie des « graves et superbes spectacles antiques, donnés sous le ciel, à la face de toute une nation », depuis Diderot, qui rêvait d'« un théâtre très étendu... aux représentations concomitantes » comme celles de la nature, l'idée d'un théâtre du peuple avait déjà fait son chemin à travers les esprits libéraux, de Louis-Sébastien Mercier, disciple de Diderot, qui influença Schiller, à David, qui proposa de représenter la Révolution dans un vaste théâtre, et, plus tard, à Michelet, qui prôna « un théâtre vraiment du peuple, où l'on représenterait des épopées nationales ». Mais ce n'est qu'au cours des dix dernières années du XIXe siècle, et à l'étranger, que furent inaugurés de vrais théâtres populaires : le Volkstheater de Vienne, le Schiller Theater de Berlin et la Maison du Peuple à Bruxelles furent les plus importants. En France, c'est à Maurice Pottecher que revient le mérite d'avoir fondé le 22 septembre 1892 le célèbre Théâtre du Peuple de Bussang, petite ville des Vosges, où, sur une scène ouverte adossée à la pente d'une montagne et devant un public de deux mille personnes, des acteurs amateurs — ouvriers, employés et petits bourgeois — jouaient des pièces de Pottecher lui-même, allant de la farce rustique à *La Passion de Jeanne d'Arc*.

Comme le théâtre de Jorat, en Suisse, le Théâtre de Bussang, dont la devise était « Pour l'Art et pour l'Humanité », n'avait toutefois qu'une portée régionale. Paris comptait en 1900 de nombreux petits théâtres populaires, comme le Théâtre Civique de Louis Lumet, et la Coopération des Idées, formée par quelques ouvriers. Romain Rolland en dressa le bilan dans son étude *Le Théâtre du Peuple*, qui parut en 1903. Au moment où il s'installait à la Renaissance, Gémier en avait déjà lu la majeure partie dans les *Cahiers d'Art dramatique* ; les idées de Romain Rolland avaient trouvé en lui de profondes résonances, et il rêvait de les mettre en pratique, bien qu'il eût proclamé, pour attirer le public, que « la Renaissance serait un théâtre très littéraire et très parisien ». Après avoir fait l'historique du théâtre populaire et posé les conditions matérielles et morales d'un Théâtre du Peuple au début du XXe siècle, « d'un théâtre par et pour le peuple, seulement réalisable dans un monde nouveau », Romain Rolland proposait comme modèle non pas des pièces sociales à thèse, qui ennuieraient le peuple, lequel a besoin d'être « délassé », mais cette « source d'énergie » et cette « lumière pour l'intelligence » qu'est l'épopée nationale, que ce soit celle de Charlemagne ou, comme il le choisira lui-même, celle de la Révolution.

« Nos dramaturges ont négligé le drame du peuple de

Le Théatre du Peuple de Bussang (Vosges) : *Premier théâtre populaire en France, fondé par Maurice Pottecher en 1895. Il était destiné à la totalité de la population. On y joua d'abord en plein air, puis sous un vaste abri rustique adossé à la pente d'une colline gazonnée servant de décor naturel. Ci-dessous : une représentation de* Chacun cherche son trésor, *de M. Pottecher, qui marqua l'apogée du Théâtre du Peuple.*

France », écrivait-il. Pourtant, depuis le temps du Boulevard du Crime, que de pièces historiques, de Vercingétorix à Jeanne d'Arc, et surtout, que d'épopées napoléoniennes ! Mais Romain Rolland ne voulait pas que l'on confondît l'épopée nationale avec tout ce répertoire historique de carton-pâte, les drames patriotiques en vers comme les spectacles pompeux et mensongers de Sarah Bernhardt. « On ne peut compter pour quelque chose les drames feuilletons de Dumas père, les faits divers de Sardou, et *L'Aiglon* ! » Le public de cette époque ne partageait pas cet avis : alors que *Madame Sans-Gêne* et *L'Aiglon* triomphaient encore, *Danton*, présenté aux Escholiers, et *Le Quatorze Juillet*, montés par Gémier, « ces actions populaires » qui prétendaient « rallumer l'héroïsme et la foi de la nation aux flammes de l'épopée républicaine », n'obtenaient qu'un succès moyen, et la critique reprochait à l'auteur d'avoir, par souci de vérité, émaillé son dialogue d'authentiques citations, ce qui lui ôtait de la vie.

LE THÉÂTRE EN PLEIN AIR ET LE THÉÂTRE NATIONAL AMBULANT.

Lorsque, dans les premières années 1900, Gémier mettait en scène ses fresques sociales ou historiques devant les balcons à dorures de la Renaissance, ne se sentait-il pas mal à l'aise dans le cadre étroit de la scène à l'italienne, ne rêvait-il pas déjà d'un autre espace scénique qui lui eût permis de déployer plus librement ses mises en scène et de faire participer plus étroitement le public à l'action ? On peut le supposer, lorsqu'on sait avec quel intérêt il suivit les spectacles du Théâtre du Peuple de Bussang et avec quel enthousiasme il orchestra en 1903 une grande fête en plein air, au Festival de Vaud,

en Suisse, où, Cecil B. de Mille de l'époque, il eut l'occasion de retracer l'histoire du canton depuis le moyen âge avec deux mille quatre cents personnages.

Depuis 1894, la vogue du théâtre en plein air grandissait en même temps que s'affirmait une prétendue renaissance de la tragédie antique. Le théâtre romain d'Orange, qu'avait ressuscité Paul Marieton en 1894, battait son plein chaque été. Faisant retentir les vieilles pierres de leurs voix légendaires, le puissant de Max et les tragédiens de la Comédie-Française y jouaient, ainsi qu'aux arènes de Nîmes, d'Arles et de Béziers : *Œdipe-Roi*, *Electre* ou *Prométhée*, dans les adaptations de Suarès, Lorrain, Moréas ou Péladan... Gémier ne s'intéressait guère à ces pompeuses reconstitutions dont le seul intérêt était de permettre aux « monstres sacrés » de la tragédie de se déchaîner à l'air libre, taureaux furieux lâchés dans l'arène. Il leur préférait cette fête populaire de Vaud, à laquelle tout le village participa d'un même élan. Néanmoins, à part une manifestation du même genre à Genève, cette expérience demeura isolée. Pendant onze ans, Gémier devait rester fidèle à la scène à l'italienne, et lorsqu'il fondera son fameux Théâtre ambulant, ce n'est pas un cirque ni un amphithéâtre grec portatif qu'il installera, le 7 juillet 1911, sur l'esplanade des Invalides, puis à Versailles, à Berck, à Amiens, à Compiègne. Caché sous la tente gigantesque de Barnum, il transportait un vrai théâtre parisien, une salle somptueuse et confortable, une scène disposant de toutes les ressources de l'éclairage et de la machinerie. Quant aux spectacles qu'il allait présenter au public provincial de toute classe : « ces pièces nationales qui peuvent être comprises par toute la foule française », quelles étaient-elles ? *Anna Karénine*, avec son champ de course et le « passage du train », *La Vie publique*, *La Rabouilleuse*, *Le Sous-Marin* « *L'Hirondelle* » avec ses machines... En somme

AUX ARÈNES DE BÉZIERS : *Chaque été aux arènes de Nîmes, d'Arles ou de Béziers, des foules en chapeau de paille venaient applaudir les monstres sacrés de la tragédie. Véritable « cinémascope » de l'époque, ces spectacles pompeux donnaient lieu à de grandioses reconstitutions où les temples de carton-pâte se profilaient sur le fond des collines. Ci-dessous :* Héliogabale, *avec de Max et Madeleine Roch.*

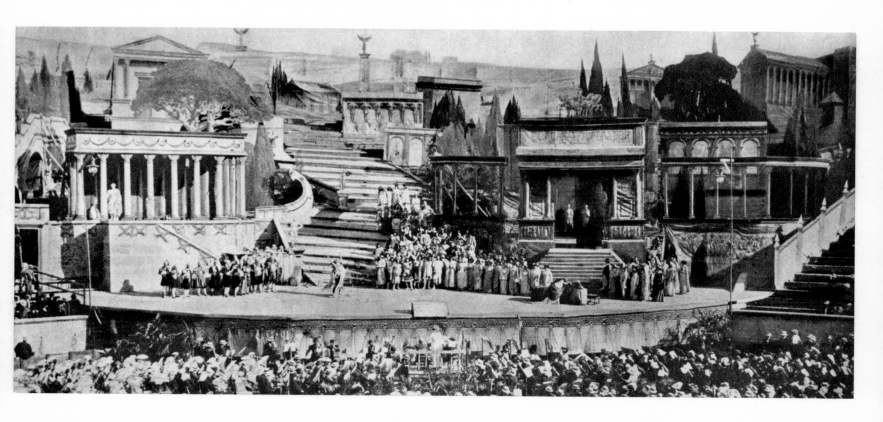

Gémier emmenait en tournée le Théâtre Antoine. Et c'est de là que vinrent les mille difficultés techniques qui devaient concourir au demi-échec de sa tentative. Pour transporter tout l'équipement de la salle et du plateau, les nombreux décors compliqués, tout le matériel électrique, sans compter les loges d'artistes et les ateliers divers, il ne fallut pas moins de trente-sept roulottes, traînées par huit tracteurs à vapeur ; huit trains lents et lourds qui tombaient en panne et se démantibulaient sur les routes mal pavées ! Lorsque, nullement découragé, Gémier voudra renouveler sa tentative, au cours de l'été 1912, il ne s'attachera qu'à alléger son matériel ; il ne songera nullement à simplifier ses décors, comme le lui suggérait Gabriel Boissy ; il ne renoncera pas à l'équipement compliqué de la scène, et continuera à reprendre son répertoire parisien, auquel il adjoindra *L'Arlésienne*, avec la collaboration d'orchestres locaux, spectacle qui lui ouvrira de nouvelles perspectives de « spectacle de masse ». « Faire mouvoir en scène quatre cents ou cinq cents personnes, qu'est-ce que cela ? » confiait-il à René Chavance. « J'ai résolu de mêler le peuple à mes représentations ; j'y arriverai, croyez-moi ! » Déjà la formule du Théâtre ambulant ne le satisfaisait plus. Faire connaître le théâtre à la province défavorisée, permettre aux Français de toute condition sociale d'y accéder était un idéal noble et nécessaire — en ce domaine, Gémier fut un vrai précurseur de la décentralisation théâtrale.

Mais il voulait aller plus loin. Au fur et à mesure de ses expériences, il se représentait plus nettement ce qu'il cherchait, sans toutefois s'appliquer encore à résoudre les problèmes que posait la réalisation de ses rêves. En vérité l'homme, ou si l'on veut, le poète, était en avance sur le technicien. Alors que trois ans auparavant Max Reinhardt, qui eut avec Gémier plus d'une aspiration commune, avait déjà arraché le théâtre au cadre conventionnel de la scène bourgeoise en représentant *Œdipe* au cirque, Gémier attendra l'année 1919 pour tenter à son tour une semblable expérience. Ignorait-il en 1913 la révolution scénique qui s'opérait à l'étranger ? Au moins connaissait-il les efforts de Jacques Rouché au Théâtre des Arts, où des peintres procédaient à grands coups de pinceau au nettoyage de la scène naturaliste et au renouvellement du décor de théâtre. Il est vrai que Gémier « se moquait pas mal du décor », comme nous le dit Paul Fort, et qu'il déclarera plus tard : « Ce n'est qu'un accessoire qui situe la scène au lever du rideau et qui même devrait disparaître pour ne faire aucune concurrence au texte... » En cela il rejoignait Jacques Copeau, qui en 1913 dressait son tréteau nu au Vieux-Colombier et annonçait Jean Vilar, d'autant plus qu'il préconisait la suppression de la rampe, « cette barrière de feu ».

A la veille de la Grande Guerre, Gémier n'en était pas encore là. S'il se moquait du décor, il ne s'en passait pas, ni de la rampe. Ce n'est qu'en 1917, lors de sa création du *Marchand de Venise*, qu'il en viendra enfin aux actes révolutionnaires. Transformant pour la première fois le vieux Théâtre Antoine, dressant un proscenium « élisabéthain », remplaçant la rampe par un vaste escalier, il abolira les frontières entre la salle et la scène, à la stupéfaction des spectateurs.

Enfin pourront se réaliser ses rêves de communion humaine, de participation du public à l'action. Enfin il pourra mêler la foule des interprètes à celle des spectateurs. Cette découverte, il la devait à Shakespeare qui était devenu son guide le plus sûr depuis qu'il avait fondé en 1914, au début de la guerre, la Société Shakespeare qui se proposait de réaliser « l'Entente Cordiale » au théâtre.

G. Q.

Une scène de champ de course dans Master Bob, gagnant du derby *(Théâtre Antoine, 1909), comme dans* Anna Karénine *(1907), où Gémier remporta un grand succès avec une scène semblable. « On suit toutes les péripéties de la course, Gémier excelle dans ce genre de mise en scène » écrivait Jacques Copeau dans sa critique. On reconnaît Gémier, à droite, en gibus, menacé par les cannes de deux turfistes.*

CLAUDE TERRASSE ★ DE FLERS ★ CAILLAVET

LES AUTEURS
Et Le Théâtre De La Belle Époque

PAR ROBERT KEMP
de l'Académie Française.

Quelles distances me séparent du théâtre de ma jeunesse !... Les années y sont pour moins que les révolutions du goût. « Douceur de vivre », bonbons roses. La pensée en est attendrie ; et un peu écœurée. Comment pouvais-je aimer, et tant aimer cela, qui est en poussière aujourd'hui, et dont si peu de débris méritent d'être ramassés... J'ai mis en fiches, pour un travail dont je rêvais, tous les titres des pièces représentées à Paris de 1901 à 1950 ; cinquante jeux de cartes, qu'il m'arrive d'écarter en éventails ; et je lis... J'ai assisté à presque toutes ces créations, grands dieux ; et j'en étais heureux...

Je prends 1901, par exemple. La Comédie-Française créait *Le Roi*. Non pas celui de Flers et Caillavet, non. Trois actes de Schefer ; et *Le Nuage*, deux actes de Gustave Guiches, avec Marie Leconte, Pierson, Duflos... Je me souviens des comédiens. *Le Nuage* s'est évaporé. La grande première fut *L'Enigme*, de Paul Hervieu, galant homme grave, redouté, persuadé de soi-même. Il n'y traitait pas d'une énigme du cœur, de l'esprit, d'une des grandes énigmes du Cosmos.

Oh non !... Son sérieux s'appliquait à ce problème : un homme a passé la nuit près d'une des deux belles-sœurs, dans le château. Quel est le mari trompé ? Celui de Gisèle, c'est-à-dire de Marthe Brandès, ou celui de Léonore, c'est-à-dire de Julia Bartet ? La marmoréenne Bartet — Antigone, Andromaque — idole du public, des hommes que firent rêver ses yeux de violette, des femmes qui la trouvaient — ô Flaubert, toi qui haïssais justement ce mot ! — « distinguée »... Ce ne peut être elle ! On parie contre Brandès, la chatte aux yeux bridés, dont les épaules frémissent, dont un sein, souvenir indestructible, s'est un soir échappé de son corsage... Le public s'est trompé. Le doctoral Hervieu lui a tendu un piège ; ce gamin ! La chute de Bartet ! Bartet adultère... La veuve d'Hector ! Tout Paris s'émeut, et les recettes montent.

Je passe à un théâtre de réputation assez littéraire et qui, c'est tout dire, jouait Dumas ; où palpitait voilà plus de vingt ans l'adorable Aimée Desclée. Voici ce qu'il apporte : *Le Domaine*, de Lucien Besnard, un si brave homme ; *Les Amants de Sacy*, de Coolus, qui avait tant d'esprit en son

1.

4.   5.

1. Samson, *de Bernstein, avec Lucien Guitry (1908)* : « *Le réalisme du Théâtre Libre pour boudoirs de milliardaires* » *(P. Brisson).* 2. La Puce à l'oreille, *de Feydeau (1907).* 3. Vous n'avez rien à déclarer ?, *de Courteline.* 4. Occupe-toi d'Amélie *(1908), avec Cassive (sous un couvre-pieds) : introduction du fantastique dans les situations cocasses, qui caractérise l'art de Feydeau.* 5. La Robe rouge, *de Brieux, avec Réjane et Huguenet (1900). Le réalisme pathétique de Brieux et du jeune Bernstein ferait sourire. Comme Courteline, satiriste « bon enfant », Feydeau, mathématicien de l'absurde, fait encore rire... et la forme de ses féroces satires ne vieillit pas.*

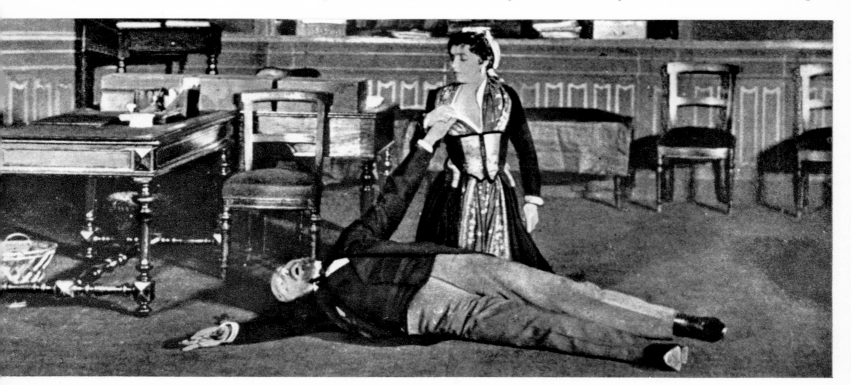

temps ; *Deux Cent Mille Ames*, de F. Nohain, le délicieux, mais ce n'est pas une de ses bonnes pièces ; *Le Prestige*, de Janvier de La Motte ; *Hermance a de la vertu*, de G. Rolland et A. de Lorde ; *Manoune*, de Jeanne Marni, et *La Bascule*, de Donnay, qui a fait et fera mieux... Au Vaudeville, *La Course au Flambeau*, d'Hervieu, avec ses conclusions issues des pires mélodrames : « Pour ma fille, j'ai tué ma mère ! », *La Vie en voyage*, de Desvallières ; *Sainte-Galette*, de Valabrègue... Je n'en dis pas plus.

Quels jeux de miroirs, quel aveugle fanatisme a fait prendre cela pour « du théâtre », du théâtre digne de la France ?

Les années 1880 valaient mieux. Dumas fils vivait encore, qu'on a raison de ne plus aimer, et pourtant il écrivait bien, quand il se faisait parler lui-même. Le slogan est juste encore, que ses préfaces valaient plus que ses pièces et, elles, n'ont pas vieilli. Mais le grand Becque est mort, bafoué, vilipendé... On ne fait pas encore leur place à Jules Renard, à Tristan Bernard, à Courteline, qui sauvent l'honneur. Des critiques savants ont annoncé, voilà trois ans, que les grandes eaux du lyrisme allaient jaillir... Apollon les punira. Ils vont absorber du Richepin et du Mendès, tout ragaillardis... Évidemment, ils auront *Chantecler*. Un événement. L'Austerlitz du théâtre de « la Douceur de vivre ». La rente est au-dessus du pair. Mais presque tout le théâtre est au-dessous.

Il y a Porto-Riche. Mais *Le Passé* est de 1897, et l'on attendra dix ans *Le Vieil Homme*. Et son disciple, plein de finesse et de pénétration, mais modeste, discret, produisant bien, produisant peu, Edmond Sée ! Le cas de Porto-Riche est extraordinaire. La jeunesse, je m'en souviens, hésita à l'adopter ; à le nommer « un Racine en prose ». Elle croit aux amours chastes et fraîches. Ce monsieur si charmant, le plus charmant de Paris, étale trop volontiers ses conquêtes. On ne dira pas encore sa « sexualité »... On rêve de la robe « avec ses ruches » de la fiancée de Verlaine ; à la Bonne

Chanson, musique de Fauré. Porto-Riche a des odeurs de lit, qui ne sont pas légères ; qui rappellent l'amande amère ; et le savon d'après... Son évanouissement est aujourd'hui total, depuis une reprise, du reste mal organisée, d'*Amoureuse*. De 1900 à 1910, on le cite ; on l'exhausse. Nous ne les connaissons pas. Ses triomphateurs seront Bataille et Bernstein.

Il me souvient des querelles, autour de Bataille ! *Maman Colibri*, le baiser du fils sur la nuque de la mère ; le beau fruit, Bady à point pour des lèvres adolescentes... Nous ne demandions que cela. Bataille, ayant été poète, et vrai poète, en ses jeunes ans, nous imaginions qu'il l'était demeuré, et ses pâmoisons verbales nous troublaient... La puberté n'a pas le goût très sûr, son appétit est trop vif. L'écroulement sera total. Il ne reste rien de Bataille. Nous entendons d'aussi méchantes proses que la sienne. Mais la sienne nous lève mieux le cœur...

Derrière lui, Bernstein, qui, en 1900, a *Le Marché* dans son tiroir. Le théâtre est alors si mol, et si frivole, ou si morne quand il se veut sérieux, que Bernstein arrive comme un jeune Hercule. Sa brutalité secoue l'engourdissement du théâtre. Il est violent dans l'alcôve. Il fait parler les mâles, et Lucien Guitry serre les poings pour ne pas gifler une Brandès, une Hading, une Simone. Sur la scène, où tout était aimable, où l'on guettait Noblet grattant du bout de l'ongle la raie de sa perruque, tant l'amour du théâtre était alors minutieux et myope, Bernstein fait le bousculeur, le grossier, quand il veut. Là, Mesdames, à genoux ; ou le fouet ! Les dames frissonnent ; les messieurs bombent le torse. Et Bernstein n'a pas d'esprit. Tels autres en ont trop. Nous allons nager dans les mots d'esprit. Ceux de Capus, réunis en Capusiana, sont exquis. A loger à côté de ceux des Chamfort et des Rivarol. Mais ces paillettes se collent sur un théâtre en carton. J'allais dire un théâtre aveugle. Car aucune angoisse, aucun pressen-

GEORGES COURTELINE   PIERRE WOLFF

VICTORIEN SARDOU

timent de ce qui va se passer dans le monde n'y paraît. Capus répand son optimisme comme des fumées d'opium. Nous ne sommes pas des saints, ni des prophètes. Nous ne savons pas ce qui nous menace, et nous sommes rassurés, surtout aux veilles des examens et des concours, quand nous traverse l'inquiétude de vivre, qu'on nous parle de *La Veine*, et qu'on promet que tout s'arrange...

Il y a de la « qualité », c'est indéniable, dans Flers et Caillavet. Quels régals !... Ces pointes d'épingle flattent l'épiderme. Nous ne sommes pas si sots. Nous les apprécions, et pensons que de les comprendre si vite nous hisse dans une aristocratie de l'esprit. Cela fait pendant à Nietzsche et à Bergson, nos monstres sérieux ; des collines, à côté des abîmes. Nous n'avons pas suivi de près les combats d'Antoine, assagi, ni de Lugné-Poe. La belle crise scandinave est terminée. Nos papas ont été presque tous du mauvais côté. Il faudra Debussy et Dukas pour nous révéler Maeterlinck. Nous avons Albert Guinon, Lavedan, dont notre instinct nous avertit qu'il est factice et surfait ; mais on lui donne de si bons interprètes... Nous avons Donnay, qui est bon mais rare ; qui cuisine des plats en souriant de son beau sourire lippu et bienveillant. Nous vénérons Jules Lemaître, autant pour sa thèse latine (« Quomodo Cornelius Noster Aristotelis poeticam sit interpretatum »), qu'on lit la veille des « topos » en latin, que pour *L'Aînée* ou *La Massière*. Nous nous moquons déjà de l'allaitement maternel et des batailles contre l'instruction primaire de Brieux... Brieux, non vraiment, ne nous impressionne pas. M. Abel Hermant nous grince aux oreilles ; mais Yvonne de Bray, dans *Les Transatlantiques*, a de si beaux bras blancs, et le bec aussi amoureux que celui de Mlle Béjard ou de Mlle de La Vallière... Octave Mirbeau va nous impressionner, avouons-le, avec ses *Affaires*. Comment résister à la scène où Féraudy roule les deux fripons ? Nous nous ennuyons un peu au *Divorce* et à *L'Emigré*, de

HENRY BATAILLE

HENRY BERNSTEIN

ALFRED CAPUS

PAUL HERVIEU

MAURICE DONNAY

GEORGES FEYDEAU

Bourget. *Le Disciple*, qui est riche de sens, muselle notre sincérité. Respect à Bourget... De loin en loin, une pièce d'Émile Fabre, une de Descaves nous réchauffe de son énergie bougonne. Au moins, ceux-là ne voyaient pas la vie en rose... *De minimis non curant juvenes*. Les jeunes ne s'en soucient pas, mais ils écoutent. Ce n'est pas par amour du bon théâtre, que nous veillons jusqu'à minuit. Nous souffrons d'une espèce de boulimie de théâtre.

J'ausculte mon passé. J'aimais le théâtre. Mais comme tous les garçons de la Belle Époque, pour les acteurs, au moins autant que pour les pièces. Bartet n'a créé que de pauvres pièces ; toutes mortes aujourd'hui. Mais elle était Bartet, c'est-à-dire Armande et Bérénice. La prodigieuse Réjane, la seule qui jouerait Anouilh aujourd'hui, et Sartre et Salacrou, et même Giraudoux comme il les faut jouer, n'avait pas un répertoire reluisant. Elle était Réjane. Elle alcoolisait les pires sirops. Son âme merveilleuse, sa sensibilité, son génie vivifiaient des poupées de bois et de son. Je ne suis pas « laudator temporis acti », non. Nous avons des comédiens admirables, en ce moment, Plus nombreux qu'en 1910. Mais quelques-uns, d'alors, étaient incomparables. J'entends encore la voix, un peu rugueuse, de chanteuse qui a perdu sa voix, de Jeanne Croirier... Je revois, j'entends Lavallière...

Et puis, nous avions nos classiques. Nos Grecs, avec Mounet-Sully. Racine avec Sarah et Bartet. C'est pour eux que j'allais vingt fois de suite entendre *Œdipe-Roi* ; que j'entendais même un *Othello* ou un *Hamlet* déformés et orientés par les faux adaptateurs de Shakespeare, avant Copeau. C'est pour Silvain et Paul Mounet que, tout petit, j'avais battu des mains au *Severo Torelli*, de François Coppée.

A quoi bon une revue complète ? Il est inutile de crier : « Debout les Morts ! » Ce théâtre de 1900 était sans péché et sans valeur. Cela arrive...

Cependant, les mêmes années, à la fois abondantes et miséreuses, un autre théâtre s'épanouissait miraculeusement. Je lui dois d'être resté fidèle, peut-être, aux salles de spectacles dispensatrices médiocres de beauté ! C'était le théâtre lyrique. Rien d'éternel ne naissait sur les scènes dramatiques, mais le théâtre lyrique de 1900 à 1914 a été extraordinaire. J'y ai vu naître *Louise*, *Pelléas* qui a marqué notre génération ; nous étions « la génération de Pelléas » et nous resterons fidèles au chef-d'œuvre de Debussy jusqu'à notre dernier souffle. J'ai vu naître *Ariane et Barbe-Bleue*, *Pénélope*. Un peu au-dessous, des œuvres savoureuses comme le *Juif Polonais*, d'Erlanger. La Comédie-Française ne soignait pas Corneille et Racine, comme Albert Carré *Orphée*, *Alceste* et *Le Vaisseau Fantôme*. Si bien que nous n'aurions jamais hésité entre une générale de François de Curel lui-même, bien que nous crussions qu'il dominait de très haut tous les autres, et une cinquante-cinquième de *Pelléas*, ou la joie pure d'écouter les derniers sols aigus de Rose Caron dans *Iphigénie*, les dernières raucités de Victor Maurel dans *Don Juan*...

Enfin, nous n'avions pas le cinéma, pour faire dériver, dieu sait où, notre goût et nos curiosités.

ROBERT KEMP
de l'Académie Française.

COURTELINE

TRISTAN BERNARD

DE LA FÉERIE AU TRÉTEAU NU

DIAGHILEV

JACQUES ROUCHÉ

JACQUES COPEAU

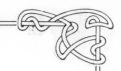

1907 ★ 1914

CHRONIQUE ILLUSTRÉE

La maladie du goût qui affectait la France depuis l'aube de la IIIᵉ République, et dont la grande éruption de 1900 fut l'exutoire, aurait conduit à une tragique décadence si des forces neuves, venues pour une part de l'étranger, n'avaient suscité au cours des sept années précédant la guerre de 1914 un redressement salutaire.

Alors qu'un prodigieux « printemps » de découvertes scientifiques et d'inventions révolutionnaires transformait peu à peu la vie sociale, l'évolution artistique, d'une richesse et d'une diversité exceptionnelles, était ignorée ou refusée par le public, qui adhérait aveuglément aux manifestations de l'art officiel. Ce divorce entre l'art et la cité, qui remontait à Napoléon III, empereur sans goût, n'avait cessé de s'accuser durant la « Belle Époque », qui cachait ses génies – souvent sans les connaître – comme une poule provoquante, des œufs d'or.

L'architecture avait atteint en 1900 au comble de l'exubérance hideuse, non sans laisser quelques palais solides sous leur folle germination ornementale. Après avoir cambré les silhouettes féminines, la plante vivace du Modern Style, jaillie des bouches du Métropolitain, gagnait les maisons d'habitation. Mais déjà la nostalgie de la ligne droite et la découverte de matériaux nouveaux, comme le ciment armé, orientaient les recherches de jeunes architectes d'avant-garde, tel Auguste Perret, qui préparaient l'architecture du XXᵉ siècle sous l'œil narquois de leurs maîtres.

Les sucreries triomphantes de la sculpture officielle continuaient de foisonner dans les Salons, tandis que Rodin, qui, pourtant, avait conquis l'estime universelle en présentant « en marge » de l'Exposition de 1900 cent cinquante-huit ouvrages, attendait encore à la fin de sa vie d'être définitivement admis dans la cité.

Carolus Duran, ses émules et ses dis-

1909. LOUIS BLÉRIOT TRAVERSE LA MANCHE

LE MONOPLAN DE BLÉRIOT ATTEINT LA COTE ANGLAISE.

ciples, Ferrier, Besnard, Roybet, Detaille, Jean-Paul Laurens, Merson restaient les maîtres de la peinture. Face à l'académisme tout-puissant, l'impressionnisme faisait encore figure de mouvement d'avant-garde. « Manet semblait encore un révolutionnaire et un communard ; Renoir, un barbouilleur, et l'on disait de Pissarro qu'il « peignait des plats d'épinards » (F. Fels). Que dire de Bonnard, de Vuillard ? Le nom même des Nabis n'était encore connu que d'un cercle restreint d'amateurs et de lettrés. Seuls des portraitistes comme Jacques-Émile Blanche et Boldini, étaient prisés par le public à cause des célébrités qu'ils représentaient.

En musique, on en était encore à Wagner, que l'on n'avait pas fini de découvrir. Massenet et Puccini avaient les faveurs du public de l'Opéra-Comique, où la création de *Pelléas et Mélisande* fut une des rares éruptions d'un volcan éteint, à la végétation factice, sous lequel bouillonnait le vrai monde de l'art.

Au théâtre, le réalisme issu des premières tentatives d'Antoine s'embourgeoisait sur les scènes officielles, où les décorateurs, fidèles aux reconstitutions naturalistes, ne s'appliquaient qu'à « faire vrai » ; l'école de Becque et du Théâtre Libre aboutissait à une glorieuse dégénérescence. Seuls quelques satiristes et vaudevillistes, comme Courteline *(La Paix chez soi, 1906)*, Feydeau *(La Puce à l'oreille, 1907, Occupe-toi d'Amélie, 1908)* — qui passait pour un simple amuseur — tiraient leur épingle du jeu en se moquant de leur époque avec une technique savante. Ce sont eux qui survécurent, parmi tant de fausses valeurs, de fabricants de fleurs artificielles, dont plusieurs passaient pour des maîtres.

Devenu directeur de l'Odéon, Antoine, insatisfait par les auteurs de son temps et voulant renouveler son expérience du *Roi Lear*, se tournait vers Shakespeare et présentait *Jules César* dans des décors affreux. Recherchant la vérité jusque dans les détails les plus « extérieurs » de ses mises en scène, dont Copeau louait courtoisement « l'extraordinaire minutie », il s'amusait à évoquer le roulement des trains « avec une exactitude qui donnait l'illusion de la réalité », comme s'y employait également Firmin Gémier dans *Anna Karénine* (1907).

Henry Bataille, avec *La Femme nue* (1908), Henry Bernstein, avec *Le Voleur* (1907), prenaient la tête du peloton de la nouvelle comédie psychologique, qu'ils allaient mener de victoire en victoire jusqu'à la guerre de 1914 et au delà, satisfaisant les goûts du public bourgeois et le trompant habilement sur la marchandise. Bataille se croyait poète et bousculeur de société ; du moins réussissait-il à en convaincre la jeune génération, qui prenait les hardiesses de ses thèmes et de ses dialogues pour « des déclarations de guerre au conformisme bourgeois », comme le confesse Pierre Brisson, qui s'en excuse ainsi : « Sur le moment, cette littérature tzigane, ce je ne sais quoi d'un peu morbide et ces dons réels de pathétique troublaient les cœurs et obscurcissaient les pauvretés du dialogue. L'audace des situations faisait croire à l'audace de la pensée. L'incroyable convention feuilletonesque du style passait inaperçue. Ces drames-palaces, avec princesses froufrouteuses, ducs à monocles, barcarolles à la cantonnade et intermèdes philosophiques, prolongeaient en l'embourgeoisant le romantisme d'Oscar Wilde. » Moins romantique et plus habile encore, Bernstein lâchait sur la scène un banquier et une femme qui engageaient un combat

brutal sous le signe de l'amour et de la bourse. « Au cours du grand round central, écrit Brisson, les deux adversaires échangeaient des coups sauvages avant de sombrer dans les divans. On retrouvait, façonné pour le haut public bourgeois, une dramaturgie naturaliste évoluée. C'était le ton du Théâtre Libre accommodé à une psychologie de salle de baccara, un sensualisme de fille dans des boudoirs de milliardaires. »

Tel était en effet l'aboutissement normal du Théâtre Libre dans une société régie par l'argent, dans un théâtre qui devenait de plus en plus le privilège de la classe aisée. Pourtant, le « grand public » allait alors au théâtre, dont ne l'avait pas encore écarté le cinéma, qui commençait seulement à s'organiser sur le plan commercial sous l'autorité de Charles Pathé. Peu intéressé par les problèmes de milliardaires et les raffinements sentimentaux des ducs à monocles, où trouvait-il, ce public, l'évasion et l'exaltation qu'il attendait du théâtre ? — Chez Sarah Bernhardt,

LA GRANDE DANSEUSE ANNA PAVLOVA, QUE RÉVÉLÈRENT LES BALLETS RUSSES.

qui demeurait fidèle au drame en vers et à la pièce historique, quittant le voile de sainte Thérèse d'Avila pour l'épée de Jeanne d'Arc ; à la Porte Saint-Martin et à l'Ambigu, qui continuaient à présenter des pièces d'action — plus ou moins napoléoniennes (A pied ou à cheval, personnage principal d'une épopée en trois parties, second rôle, voire simple figurant dont la silhouette se découpait sur un fond crépusculaire, Napoléon avait toujours les faveurs de la foule républicaine) ; au « Boulevard gai », où Feydeau, Tristan Bernard, Paul Gavault, Flers et Caillavet assuraient des sourires à bon marché et de saines rigolades ; aux revues des Variétés et des Capucines, aux reprises des opérettes célèbres d'Offenbach et de Lecocq, au Châtelet enfin, où, du *Tour du monde en quatre-vingts jours* à *La Petite Caporale*, on se laissait prendre sans effort d'imagination aux sortilèges les plus naïfs de la machinerie. « Jamais les décors du Ballet Russe ne nous laisseront le souvenir des neiges enchantées, où le chef des Indiens décrochait la locomotive », écrira paradoxalement Jean Cocteau, évoquant le Philéas Fogg de son enfance. Ce sont néanmoins les Ballets Russes — et non les aventures de Philéas Fogg — qui, surgissant dans cette même salle du Châtelet, devaient amener une renaissance de l'art scénique, transformer le goût, influencer la mode

CHALIAPINE DANS « IVAN-LE-TERRIBLE ».

et réveiller le sens artistique endormi chez les Français.

1908. C'est l'année de la Triple Entente entre l'Angleterre, la France et la Russie. Nos troupes occupent péniblement le Maroc, dont elles ne se rendront maîtresses qu'en 1912. A la Renaissance triomphe *La Femme nue*, de Bataille, où des répliques comme « Oh ! la puissance de ta chair... c'est inouï ! » ne font pas rire. A l'Œuvre, un grand comédien italien, Giovanni Grasso, accueilli par Lugné-Poe, révèle après la Duse le réalisme italien et frappe le public par la vérité de son jeu, le naturel de sa mimique. Le Roi, de Flers et Caillavet, obtient un grand succès aux Variétés. A l'Opéra-Comique, Albert Carré vient de se couvrir de gloire en créant, six ans après *Pelléas et Mélisande*, un nouveau chef-d'œuvre lyrique : *Ariane et Barbe-bleue*, de Paul Dukas ; il présente maintenant *Iphigénie en Aulide*, de Gluck, qui donne l'occasion à la belle danseuse Régina Badet de faire admirer ses charmes dans un ballet « antique » fort bien réglé et à laquelle succèdent les lithanies castillanes de *La Habanera*, de Raoul de Laparra. C'est alors que débute à l'Opéra, le 19 mai 1908, avec *Boris Godounov*, de Moussorgski, la première saison d'Opéra Russe organisée par Serge de Diaghilev, qui, après avoir donné des concerts au palais Garnier, en 1907, afin de faire connaître les grands compositeurs russes, avait fait venir de Russie une troupe de chanteurs, parmi lesquels se trouvait Fedor Chaliapine.

Ce fut un triomphe, l'enthousiasme du public ne le cédant qu'à sa stupéfaction devant la découverte de la musique de Moussorgski, les costumes somptueux et les décors typiquement russes du peintre Golovine, les chœurs russes, d'où se déta-

Mᵐᵉ SIMONE
(LA FAISANE).

chait le grand Chaliapine, dont la voix d'orgue grave, la présence colossale et la puissante mimique impressionnèrent la salle. Le climat wagnérien qui régnait depuis dix-sept ans à l'Opéra se trouvait brusquement battu en brèche, et nos meilleurs chanteurs paraissaient pâles en comparaison de ce profond jaillissement vocal qui semblait émaner de tout un peuple animé par une fougue et une ferveur primitives. Les wagnérolâtres les plus obstinés se laissaient convaincre par Moussorgski, le mot « russe » devenait synonyme d'art, d'insolite beauté, de magie d'un autre monde. Car c'était bien un « autre monde » qui se révélait aux Parisiens ; c'est d'un autre monde que

LUCIEN GUITRY
(CHANTECLER).

CHANTECLER 1910

LE DÉFILÉ DES COQS.

LE PONT DE L'ALMA PENDANT LA CRUE DE LA SEINE (29 JANV. 1910).

AU CHATELET : « LA PETITE CAPORALE » (1910) ; LA RECONSTITUTION SUR SCÈNE D'UNE SALLE DE THÉÂTRE FIT SON EFFET.

LA BANDE A BONNOT : A L'ASSAUT DU REPAIRE DE BONNOT ET DE SES COMPLICES (1911)

singulier de constater que ces tentatives, s'inscrivant plus ou moins fortuitement dans la ligne du mouvement symboliste, étaient liées le plus souvent à des personnalités étrangères. Après Miss Loïe Fuller, qui, avec ses robes de fée, avait enchanté la scène des Folies-Bergères, une autre américaine, Isadora Duncan, hantée par l'idéal de la beauté grecque classique, avait réussi à imposer au Châtelet ses recherches plastiques, que l'on admirait jusque-là dans les salons littéraires et les milieux artistiques. A l'Œuvre, Lugné-Poe était resté fidèle à Maeterlinck (*Monna Vanna*) et avait accueilli d'Annunzio (*La Gioconda* et *La Fille de Jorio*) ; toujours soucieux de faire connaître des acteurs étrangers et des troupes étrangères, il avait fait venir à Paris le Schauspielhaus de Dusseldorf, qui avait révélé de nouvelles conceptions de la mise en scène et du décor, prouvant que, sur le plan scénique, l'Allemagne était en avance sur la France.

Et voici que le coup de baguette magique de Diaghilev déclenchait une multiple offensive de l'art, du lyrisme, de la féerie, de la grandeur contre les forces de décadence, la médiocrité routinière et le mercantilisme. En 1910, alors que *Schéhérazade* et *L'Oiseau de feu* conquièrent Paris, Jacques Rouché fonde le Théâtre des Arts, fait appel à des peintres français : Dethomas, Drésa, Piot, à des poètes et à des musiciens ; Edmond Rostand, réagissant à sa manière, très discutable, d'artilleur lyrique, transforme le plateau de la Porte Saint-Martin en basse-cour et fait crier son *Chantecler*. 1911 est l'année des événements : *L'Oiseau bleu*, de Maeterlinck, au Théâtre Réjane, *Les Frères Karamazov*, au Théâtre des Arts, au Châtelet, *Le Martyre de saint Sébastien*, de Gabriele d'Annunzio et Claude Debussy,

venait cette tornade esthétique qui, lors de la première saison des Ballets de Diaghilev, l'année suivante, allait s'abattre sur notre scène poussiéreuse, balayant les traditions périmées, les hideuses reconstitutions — palais mauresques, temples gothiques, feuillages de carton-pâte — apportant le merveilleux, le génie de la danse, l'enchantement des couleurs et de la musique, l'harmonie de tous les moyens d'expression dans une époque qui tournait le dos à l'art et à la poésie et qui « tuait ses poètes ».

Pourtant des vagues d'esthétisme et d'idéalisme se manifestaient en France depuis plusieurs années, en réaction contre la griserie matérialiste qu'entretenaient l'esprit de jouissance de la « Belle Époque » et la progression foudroyante de la technique, aussi contre la léthargie créatrice, la bassesse et la pauvreté d'inspiration qui paralysaient les arts de la scène. Il est

IDA RUBINSTEIN DANS « LE SECRET DU SPHYNX ».

où triomphe Ida Rubinstein, *Petrouchka*, *Narcisse*, *Sadko* et *Le Spectre de la Rose*. En 1912, année de *L'Après-midi d'un Faune*, a lieu la création par Lugné-Poe de *L'Annonce faite à Marie*, de Paul Claudel. Jacques Copeau fonde, en 1913, le Vieux-Colombier et lance un appel à la jeunesse pour « réagir contre toutes les lâchetés du théâtre mercantile » ; le triomphe de *La Nuit des Rois*, de Shakespeare, en 1914, achèvera cette magnifique période, qui marque un nouvel essor de l'art théâtral.

1910. Paris regarde en l'air. M. Blériot a traversé la Manche l'année dernière ; depuis, les exploits et les chutes des héros de l'aviation se succèdent ; mais le passage d'un monoplan dans le ciel retient moins l'attention que... la Comète, dont la tête et la queue sont visibles en plein jour et se rapprochent curieusement du soleil. C'est aussi l'année des terribles inondations causées par la crue incroyable de la Seine ; un bon tiers de Paris est transformé en cité lacustre, les dégâts sont considérables ; une partie de la population, celle qui habite les quartiers secs ou au-dessus de l'entresol, s'en amuse, d'autres, sans toits et souvent sans moyens, connaissent la misère. Mais la vie continue, et il se passe à l'insu du public des choses importantes : Georges Braque et Pablo Picasso organisent la première manifestation collective du « cubisme » ; à l'Opéra, les Ballets Russes font des miracles ; tout Paris va voir *Schéhérazade* et croit rêver devant ce spectacle extraordinaire vivement coloré par Léon Bakst, animé par Fokine, et des danseurs comme on n'en a jamais vus ; ce sera ensuite *L'Oiseau de feu*, dont la musique, d'Igor Stravinsky, déconcerte les Parisiens, alors que celle de Rimsky-Korsakov les transportait. On admirait

DESSIN DE BAKST POUR LE SAINT SÉBASTIEN (IDA RUBINSTEIN) DU « MARTYRE DE SAINT-SÉBASTIEN » (1911).

l'aérienne Pavlova dans *Les Sylphides*, voici que l'on découvre la prodigieuse Karsavina. Mais les Ballets Russes n'occupent pas toute la saison de l'Opéra : André Messager, directeur avec M. Broussan depuis 1907, après avoir présenté, l'année précédente, *L'Or du Rhin*, monte *La Fête chez Thérèse*, de Reynaldo Hahn, *Salomé*, de Richard Strauss et Oscar Wilde, avec Mary Garden. Le public du Boulevard peut choisir entre *La Vierge folle*, de Bataille, et *On purge bébé*, de Feydeau. Mais l'année théâtrale a commencé par *Chantecler*. Un ministre avait dit, quelques jours avant la première : « Ce sera une bataille où l'honneur de ce pays est engagé : il y va de la gloire nationale... » Le ministre exagérait peut-être, mais Rostand, qui avait mis neuf ans à écrire cette pièce qu'il estimait « d'une conception toute nouvelle », s'attendait avec tous ses admirateurs à un événement national. Le caractère nationaliste de cette « fantaisie de poète » était d'ailleurs évident : « Chantecler, le coq gaulois, pousse des cris perçants pour dissiper toutes les ombres qui menacent le génie de la race française. » En fait, il n'y eut ni triomphe ni choc ; mais seulement discussion partisane. « *Chantecler* représentera la victoire du goût... » affirmaient les enthousiastes. « Déchantecler ! » plaisantaient les méchants. « Sublime enfantillage », tranchaient les modérés. Pour s'être permis des réserves, Robert de Montesquiou se vit accuser

EN REPRÉSENTATION A PARIS : LE GRAND ACTEUR ITALIEN ZACCONI DANS « HAMLET ».   MISTINGUETT ET BRASSEUR DANS « LA VIE PARISIENNE » AUX VARIÉTÉS EN 1911.

de manquer de patriotisme. Quant à Léon Blum, il jugeait « les vers d'un lyrisme facile et d'un comique laborieux » et louait « l'interprétation excellente de ce Chantecler clinquant », particulièrement Lucien Guitry, dont il appréciait « l'émotion, la vérité admirable, l'humanité profonde dans ce rôle difficile et tout fait d'artifices ». On s'extasia sur la beauté des décors, « triomphe des décorateurs du théâtre français » : Amable, « dont l'imagination est d'une richesse déconcertante »; Jusseaume, « plus près de l'impressionnisme ». La révélation de Léon Bakst allait couper court à ces touchantes illusions. En fait, malgré quelques belles envolées lyriques de Rostand, qui firent leurs effets, le public s'amusa surtout à regarder tous ces oiseaux habités par des acteurs et des actrices qu'ils reconnaissaient à peine : la Faisane (Mme Simone), le Chien (Jean Coquelin), le Merle, le Paon, poules, hiboux, chouettes (puissances qui menacent l'art et la société). En tout : neuf cents kilos de plumes.

1911. La « bande à Bonnot » terrorise

CARUSO DANS « RIGOLETTO » A L'OPÉRA.

TITTA RUFFO DANS LE ROLE DE RIGOLETTO.

Paris. C'est aussi le « coup d'Agadir » : sur les eaux que domine la célèbre forteresse, le croiseur allemand *Berlin* menace la paix de l'Europe. La France passe par une phase de sensibilité patriotique, qui ne semble pas se manifester sur la scène, depuis que *Chantecler* a quitté l'affiche de la Porte Saint-Martin. Après avoir monté *Coriolan*, l'année précédente, Antoine passe à *Roméo et Juliette*. Gémier, avant de mettre en route son Théâtre National Ambulant, crée au Théâtre Antoine *La Femme et le Pantin*, de P. Louys et P. Proudon, où danse Régina Badet, et qui alterne avec les représentations du grand acteur italien Ermette Zacconi, invité par Lugné-Poe (l'interprétation par Zacconi des *Revenants*, d'Ibsen, lui vaut un grand succès). Le « boulevard » entre à la Comédie-Française avec *Après moi*, de Bernstein, et *Le Goût du vice*, de Lavedan, tandis qu'ailleurs triomphe, avec Mme Simone, la dernière œuvre de Porto-Riche, *Le Vieil Homme*, salué comme un « chef-d'œuvre de l'art théâtral », *L'Enfant de l'amour*, de Bataille, où Réjane joue la mère d'André Brulé, *Le Tribun*, de Paul Bourget, avec Lucien Guitry, et *Le Petit Café*, chef-d'œuvre de Tristan Bernard, repris quarante ans plus tard au Théâtre Antoine avec Michel Simon. Enfin, un nouveau venu du Boulevard et déjà « enfant gâté du public », M. Sacha Guitry interprète avec sa femme, Charlotte Lysès, sa dernière pièce : *Un Beau Mariage*. Paul Léautaud apprécie d'autant plus ces premières comédies de Sacha Guitry, pleines de fantaisie et d'inattendu, écrites et jouées avec un visible plaisir, qu'elles s'opposent par leur naturel et leur modestie

des Arts, qui présentait *Les Frères Kara-mazov*, dans la remarquable adaptation de Jacques Copeau et Jean Croué et dans des décors de Maxime Dethomas (Charles Dullin s'y révélait un extraordinaire acteur de composition dans le rôle de Smerdiakov), et au Châtelet, où, entre deux ballets de Diaghilev (*Le Spectre de la Rose*, *Narcisse*, *Petrouchka*), Ida Rubinstein, qui avait loué le théâtre, jouait *Le Martyre de saint Sébastien*, dans les merveilleux décors de Bakst. Ida Rubinstein, qui avait l'ambition de concurrencer les Ballets Russes, se voulait à la fois danseuse et actrice, en deux mots « tragédienne plastique ». Le mystère dont elle aimait à s'entourer, ses poses, ses mises en scène (elle recevait sous son *zaimph*, présentant son profil de pharaone) pouvaient faire douter de sa simplicité et de sa sincérité. C'était « tout le beau chiqué auquel nous avait habitué depuis longtemps Sarah Bernhardt, puis Isadora Duncan, l'une dans le style Mucha, l'autre dans le goût préraphaélite » (Michel Georges-Michel). Pourtant elle donnait une impression d'irréel, d'imma-

au théâtre « sérieux », dont il dénonçait les artifices et les prétentions, « M. Sacha Guitry peint la vie. Il nous montre des gens vrais. Ce n'est pas un poète ni un psychologue à la façon de M. Henry Bataille ou de M. de Porto-Riche ».

A l'opposé de ce théâtre, *L'Oiseau bleu*, de Maeterlinck, remportait un succès qui devait agacer les maîtres du Boulevard, d'autant plus que ce conte de fée, que l'auteur de *Pelléas et Mélisande* avait conçu « pour les enfants (ce sont deux petits qui rêvent...) », plaisait à tous les publics. Les lettrés en appréciaient la poésie, voire la philosophie ; les simples y faisaient un beau rêve dans les décors et les costumes vraiment féeriques de Vladimir Egoroff, qui avait conçu ceux de la création par Stanislavski, au Théâtre Artistique de Moscou, deux ans auparavant. La pièce avait obtenu un triomphe en 1910 au Haymarket Theatre de Londres, dans des décors d'une conception plus conventionnelle et réaliste. Au Théâtre Réjane, la nouveauté de ces décors très stylisés d'Egoroff firent sensation. Le renouveau du décor et du costume de théâtre se manifestait alors à Paris : au Théâtre

HENRY BATAILLE ET YVONNE DE BRAY (A LA MODE 1910), PENDANT UN ENTR'ACTE

tériel. D'Annunzio, qui l'avait choisie pour incarner son Saint-Sébastien, ne s'y était pas trompé : « Le hasard a accompli ce miracle de me faire rencontrer une artiste, dont la tête voilée de rêve et de douleur a la charpente osseuse de l'Athènê de Lemnos, dont le corps a la ligne la plus austère qui se puisse trouver et dont toute la personne respirait l'ardeur mystique. » Robert de Montesquiou, enthousiasmé par la représentation « extraordinaire » du *Martyre*, confirma le choix de d'Annunzio : « Les figures similaires que de tout temps l'art des peintres essaye de faire vivre, cette étrangère les a pour jamais fixées. Ses attitudes nous ont enfin rendu ce que nos pères nous ont conté de Rachel... » Malgré la musique, chef-d'œuvre de Debussy, malgré la « transparence » étonnante des décors de Bakst, « vitraux mouvants », malgré la très habile chorégraphie de Fokine et l'harmonie de l'ensemble, la presse chauvine blâma « cette étrangère qui, par son argent, accaparait les scènes françaises ». Mais Ida Rubinstein ne s'en tint pas là et devint, en 1912, *Hélène de Sparte* ; elle retrouvera d'Annunzio, en 1913, dans sa *Pisanelle*, pour laquelle elle fera appel au metteur en scène russe Meyerhold. « Ma Pisanelle et Mme Rubinstein sont deux âmes dans un seul corps, dira d'Annunzio. Même *aura* invincible, même élan mystique et charnel, même spiritualité. » Le théâtre de d'Annunzio : « Lyrisme scientiste farci de locutions médiévales, écrira Pierre Brisson, poésie pourpre, poignards d'or, coupes ruisselantes d'escarboucles, cet art participait de la peinture, de l'architecture, de l'orfèvrerie, de la statuaire et du bal costumé. Magasin d'antiquaire tenu par un virtuose qui collectionnait — sans y regarder de trop près — des multitudes d'objets rares, depuis le lustre bysantin jusqu'à la sandale athénienne, en passant

par le flacon des Borgia et l'os de cerf à cinq trous du charmeur de serpents. »

Un tout autre climat régnait aux Variétés, où, depuis *Le Bois sacré*, de Flers et Caillavet (1910), s'affirmait Mistinguett aux côtés de Max Dearly, à la Cigale et aux Capucines, où défilaient les revues de l'époque : *T'en as du vice !*, *Sauf' vot' respect*, *Mai z'oui*, *Eh ! Eh ! Y'a d'ça*, etc. Cependant la mode évoluait ; après avoir emprunté à la Grèce antique — par l'intermédiaire d'Isadora Duncan — le modèle des robes « Tanagra », elle rapportait d'Orient, c'est-à-dire des Ballets Russes et particulièrement de *Schéhérazade*, la jupe-culotte que l'on hésitait à appeler « jupe-pantalon » ou encore « falzar », pour ne pas la confondre avec l'uniforme cycliste. Grand créateur de la mode nouvelle, débordant d'imagination, Paul Poiret décorait la Parisienne aux couleurs de Bakst, se permettait les fantaisies les plus exotiques — jupes-sultanes et turbans — et voulait retrouver les vraies formes de la femme.

1912-1914. Si la mode s'écartait de l'antiquité, le théâtre, lui, ne la quittait pas. *Hélène de Sparte*, de Verhaeren, au Châtelet, *Iphigénie*, de Moréas, et *Alkestis*, à la Comédie-Française, *Sapho*, en tragédie et en opérette, *Roma*, de Massenet, à l'Opéra, *La Danseuse de Pompéi*, à l'Opéra-Comique, avec Cléo de Mérode, *Les Bacchantes*, à l'Opéra, avec Zambelli, *La Tragédie de Salomé*, aux Concerts de danse de Mme Trouhanova, et par les Ballets Russes avec Karsavina ; enfin, en juin 1913, *Pénélope*, de Gabriel Fauré, montée par G. Astruc, au Théâtre des Champs-Élysées, dans des décors de Roussel, qui rompaient avec la tradition de l'antiquité académique, et dans des costumes d'Ibels. Œuvre collective d'Auguste Perret, Antoine Bourdelle et Maurice Denis, révolutionnaire pour l'époque, le Théâtre des Champs-Élysées, qu'avait inauguré un concert de la Pavlova,

portait témoignage de la technique et de l'esthétique nouvelles. Les Ballets Russes, quittant le Châtelet, allaient y donner leurs représentations jusqu'à la guerre : on y siffla la musique du *Sacre du Printemps*.

Tandis que Jacques Copeau passe à l'action au Vieux-Colombier, le théâtre qu'il condamne marque de nouvelles victoires : après *L'Enchantement*, *Les Flambeaux*, *La Lépreuse*, Bataille donne *Le Phalène*, où triomphe Yvonne de Bray dans le rôle d'une femme sculpteur qui sacrifie son œuvre, puis *La Marche nuptiale* ; Bernstein livre sa meilleure pièce, *Le Secret*, presque une « comédie de caractère », avec Simone, et où Victor Boucher, spécialiste des larmoiements comiques, pleure de vraies larmes. Sarah Bernhardt vient enfin au réalisme, et Tristan Bernard, au sombre drame (*Jeanne Doré*, 1914). Parmi les auteurs nouveaux : Alfred Savoir, qui renouvellera le Boulevard comique. Parmi les événements : le cinéma ; après *Notre-Dame de Paris* (1911) et *Les Misérables* (1912), qui duraient cinq heures, voici les premiers films de Max Linder, précurseur de Charlot, qui avait fait ses armes aux Variétés ; et voici *Fantomas*, de Louis Feuillade, avec René Navarre : premier film policier, film populaire, retour aux mélodrames de Pixérécourt : le Boulevard du Crime ressuscitait. A quoi bon désormais les amuseurs, les Flers et Caillavet, *L'Habit vert*, *La Pèlerine écossaise*, où Sacha et Charlotte se jouaient eux-mêmes chez eux, à Jumièges ? Le cinéma emportait le « grand public », plus que jamais avide d'évasion et préférant ne pas s'entendre dire ce qui l'inquiétait et lui tenait à cœur : que la guerre était proche — comme dans *Servir*, de Lavedan, ni même — comme dans un drame patriotique de Gaston Leroux — qu'il fallait reprendre l'Alsace.

G. Q.

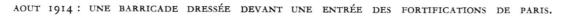

AOUT 1914 : UNE BARRICADE DRESSÉE DEVANT UNE ENTRÉE DES FORTIFICATIONS DE PARIS.

Décor du peintre russe Golovine pour « L'Oiseau de feu » (1910).

LES PEINTRES ET L'ART DU DÉCOR

DEPUIS LA MORT DU FANTASTIQUE CICERI, LE THÉÂTRE EST TOMBÉ AUX MAINS d'habiles décorateurs de métier, ancrés dans une technique immuable. Alors que partout la sensibilité change, que la peinture moderne pose dramatiquement ses premiers jalons, détruisant et recomposant toute forme selon une logique implacable, les maîtres scénographes accumulent les vieilleries romantiques et deviennent leurs propres fossoyeurs. Le peintre — personnage redoutable — attend son heure, génératrice de découvertes et d'aventures. Sans lui, le théâtre ne franchit pas le cap du vérisme académique, le spectacle se pulvérise en détails ; avec lui, le monde visuel va prendre trop de place : il se croit seul sur le plateau, où il ne sait pourtant pas construire. Des exécutants interprètent et agrandissent dans un espace à trois dimensions sa maquette peinte sur deux... Mais quand le Vieux-Colombier lui fermera sa scène, son intervention aura déjà été décisive : dans les rouages routiniers de la machine théâtrale, il aura mis ce petit *jeu* par où l'imaginaire

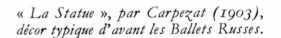

*« La Statue », par Carpezat (1903),
décor typique d'avant les Ballets Russes.*

*Ci-dessus et ci-contre, deux décors pour l'Opéra. « Schéhérazade »,
par Bakst (1910).*

Léon Bakst, par Jean Cocteau.

bouleverse l'ordre des formes établies et conquiert l'unité de style. A travers une série d'oscillations et d'approches contradictoires, le théâtre en France cherche son lieu scénique, étroitement associé aux divers courants du naturalisme ou du symbolisme littéraires et picturaux. Écartés du Théâtre Libre, où Antoine s'enferme dans un réalisme inimitable, les peintres déclenchent une première offensive au Théâtre d'Art, puis à l'Œuvre, sur les scènes desquels poèmes symbolistes et pièces d'Ibsen ouvrent des voies inconnues. Mais les spectacles y sont souvent ébauchés ; les décors simplifiés — les tableaux agrandis — de Bonnard et de Vuillard créent une atmosphère, mais ne s'inscrivent pas vraiment dans l'espace scénique, où leurs harmonies discrètes et intimes se prêtent mal à l'éclairage direct. La portée de ces innovations est encore restreinte, mais comme elles tranchent sur la grisaille d'un théâtre qui, en ce début de siècle, écœure un Romain Rolland, un Craig, un Rouché, un Copeau ! La trouée décisive vint des Ballets russes. Ce fut la fin de cette « poésie couleur d'aquarium » dont parle Boris Kochno. Une explosion de couleurs commença l'ère théâtrale nouvelle. Et dans Paris, où depuis des années déjà éclatent les toiles fauves, où apparaissent les premiers collectionneurs d'art nègre, les expositions de miniatures persanes, toutes les habitudes du public s'effondrèrent. « Les écailles nous tombaient des yeux », écrit Louis Gillet. Les Russes amenaient tout naturellement sur une scène française une luxuriance exotique dont Delacroix, Renoir, Manet, Van Gogh, Gauguin avaient croisé les images dans leur conquête de la couleur. Les vrais triomphateurs de ces années furent les peintres Bakst et Benois, premiers collaborateurs de Diaghilev à

146

la revue du *Monde Artiste* (1897), où semble dominer un vague impressionnisme mêlé d'influence allemande et l'archaïsme symbolique du grand peintre russe Wroubel. Sur tous les terrains — chorégraphie, décors, répertoire — Diaghilev engage la lutte contre les « féeries ineptes » des théâtres impériaux et fait appel aux peintres Golovine et Korovine. « Enfin nous voyons au théâtre — écrit alors Alexandre Benois — de la vraie peinture se substituer aux décors de ces messieurs les artisans. » Paris découvrit sur scène de flamboyants tableaux de chevalet dont les chanteurs ou les danseurs étaient les éléments variables, masses colorées et mobiles jouant dans l'ensemble un rôle indéfiniment renouvelé. D'éblouissantes oppositions de couleurs accusaient la différence des plans, affirmaient les profondeurs, et de vivantes « taches » créaient partout une animation perpétuelle. La chorégraphie frappa d'abord moins que les décors et les costumes qui, du reste, ne heurtaient pas de front le goût du public. Leurs racines folkloriques étaient elles-mêmes incertaines. Mais Bakst inventait-il un langage vraiment nouveau ? Animée par un amour authentique de la couleur, sa fantaisie combinait — mais ne bouleversait pas — un univers de signes réalistes déjà éprouvés et connus. A l'aide de couleurs et de formes librement empruntées à l'imagerie orientale, japonaise, chinoise, russe, il composa cependant des merveilles, tandis qu'Alexandre Benois, au clacissisme tout académique et très allemand, tirait consciencieusement de documents et de livres d'histoire une grande partie de son inspiration. Ils ébranlèrent pourtant toutes les habitudes de nos scènes. Ils en finiront avec le trompe-l'œil, les pénombres sans mystère, les formes fades, les couleurs mourantes du Modern Style. Singulière rencontre que l'irruption sur nos scènes de cette imagerie orientale puissamment colorée avec les recherches, à Paris même, des jeunes fauves français, qui, décidés à affranchir le tableau « de tout contact imitatif et conventionnel », considéraient la couleur comme un « moyen sauveur ». La première toile fauve de Matisse que vit Dufy en 1905 suffit à le désenchanter du réalisme impressionniste, « à la constatation du miracle de l'imagination introduite dans le dessin et la couleur ». Derain témoignera de la même fièvre : « Il y avait des causes obscures à notre inquiétude d'alors, à notre besoin de faire autre chose que ce que tout le monde voyait. C'était l'époque de la photographie. Il n'y avait plus d'assez longue distance où nous situer pour regarder les choses et opérer à loisir notre transposition. Les couleurs devenaient des cartouches de dynamite. Elles devaient décharger de la lumière. »

Larionov, par Juan Gris.

Eschyle et Shakespeare n'inventent point leur action dans le vide. Ils travaillent, l'un pour la scène grecque, l'autre, pour la scène élizabéthaine
JACQUES COPEAU.

Projet de décor pour les « Contes russes » (Baba Yaga), par Larionov (1916).

Apollinaire et Diaghilev en 1917. Dessin de Larionov.

A droite, Nathalie Gontcharova, à Paris, en 1914.

« Le Coq d'or », créé en 1914. Décors et costumes de Gontcharova. Ici, à la reprise du Théâtre de Covent Garden, à Londres, en 1936-1937 ; troupe du colonel de Basile.

Avec Nathalie Gontcharova apparaîtra sur la scène de Diaghilev, en même temps que le constructivisme, un folklore russe librement transposé dont l'esprit se retrouve aussi bien dans les figurines de plâtre colorié des artisans-paysans, leurs icones, leurs escabeaux, leurs bols, leurs coupes, que dans l'art post-byzantin des fresques et des mosaïques de Novgorod ou de Kiev. Plus directement sensible que Bakst ou Benois aux formes authentiques de la vie russe, elle n'est alourdie d'aucune survivance naturaliste ou d'académisme munichois. Les compositions de Gontcharova, puis de Michel Larionov, marquent la seconde période des Ballets russes. Elle verra l'éloignement dramatique de Bakst et de Benois. Le *constructivisme théâtral* — appliqué

A Rome, en 1916,
de gauche à droite :
Larionov, Picasso,
Cocteau, Gontcharova.

1916. Variante pour « Noces ». Stravinsky voulait un décor aussi riche que celui du
« Coq d'Or » ; il aima la sobre réussite de Gontcharova. Représenté en 1923.

Picasso, par Bakst.

en 1913-1914 par Gontcharova dans *Le Coq d'or*, de Rimsky-Korsakov — est issu
des recherches entreprises en Russie, de 1906 à 1909, par Iacouloff, Gontcharova,
Tatlin et surtout Larionov, dont on commence seulement à mesurer le rôle et l'audace.
Ses premières toiles (1905) sont à la frontière du fauvisme. « Le constructivisme
théâtral — écrivent Gontcharova et Larionov — entendait ne pas limiter la scène
au seul plateau et avait pour objectif d'utiliser totalement celle-ci dans ses trois
dimensions, en faisant entrer en jeu divers plans verticaux par le moyen de constructions en hauteur qui multipliaient les possibilités de la mise en scène. Le décor cessait
d'être seulement un fond ou un encadrement, pour devenir partie intégrante de

*Ci-contre, le magnifique décor
de Bakst pour « Le Martyre
de saint Sébastien », de
Gabriele d' Annunzio, musique
de Claude Debussy (1911), est
un exemple de cette « surdécoration » qui convenait au
ballet, mais à laquelle Jacques
Rouché reprochait d'écraser
l'œuvre théâtrale et l'acteur.
En haut : un gigantesque décor
baroque italien du XVIIIe s.*

*Le naturalisme, qui
a rendu le public
plus exigeant en ma-
tière de « naturel »,
n'a fait que compli-
quer les combinai-
sons scéniques, sans
arriver jamais à
l'effet désiré.*

G. FUCHS.

l'action, selon une formule proche de celle du cirque. » Michel Georges-Michel
vit *Le Coq d'or* : « Je crois qu'aucun spectacle ne donna jamais une telle impression
de splendeur que cette représentation du *Coq d'or*. Nathalie Gontcharova avait
peint, comme toile de fond, un Kremlin fantaisiste et décuplé, tout en ocres, en ors
et en rouges. Et de chaque côté de la scène, au milieu de laquelle s'évertuaient les
danseurs, elle avait dressé deux estrades rouges sur lesquelles se tenaient, habillés
de rouge des pieds à la tête, les trois cents chanteurs et chanteuses de l'Opéra de
Moscou. C'est de cette représentation que data pour nous le renouvellement du décor
russe, le peintre Larionov apportant ensuite avec lui la génération qui devait succéder
à celle de Bakst. » Alors en effet — grâce à l'influence de Jean Cocteau et de Larionov
— la voie s'ouvre au cubisme, au futurisme : Picasso, Matisse, Derain, Braque,
Marie Laurencin, puis Rouault, Utrillo, Bauchant, Chirico amèneront avec eux
sur les scènes de Serge de Diaghilev toutes les aventures de la peinture moderne.

« L'Oiseau bleu », de Maeterlinck. Dans son « Art théâtral moderne » (1910), Jacques Rouché confrontait deux décors du même tableau : Le Pays du Souvenir ; l'un, stylisé, de Vladimir Egoroff, pour la création de la pièce au Théâtre artistique de Moscou ; l'autre, réalisé au Haymarket Theatre de Londres. Ci-dessus : une autre scène de « L'Oiseau bleu », au Théâtre Réjane, en 1911 : décors d'Egoroff. N'ayant pu transporter à Paris les décors offerts par Stanislavski, Egoroff dut les monter sur place avec le régisseur du Théâtre artistique. « Quelque chose d'extraordinaire et d'inattendu sortit de leurs mains : des décors faits avec rien, non construits, non montés, simplement peints sur des bandes de toile, une harmonie surprenante de formes et de couleurs, et surtout un emploi nouveau et étonnant de la lumière. » (Madeleine Horn-Monval.)

THÉATRE ARTISTIQUE DE MOSCOU

Diaghilev et Larionov à Saint-Sébastien, en 1915.

De même que Lugné-Poe, dont l'Œuvre réagissait contre le Théâtre Libre, avait hérité du terrain conquis par Antoine, de même Jacques Rouché — il dira plus tard avoir combattu les excès de la décoration russe, qui écrasait l'acteur — devra le succès d'une partie de ses réformes à l'impulsion donnée par les Ballets russes et leurs décorateurs. « Depuis bien longtemps, pour la première fois, écrit André Boll à propos du décor de Bakst pour *Schéhérazade* (1910), un peintre de théâtre osait délibérément s'écarter du trompe-l'œil, pour la première fois un seul et même peintre concevait et les maquettes des décors et les maquettes des costumes, pour la première fois ce peintre tentait d'établir une concordance entre « la coloration musicale de la partition » et « l'harmonie colorée du décor ». Cette unité d'exécution sera l'un des objectifs du Théâtre des Arts (1910-1913), de Jacques Rouché. Mais, quelques mois avant sa fondation, Jacques Rouché publiait son *Art Théâtral Moderne* et, le premier, révélait au public français les grandes lignes des recherches des metteurs en scène et théoriciens étrangers : Stanislavski, Meyerhold, Kommissarjevskaïa, Georg Fuchs, Fritz Erler, Gordon Craig, Adolphe Appia, Max Reinhardt. L'ouvrage, qui s'engageait nettement pour la stylisation décorative, permit de mesurer les retards de la scène française, ouvrant un premier champ de réflexion théorique sur l'art théâtral. Les décors de Jean Variot pour *L'Annonce faite à Marie*, à l'Œuvre, en 1912, s'inscrivent dans ces recherches. Les réussites des peintres-décorateurs Maxime Dethomas, Piot, Drésa, qui eurent le mérite d'appliquer à des formes moins libres que le ballet les principes de la décoration stylisée, préparent à la fois la naissance et la réaction du Vieux-Colombier. Leur mesure, leur volonté de servir avant tout la conception du poète les relient à Jacques Copeau. Mais telle est la bassesse générale des théâtres enlisés dans le *spectacle*, depuis que la réussite de Jacques Rouché entraîne les directeurs parisiens à multiplier la collaboration des « peintres », que c'est « au delà de toutes les peintures » que Jacques Copeau veut retrouver — réapprendre — le théâtre : au point zéro. Le lieu scénique est lui-même mis en question. Plus de trucs. Plus de machinerie : un plateau nu, un décor schématique — synthétique — épousant le texte. Des rideaux, des ombres et des lumières. Décors et accessoires à leur stricte place, sans plus. « Que les autres prestiges s'évanouissent, et pour l'œuvre nouvelle qu'on nous laisse un tréteau nu. » Phrase célèbre, qui sonne comme une formule d'exorcisme. Les imprécations de Stanislavski — semblables à celles d'un Craig — lui font écho : « Que de péchés d'acteurs recouvre la peinture ! Combien facilement elle donne au spectacle l'apparence d'art... Que de médiocrités se dissimulent derrière les décors, les costumes, les « taches de couleurs », la stylisation, le cubisme et tous autres « ismes » à l'aide desquels il est facile d'épater le spectateur neuf et naïf... » Les aspirations de Copeau à un décor architectural, construit, ses pressentiments quant à l'influence déterminante de la lumière, se préciseront au cours de ses rencontres, vers 1915, avec le génial Adolphe Appia, « l'homme aux cubes ». Au même moment, Georges Pitoëff poursuivait en Suisse les recherches commencées en Russie, vers 1912. Étranger à tous les systèmes, réalisant ses rêves avec des moyens parfois si simples qu'on les appellera des moyens de fortune, il élevait la représentation théâtrale à sa dimension poétique et quasi sacrée. Résolument anti-naturaliste, ouvert à toutes les innovations, lui aussi témoigne de son incertitude devant l'inconnu : « Il était d'autant plus difficile de se prononcer sur la nouvelle mise en scène qu'elle n'offrait au spectateur aucun moyen de contrôle. Avec le réalisme, il suffisait de copier la vie. Avec la nouvelle mise en scène, avec quoi comparer ? » En France, le Cartel — Jouvet, Pitoëff, Dullin, Baty — tentera de résoudre la question avec une audace inégale. Ainsi, en quête de sa propre forme, d'un acteur, d'un espace et d'un public idéals, le théâtre européen semble s'être frayé un difficile passage entre le décorateur sans génie et le peintre sans métier théâtral. Tout au long de ses tâtonnements contradictoires, c'est son essence même qui est en jeu. Le théâtre est lié à la société tout entière. Vienne le jour où il reflétera la totalité d'un monde ; mais encore faudrait-il que ce monde aille à sa rencontre, lui aussi.

DIAGHILEV

et les

BALLETS RUSSES

SERGE DE DIAGHILEV - 1872 ★ 1929

CHINCHILLA. C'est ainsi que le surnom-
maient ses danseuses, parce que dans sa
chevelure teinte en noir il réservait une
mèche blanche.

Du fond de sa loge, il surveillait le spectacle
avec de petites jumelles de nacre et mâchait sa
bouche, une dent de jeune crocodile mise au bord
de son sourire ou de sa grimace de rage lorsqu'un
artiste de la troupe se permettait de faire du
charme. Diaghilev était un mécène pauvre. Un
grand seigneur en loques. Sa vieille pelisse
d'opossum attachée par des épingles anglaises
(des épingles de nounou, disait Bakst) et le Kodak
de Nijinsky allaient sans cesse au Mont-de-
Piété. Il tapait de grandes dames, qui lui donnaient
de petites sommes, et avec ces petites sommes
il entretenait une foire de Nijni-Novgorod.

En arrivant à Paris, Diaghilev apporta une
haute vague de couleurs et de discipline chorégraphique.

Au milieu d'une troupe d'un style impeccable
évoluait une grand ibis du ghetto juif : Mme Ida
Rubinstein. Et soudain, de cet ensemble, s'envola
un phénix : Nijinsky.

En haut des marches du Pavillon d'Armide,
de profil, un poing sur la hanche, coiffé d'une
minuscule toque à plumes d'autruche, son large
cou cerclé d'émeraudes, Nijinsky l'emporta par
sa seule présence d'animal sensuel sur ceux qui
allaient devenir ses comparses.

Il ne faut pas avoir vécu avec ses slaves pour dire que Diaghilev communiquait à Nijinsky
autre chose que de la rigueur. Diaghilev ne voyait rien que ses yeux ne constatassent. Tout projet lui
demeurait énigme. Et lorsque la veille du spectacle le rideau se levait sur un décor de Picasso, de Derain
ou de Braque, il se retirait en hâte, comme certains hommes frustes après l'amour.

Il avait vu ce qu'il espérait ou craignait de voir. Il était sans cesse en lutte avec Nijinsky sur le terrain
des audaces. Nijinsky possédait un régime de sportif, et ne s'en écartait que pour vagabonder vers
des recherches dont l'enfantillage se transformait, dans sa petite tête un peu folle, en une mystique,
en des reliefs mille fois supérieurs à leur origine. Diaghilev, assoiffé de neuf (snob dans le sens le plus
noble du terme), ne savait rien par étude, mais sa baguette de sourcier s'inclinait vers les sources
profondes. De ces sources il attendait qu'elles jaillissent et l'étonnassent. Le célèbre mot : « Étonne-moi »,
qu'il me dit, place de la Concorde, résume sa soif marcopolesque d'inconnu.

Pendant plusieurs semaines, il s'imagina que Nijinsky souffrait d'un torticolis. Nijinsky, la bouche
bourrue, le front ridé, pensif, le menton touchant la poitrine, marchait entre le restaurant Larue et
l'hôtel Crillon, sur les trottoirs nocturnes, à un mètre devant notre groupe.

Bakst m'interrogeait du coin de l'œil. C'était fort simple. Nijinsky préparait *L'Après-Midi d'un faune*,
il s'habituait au poids des cornes, à la pose agressive des boucs.

Autour de Diaghilev...

Il est fou de dire que Diaghilev inspirait Nijinsky. Il craignait ses caprices. Longtemps, j'assistai à leur brouille, parce que Nijinsky refusait de supprimer la fin érotique du faune, qui soulage sa solitude sur le voile abandonné par la nymphe.

Dans une assez médiocre chorégraphie de *Jeux*, Serge de Diaghilev et Claude Debussy se serraient l'un contre l'autre dans l'ombre de la salle, de fort mauvaise humeur, à cause d'une stylisation décorative que Nijinsky prétendait opposer aux charmes impressionnistes.

Le *Sacre du Printemps* est, au départ, le parti pris chorégraphique d'un style par lequel Nijinsky voulait vaincre le classicisme de Petipa. Ce parti pris allait jusqu'à mettre les pieds en dedans, pour éviter les pieds en dehors des ballerines.

Je n'oublierai jamais les scènes qu'il faisait dans les coulisses, furieux des interminables rappels du *Spectre*, par un public qui sifflait le *Sacre*.

Diaghilev avait l'audace des peureux. Certes, il passa de ses peintres aux nôtres, employa futuristes et cubistes, et rêvait toujours de se mettre en pointe. Certes, il chercha les ennuis que nous lui fîmes avec *Parade*, mais lorsque se déclencha le scandale, il tremblait, croyant que le lustre du Châtelet venait de tomber dans la salle.

Ce qui n'empêchait pas sa noblesse de répondre à Hugo von Hoffmannsthal, lui déclarant, après le succès de *Joseph* : « J'aurais préféré un scandale. » — « Bien sûr, mais c'est moins commode. » Car il aimait la force et la craignait, victime d'une nature où l'homme et la femme se mariaient ensemble. Diaghilev, avec l'huître portugaise de son bel œil oriental incliné derrière son monocle, regardait mourir un monde et jetait les derniers feux d'une civilisation suprême, prise pour une décadence par les naïfs intellectuels qui allaient prendre sa place.

Diaghilew et Nijinsky.

Jean Cocteau
☆ 1913

PAR JEAN COCTEAU
de l'Académie Française.

SULTANE BLEUE

ODALISQUE   FEMME DU HAREM

EUNUQUE

Le triomphe de Schéhé-razade (1910) fut d'abord le triomphe de Léon Bakst. « Bakst a créé des costumes en mouvement et dans le mouvement même du poème... Il réalise ainsi une orchestration colorée qui s'adapte à la colo-ration orchestrale. » (Valdo Barbey.)

En Occident, en France, en Italie, en Allemagne la danse n'était plus qu'un vocabulaire de figures, de pas, un banal exercice d'école dont on ne connaissait plus ni les verbes ni les conjugaisons, dont on avait perdu également les sources de l'inspiration ou de la création.

En Russie régnait encore un climat et des éléments qui, grâce à la présence de Marius Petipa, élève de Vestris, comme chorégraphe, et de Cecchetti, connu surtout comme professeur implacable, purent, au Théâtre Marinsky et à l'École Impériale de Danse, former des artistes d'une sensibilité et d'une technique qui firent d'eux les premiers danseurs du monde. Nous détacherons tout de suite les noms de Fokine, premier danseur dès 1898, de Mlles Pavlova et Karsavina, enfin de Nijinsky. Leur qualité favorisait des créations inoubliables dont nous avions perdu le sens et les clés.

Il serait d'un intérêt incontestable de découvrir comment il advint qu'un groupe d'artistes d'un pays reconnu comme arriéré sut en quelques années conquérir avec ses spectacles les salles les plus difficiles du monde et pénétrer dans le secret des laboratoires intimes de nos grands artistes, en influençant leurs œuvres, leur suggérant des idées nouvelles, recréant ainsi la sensibilité même de toute une génération. Loin de nous l'intention de diminuer la part personnelle qui

Michel Fokine, chorégraphe des premiers ballets russes de Diaghilev, dans le rôle du Nègre d'or de Schéhérazade.

revient dans ce vaste mouvement au génie de son grand animateur, Serge de Diaghilev. Elle est énorme. Et peu nous importe que tel ou tel autre témoin de sa marche triomphale s'efforce de nous rappeler aujourd'hui que Diaghilev lui-même ne fut ni musicien, ni décorateur, ni chorégraphe. Nous savons trop bien que, sans lui, sans son génie fécondant, il n'y eût pas eu de ballets russes ni surtout de mouvements artistiques directement issus de ses spectacles, dont on gardera longtemps le souvenir. Cependant, le problème du vieil Occident courbant docilement l'échine devant la poussée miraculeuse d'un art somme toute « barbare » n'en demeure pas moins énigmatique. Il nous tarde de découvrir en Diaghilev et ses compagnons les précurseurs d'une évolution plus générale, dépassant les cadres d'une certaine sensibilité artistique et qui se présente comme l'annonce d'une époque dont les formes incertaines se perdent encore dans la nébulosité de l'avenir. Diaghilev, initiateur du renouveau des arts graphiques en Russie, Diaghilev, éditeur d'une revue artistique, auteur d'une importante monographie d'art, finalement, bibliophile et collectionneur, mais ne sachant jamais, dans sa vie de perpétuel errant, où se trouvent ses collections.

À vingt-trois ans, à la fois cynique et optimiste, il écrivait : « Je suis avant tout un grand charlatan qui ne manque pas de brio, un grand charmeur aussi, doué d'un toupet énorme ; un homme au raisonnement logique, mais ne s'embarrassant que de peu de scrupules et, me semble-t-il, ne possédant aucun don réel. Or, malgré tout, je pense avoir trouvé ma véritable vocation : celle de mécène. J'ai tout ce qu'il faut pour cela, sauf l'argent : mais ça « viendra ». Son aplomb fut récompensé, sa vocation était réelle, et il créa en quelques mois la Compagnie de ballets la plus étonnante qu'il fût et qui malheureusement restera unique.

Il a tué l'ennui dans le cœur et la tête des gens de cette époque affadie, il a troué la nuit par les coloris, l'harmonie, la beauté plastique de ses danseurs, leurs accents, leurs gestes d'enfants joyeux, sérieux ou amoureux d'une expression qui n'existait plus dans le cœur des Français.

Le rêve que l'on porte en soi, Serge de Diaghilev savait le communiquer aux autres, à Fokine, qui l'aida, à Benois, à Bakst, qui le comprirent, car leurs notions, la base de leur esthétique se rapprochaient des siennes, à Nijinsky, qu'il révéla par amour et subtilité, à Pavlova et Karsavina, dont il fit les plus grandes danseuses de la nouvelle école, à tous les jeunes musiciens russes contemporains, qui furent ses premiers échassiers et ses premiers maîtres musicaux, possesseurs d'un thème, d'une raison de composer, qu'ils portaient en eux, comme lui dans son enthousiasme.

Que recherchait Diaghilev à ce moment-là ? dans un idéalisme fou, révéler à lui-même le monde nouveau ; et cela, de la façon la plus simple, la plus directe, la plus facile : par la peinture, la musique ; plus tard seulement il osera dire : et par la danse. L'influence de ses premiers voyages, toujours renouvelés : Florence, Venise, l'Académie et les autres musées, reviendront sans cesse dans notre tête, car Serge de Diaghilev a, avant tout, la mémoire oculaire, et ces œuvres — peinture, sculpture, ou même cités — ont une importance capitale dans la ligne, le style, la marque de son œuvre.

Applaudissements, hystérie, révélation, étonnement, on va se gifler ; une duchesse déclare : « J'ai soixante ans, et c'est la première fois qu'on se moque de moi. » Tout cela viendra plus tard, un an après la stupéfaction. Cette force, cette fraîcheur, cet apport de sang neuf dans le domaine du ballet seront une révélation aussi bien dans la peinture, dans le spectacle que dans tout domaine esthétique. On en resta muet, un moment, comme devant la découverte d'un monde

nouveau. Avant que Diaghilev ait dit à Cocteau cette phrase tant répétée et devenue célèbre : « Étonne-moi », les Russes avaient su nous étonner et nous conquérir.

★ 1909

Et, le mardi 18 mai 1909, ce fut la première des Ballets Russes au Châtelet, où, pour la première fois, Paris allait assister à une soirée consacrée entièrement à la danse, sans opéra ou intermède dramatique parlé.

Fokine avait réglé, pour *Le Pavillon d'Armide*, les danses de Nijinsky et de Mlle Karsavina avec un grand luxe. Ces danses étaient stylisées à la manière du XVIIe siècle avec l'étiquette de la cour du Roi-Soleil. L'action mimée était souple mais très majestueuse.

Durant l'entr'acte, les applaudissements, les exclamations continuèrent, et Robert de Montesquiou, jouant avec sa fameuse canne à pommeau d'or, n'arrêtait pas de gesticuler.

Paris était stupéfait et transporté. Des parterres d'une sorte de Versailles nous sommes transportés dans les steppes de l'Asie centrale. Les violons attaquent le prélude des danses polovtziennes, tirées du *Prince Igor*, de Borodine. Sur scène, on voyait les tentes rondes en peau, du campement tartare; sous un ciel doré et roux peint par Roerich, des femmes au pantalon bouffant faisaient cercle et agitaient leurs voiles. L'étonnante chorégraphie de Fokine, avec ses cadences dépourvues de symétrie, était le pendant exact du contrepoint, du chœur et de l'orchestre.

Le Festin permettait à la troupe tout entière de briller dans des danses nationales; plusieurs compositeurs en avaient orchestré la musique. Il s'ouvrait sur une marche de Rimsky-Korsakov, *Le Coq d'or*, puis venaient les danses extraites du *Lesghinka*, de Glinka, *Le Poisson d'or*, de Tchaïkovsky

et un final vibrant tiré de la *Seconde symphonie* de Tchaïkovsky. Nijinsky dansa avec Bolm, Morkine et Kosloff un pas de quatre qui suscita l'admiration et un enthousiasme délirant. La comtesse de Noailles déclara par la suite : « ... Je compris que je me trouvais devant un miracle, je voyais ce qui n'avait point existé encore. »

Les autres nouveautés de la saison furent *Cléopâtre*, *Les Sylphides* et *Les Orientales*. Quoique *Le Pavillon d'Armide* laissât percer le nouvel esprit et montrât le talent réel de chorégraphe de Michel Fokine, on n'y voyait pas les innovations sensationnelles de *Cléopâtre*, tirée de la nouvelle de Théophile Gautier, où la reine cherche l'amant d'une nuit, prête à mourir à l'aube. Fokine fit donner une nouvelle orchestration, et le ballet devint une vraie tragédie dansée, non plus une pantomime, mais un drame où les mots se

L'Oiseau de Feu (1910) nous propose le prodige d'équilibre le plus exquis entre le son, le mouvement et les formes », écrit Henri Ghéon, dans l'enthousiasme. Équilibre d'autant plus prodigieux que deux peintres collaborèrent avec Stravinsky et Fokine : Golovine pour les décors, Bakst pour les costumes. Ci-dessous : costume de Kostchei pour l'Oiseau de Feu, par Nathalie Gontcharova, qui redessina les décors et les costumes pour la reprise de 1926.

traduisaient en gestes et le chœur en un ensemble de mouvements. C'était une façon nouvelle de raconter l'histoire, laissant celle-ci se dérouler comme si on la lisait, mais sans texte, uniquement grâce à la musique, à la couleur, à l'expression : apport énorme et nouveauté. Les visages des danseurs au lieu d'être figés dans un sourire devaient exprimer la douleur et le désir. Bakst dessina des décors magnifiques. Entre deux hautes divinités rouges, s'ouvrait la cour d'un temple et l'on apercevait le Nil. Nijinsky était le jeune soldat, Karsavina, une jeune esclave, le rôle de Cléopâtre était mimé et non dansé : la beauté, le corps splendide pour l'époque de Mᵐᵉ Ida Rubinstein convenaient à ce rôle. « La liberté absolue de tout le corps, les chairs aperçues à travers les pantalons de soie fendus, les seins frémissant sous leur filet d'or, les cheveux en désordre, les bonds fantastiques des Éthiopiens, le drame intense et le tempo poussé à l'extrême, c'était là le spectacle de haute envergure, une date dans l'histoire de la danse contemporaine », écrit Romola Nijinsky.

La soirée avait débuté par *Les Sylphides* (Nijinsky dansait avec la Pavlova et Karsavina), évocation du style classique de la Taglioni, que Fokine composa comme un monument de chorégraphie traditionnelle sur la musique de Chopin. Benois avait créé pour les danseuses de longs tutus victoriens agrémentés de grandes ailes très fragiles. Le ballet se déroulait dans un décor lugubre et romantique, un lieu saint abandonné

et délabré. Nijinsky personnifiait Chopin. Il planait littéralement. D'un seul bond, il franchissait la distance du haut en bas de la scène. Les spectateurs en étaient bouche bée. Sauf dans la danse de style, qui exigeait une attitude et un costume particuliers, il tenait toujours les doigts rapprochés les uns des autres, d'une manière toute naturelle, « ses mains devenaient le feuillage de ses gestes », écrit Jean Cocteau. Il disait à sa femme que, si l'on voulait apprendre la bonne manière de se servir de ses mains, il fallait regarder les enfants qui agissent avec spontanéité : « On ne voit jamais un bébé tendre le petit doigt en levant la main. »

L'Opéra russe se tenait au Châtelet, qui, grâce à Diaghilev, de théâtre pour enfants était devenu le lieu de rendez-vous du Tout-Paris et avait été complètement réaménagé et décoré; ses représentations alternaient avec celles des ballets. *Boris Godounov, Ivan le Terrible* et *Le Prince Igor* étaient chantés par Chaliapine, Smyrnov, Kastrosky, Shernov, Lipkovska, Petrenko, étoiles de la Compagnie qui possédait également des chœurs merveilleusement formés. L'effet produit sur le public et les musiciens de Paris ne fit qu'amplifier la profonde impression qu'avait suscitée le ballet. Diaghilev avait déjà, en 1907 et 1908, présenté l'Opéra russe aux Parisiens, mais, dès 1909, l'alternance de l'opéra et du ballet ne faisait que renforcer l'importance, la compréhension, la valeur et l'admiration que ces œuvres soulevaient.

Avec Le Spectre de la Rose *(1911), Jean-Louis Vaudoyer, auteur de l'argument, donna l'occasion à Nijinsky d'incarner la « grâce » et de bondir jusqu'aux cintres. Ci-dessous : Nijinsky et Karsavina (la jeune fille).*

Petrouchka *(1911)*. En haut, décor d'Alexandre Benois pour le Ier acte : la Foire du Carnaval de Saint-Péters-bourg, en 1830. Benois opposait une imagerie populaire russe à la fantaisie de Bakst. Ci-dessous : une scène du ballet au Châtelet ; Benois collabora étroitement avec le chorégraphe Fokine pour régler les mouvements de foule.

Daphnis et Chloé *(1912). Si, pour les costumes et les attitudes, Bakst et Fokine s'inspirèrent des vases grecs, les décors sont purement imaginaires. Comme dans* Narcisse, *autre ballet « antique » (1911), Bakst se révélait un paysagiste remarquable. Ci-dessous : décor de l'acte III. A droite : Nijinsky.*

L'Après-midi d'un faune *(1912). Première chorégraphie de Nijinsky.
A la grâce qui caractérisait jusque-là les représentations de la Grèce (Isadora
Duncan, Fokine), Nijinsky oppose la puissance, une stylisation « sculpturale »
qui suggère le mouvement. Cependant, Bakst reste le peintre de la grâce, et il y a
un contraste frappant entre les gestes figés de Nijinsky, à gauche, et l'esquisse
de Bakst pour le faune, ci-dessus, empreinte d'une langueur toute romantique.*

Giselle ouvre l'année 1910. C'était un ballet français célèbre d'après le poème de Théophile Gautier, présenté la première fois en 1841. Le rôle le plus connu de Carlotta Grisi, la chorégraphie la plus affirmée de Petipa. La Pavlova adorait ces danses nocturnes, où les fiancées mortes avant le jour de leurs noces, ne pouvant demeurer tranquilles, ont cet amour du mouvement qu'elles n'ont pu satisfaire leur vie durant. Ce ballet n'obtint avec les Russes qu'un succès d'estime et l'on crut même que les décors de Benois étaient les restes d'une mise en scène d'Opéra.

Carnaval, que Fokine composa en Russie pour une fête, était dansé sur une musique de Schumann devant de lourdes tentures et deux canapés romantiques. Cette charmante fête masquée fut éclipsée par *Schéhérazade*, chef-d'œuvre de Bakst. Nulle part ailleurs il exprime si complètement ses idées créatrices, ce luxe de couleurs ; il n'utilise pas de portants, tout est peint. « A des bleus de saphir, à des verts d'émeraude, se mêlaient toutes les couleurs de la flamme : les rouges, les roses, les jaunes, les triomphants orangés », écrit Jean-Louis Vaudoyer, car ce fut avant tout un choc et un succès de couleurs et de spectacle, un éblouissement

pour les yeux, le ballet qui enchanta le plus la majorité du public de tous les Ballets Russes. Le succès de *Cléopâtre* avait encouragé Bakst à faire *Schéhérazade*. Il en imagina le livret et les décors avec sa passion de l'exotisme, se laissant aller dans tout ce que ce thème pouvait lui permettre de débauche coloriste et de folie magique orientale. Un shah part à la chasse, et, en son absence, les odalisques se font ouvrir les portes du harem par les Eunuques ; les esclaves noirs y pénètrent, l'orgie bat son plein, mais le shah revient et égorge les coupables... Plus que le thème, le décor et les costumes eurent le pouvoir d'exalter autant d'émotion que la danse la plus extraordinaire. On connaissait déjà les masques nègres, la peinture fauve, mais cette création réussit à émouvoir suffisamment le grand public pour lui donner notion et goût de la vraie couleur.

Jacques Rouché écrit cette année-là : « L'art pictural évolue. N'est-ce point temps de rajeunir chez nous la mise en scène, de la faire correspondre à la vision d'art exprimée par les peintres d'aujourd'hui, de l'harmoniser à un mouvement général d'idées et de la sensibilité dont il est presque paradoxal que seul l'art scénique ait pu s'abstenir jusqu'ici ? » *Schéhérazade* répondait à cette interrogation et en était la vivante image.

S'inspirant des attitudes des vases grecs, Nijinsky, dans L'Après-midi d'un faune, *voulut réduire la danse à quelques gestes essentiels. « Nous sommes dans une Grèce primitive, des bas-reliefs s'animent soudain. Le faune Nijinsky... se livre à des manifestations d'une animalité si osée que le public siffle. » (Jacques-Emile Blanche.)*

Les Orientales furent divertissantes dans le goût hindou. Le plus important motif de ce ballet, qui allait ensuite être exploité ailleurs, se fixait sur les mains, devenues moyen d'expression de premier plan comme dans toutes les danses d'origine orientale, « et c'est là que vient danser, déclare Vaudoyer, au son d'une musique ardente et triste, un petit dieu souple aux grâces de singe, balançant des houppes floches et tout caparaçonné » (Nijinsky).

La mise en scène de Golovine pour *L'Oiseau de Feu*, un jardin avec, au fond, le château de Kostchei entouré d'arbres, était merveilleuse de rêve et de stylisation, mais si étonnamment surnaturelle, si sensuelle qu'elle vous transportait dans un autre monde. Les costumes étaient dessinés d'après l'habit des indigènes russes, manteaux bordés de fourrure, raides d'or et de bijoux, bottes de cuir hautes et brodées. Stravinsky composa la musique avec un enthousiasme fou, Diaghilev, en le choisissant, prouva une fois de plus le don mystérieux qui sent le talent partout où il se trouve caché. Il lui donna tout de suite, comme à Nijinsky, l'occasion de déployer son talent. Plus qu'un ballet, c'est une partition accompagnée d'une vision décorative. Le sujet : un vieux conte russe où rien ne manque dans le genre féerie : ni le fils du roi, ni le sorcier, ni les treize princesses ensorcelées et captives. *L'Oiseau de Feu*, c'est le bon génie qui arrange tout. Un des moments les plus remarquables du ballet : tout à coup l'orchestre se tait, et la danse continue dans le silence, accompagnée seulement par un xylophone jusqu'à l'accord qui annonce la fin de l'envoûtement. Le scintillement, la palpitation de l'oiseau, tellement poétiques, enthousiasment la troupe, sauf une réfractaire, la plus inattendue, la principale interprète : Anna Pavlova, qui refusa de danser sur ces « inepties », quitta la troupe et fut remplacée par Karsavina.

★ 1911

Le triomphe de *Schéhérazade* et de *L'Oiseau de Feu* semblaient avoir bien établi que le caractère exotique des Ballets Russes était ce qui envoûtait réellement le public. Jacques Rivière écrit : « Bien des gens n'ont pas encore compris que ce qu'il fallait admirer dans les Ballets Russes, c'était la danse, qu'elle était l'élément solide de ces œuvres, ce qu'elles contiennent d'inaccessible à la mode... »

Les Ballets Russes vont plus loin, dans notre esprit : il y a ce que les gens comprennent, mais aussi ce qu'ils sentent,

Pour Le Dieu bleu *(1912), qui marqua la première collaboration de Jean Cocteau aux Ballets de Diaghilev, Bakst et Fokine voulurent retrouver les attitudes hiératiques des sculptures hindoues, mais Fokine s'inspira également des danseurs siamois qu'il avait vus en Russie. De l'avis de Cocteau, ce ballet ne fut pas une réussite.*

Costume pour Le Sacre du Printemps *(1913), par Roerich. Malgré le
caractère nouveau de la chorégraphie de Nijinsky, inspirée par les recherches
« rythmiques » de J. Dalcroze, le ballet fut dominé par la « scandaleuse »
musique de Stravinsky.*

que cette mode fut en fin de compte un style et qu'en dehors de la perfection de ses danses et de ses danseurs, qui restent pour mémoire et comme exemple, de ces choses qui paraissaient étranges à l'époque et qui aujourd'hui font démodé et même de mauvais goût, il y a tout le reste... La couleur qui influença aussi bien le public que le théâtre, la musique, l'expression, la mise en scène, le mime, l'art de tout exprimer même sans la parole et qui touchera jusqu'au cinéma.

Cette année 1911 débuta par *Narcisse*, poème mythologique jugé assez obscur, et par *Sadko* « au royaume sous-marin » répondant au désir d'exotisme des Parisiens. Brussels décrit ainsi cette réalisation : « Dans un décor d'un singulier effacement de coloris, les groupes, d'abord immobiles, s'éveillent et s'animent à la voix de Sadko... Tous les êtres sous-marins et le roi de la mer lui-même viennent tourbillonner et bondissent dans un de ces mouvements impétueux et irrésistibles où excelle le talent de Fokine. »

Vaudoyer rédige le livret du *Spectre de la Rose*, cette « perle romantique qui excite la sensibilité contemporaine », inspirée par un poème de Théophile Gautier, qui éveille toutes les aspirations du cœur. La jeune Karsavina rentre du bal et rêve d'une rose ; celle-ci s'incarne, prend les formes de Nijinsky, la charme, puis s'envole par une fenêtre et disparaît. La poésie de ce thème, sur la musique de Weber, la grâce de Nijinsky, son double bond final, la délicieuse rêverie de Karsavina firent de ce ballet un des succès de la saison, qui demeure encore et qu'on ne peut revoir sans émotion.

L'autre triomphe fut *Petrouchka*, comédie de tréteau, si l'on peut dire, burlesque, aux personnages traditionnels de foire et de carnaval, premier ballet national dont l'action se passe à Saint-Pétersbourg en 1830. C'est d'abord une parodie de danses classiques puis les démêlés de Petrouchka, pauvre marionnette de bois mais avec un cœur et un amour d'homme vivant. C'est en tout cas une des créations les plus parfaites de Diaghilev. Tout y collabore : la dramatique et touchante musique de Stravinsky, les décors de Benois, des plus réussis dans l'esprit d'imagerie populaire, une chorégraphie parfaite dont la beauté et le rythme croissaient à chaque tableau, une des plus originales créations de Nijinsky, qui se débat entre l'amour bafoué, le désespoir et la mort.

Le Lac des Cygnes était un ballet classique sur une chorégraphie de Petipa, donc une reprise. Deux actes seulement étaient présentés. C'est le Ballet romantique. La qualité des deux danseurs fut très applaudie.

★ 1912

1912 fut l'année des musiciens français : Debussy *(Faune)*, Ravel *(Daphnis et Chloé)* et Hahn *(Dieu bleu)*.

Le Dieu bleu fut le premier livret de Jean Cocteau pour Diaghilev. La chorégraphie de cette légende hindoue était fortement inspirée à Fokine, comme *Les Orientales*, par les danseurs siamois qu'il avait vus en Russie. Les critiques admirèrent les lumières bleues, les danses de caractère de Nijinsky et de Karsavina, mais ce ne fut point une révélation.

Jeux (1913). Première création de Diaghilev sur un thème contemporain (tennis et flirt), réunissant un homme, Nijinsky, et deux femmes, Karsavina et Schollar, Jeux *fut l'aboutissement des recherches de Nijinsky chorégraphe.*

Le grand critique André Levinson rapprocha « la tension des groupes, la brusquerie des corps », dans Jeux, *des « tendances les plus neuves de la peinture qui recherche la synthèse sur les voies de la simplification géométrique. »*

Karsavina dans la danse de Salomé *(1913).*

Thamar est un genre de femme vampire qui, sur un des sommets du Caucase, séduit un jeune seigneur étranger, l'enivre et le poignarde, le tout sur une musique de Balakirev; cela permet, à la demande de Diaghilev, d'inclure au répertoire un nouveau ballet de folklore que le monde réclamait et qui devait plaire. Karsavina avait suffisamment de talent dramatique pour incarner le personnage de Thamar, et Bolm, assez de virilité pour être le jeune seigneur qu'elle va séduire.

Daphnis et Chloé n'eut jamais de grandes chances et sera du reste assez vite emporté par la tempête de *L'Après-midi d'un faune*. La partition de Ravel restera cependant une des plus belles de ce compositeur et la chorégraphie de Fokine en est vraiment digne. Nijinsky, Karsavina, avaient la jeunesse, la juvénilité des héros de Longus et de leurs premières audaces. Ce ballet eut la malchance de venir après le *Faune*, d'être mal préparé et surtout sans trop d'enthousiasme de

la part de Diaghilev, préoccupé par les créations de son nouveau chorégraphe Nijinsky.

Le Prélude à l'Après-midi d'un faune est la grande « affaire » de la saison, tout comme *Le Sacre du Printemps* sera celle de la saison suivante. Au début de 1912, Nijinsky d'artiste-interprète devient créateur. Il s'élève à un rôle révolutionnaire, tourné vers l'avenir, et l'interrogeant, soucieux de bâtir sur des bases nouvelles, il se dépouille des attributs qui avaient fait sa gloire. Il est possédé par le besoin irrésistible de créer. Duncan, comme Fokine, se représentait la Grèce à travers les courbes gracieuses et houleuses des frises du Parthénon. Nijinsky adopta dans *Le Faune* un point de vue totalement différent. La puissance opposée à la grâce. « L'art selon Nijinsky, écrit sa femme, doit exprimer le summum avec un minimum de gestes simples, sculpturaux. » Phidias et Michel-Ange opposés à Praxitèle et à Jean de Bologne. Les maîtres de ballets au XIXᵉ siècle et jusqu'à Serge de Diaghilev concentraient tous leurs efforts sur la perfection du vocabulaire de leur temps, sans se soucier de l'idée du drame ou de l'époque du décor. Nijinsky, dans *Le Faune*, pour la première fois, employa et traita la danse comme un moyen en soi sans excuse ou explication. Inspiré par certaines visites aux musées, par la vue de vases grecs ou romains, Nijinsky eut l'idée de faire vivre ses personnages, dont les attitudes rejoignaient ses propres recherches plastiques. Il voulait ainsi modifier très fortement les attitudes conventionnelles de la danse, des pas employés quotidiennement et, pour cette raison, il n'hésita même pas à les inverser. Le ballet, dans l'ensemble, fut assez bien accueilli par la critique. L'idée du faune de Mallarmé était très simple : « Un faune sommeille, des nymphes le dupent, une écharpe oubliée satisfait son rêve. » A l'encontre de l'habitude, on bisse le ballet. La presse est favorable, sauf *le Figaro*, qui trouve cette démonstration inconvenante. Diaghilev saura exploiter ce scandale ; jusqu'à la fin de la saison toutes les places seront louées d'avance pour la représentation de cette nouvelle œuvre. L'exploitation de ce scandale fut pour l'époque, et grâce à Diaghilev, une nouvelle idée publicitaire, qu'il saura retrouver quelquefois et qui depuis a fait ses preuves.

★ 1913

Jeux de Debussy resta incompris. Ce ballet, grâce à Nijinsky, danseur et choréauteur, échappait au cycle des féeries ou du folklore russe, il mettait l'accent sur la beauté des gestes sportifs et une forme de l'amour moderne, le flirt, comme dirait Paul Morand. Levinson découvrait : « La tension des groupes, la brusquerie des corps présentaient des points de contact avec les tendances les plus neuves de la peinture, qui recherche la synthèse sur les voies de la simplification géométrique. » Cette œuvre, jamais reprise, tomba dans l'oubli. Pourtant Nijinsky était là, comme une sorte de prophète des prochaines idées chorégraphiques, mais il avait du mal à s'exprimer. « Ce qu'il avait à dire, dit Vaudoyer, était plus émouvant, plus important que la manière pourtant inégalable dont il le disait. »

Le choc, cette fois-ci, eut lieu dans le nouveau Théâtre des Champs-Élysées, récemment édifié, avec *Le Sacre du Printemps*, tableau de la Russie païenne, livret de Stravinsky et de Vorich, dernière chorégraphie de Nijinsky aux Ballets de Diaghilev. Il avait eu beaucoup de mal avec cette œuvre. Il fallut plus de six semaines de répétition pour en venir à bout, et les danseurs, complètement perdus par les nouvelles idées du chorégraphe, ne comprenaient pas ce qu'on leur demandait. Diaghilev avait prévu une part d'incompréhension égale de la part du public, et prévenu le chef d'or-

Ci-contre : deux costumes de négrillons, dessinés par Bakst pour La Légende de Joseph *(1914). Massine, chorégraphe de la seconde période des Ballets russes, y fit sa première apparition, dans Joseph. Un des derniers ballets voluptueux et hauts en couleur, dans la ligne de Schéhérazade, auxquels Diaghilev reviendra, après les expériences d'avant-garde à Paris, avec le somptueux ballet de* La Belle au Bois dormant, *en 1921 (Londres), dans la chorégraphie de Petipa et des costumes de Bakst. (Ci-dessus : le prince et le page.)*

169

chestre de continuer quoi qu'il arrive. Ce qu'il advint dépassa de loin ses espérances et ses inquiétudes. Ce fut une nouvelle bataille d'Hernani : on n'entendait plus du tout la musique ; les gens se battaient ; cette hostilité écarta pour un temps le musicien du ballet. Stravinsky se souvint longtemps de cette soirée du *Sacre* de 1913, où il fut insulté par toutes les loges, qui depuis le couvrirent d'encens. Les gens furent plus frappés par les nouveautés de la musique que par les efforts et les recherches du chorégraphe. Une fois de plus, comme souvent au ballet, l'une dépassait l'autre. Il n'y avait point possibilité d'équivalence. La critique fut très dure, Vuillermoz s'exprime avec le plus d'impartialité : « On n'analyse pas *Le Sacre*, on le subit avec horreur ou volupté, selon son tempérament... »

La Tragédie de Salomé, dansée par Karsavina, malgré la musique de Florent Schmidt, très belle, eut droit à un échec.

La saison s'acheva sur *Kovantchina*, drame populaire de Moussorgsky, et *La Nuit de mai*, opéra de Rimsky-Korsakov. Diaghilev fut très déçu, car le public n'avait pas suivi cette année-là ses audaces et sa hardiesse.

Après Londres, Nijinsky va s'embarquer pour l'Amérique du Sud, laissant Diaghilev, qui a toujours eu peur de la mer, se reposer en Europe. Il va se marier. Diaghilev lui envoie un télégramme pour lui dire que la Compagnie n'a plus besoin de ses services ; ce sera la fin presque complète de sa collaboration.

★ 1914

Fokine, qui avait abandonné Diaghilev à la suite des créations de Nijinsky, revient pour quelque temps. C'est une année de recherches. Diaghilev s'attache à Massine, dont il veut, au début, par dépit, faire un nouveau Nijinsky. Il le fait débuter dans *La Légende de Joseph*. Ce ballet est plutôt un mimodrame. Plus que la mise en scène de Sert et de Bakst, plus que la chorégraphie de Fokine, ce fut la première apparition de Massine qui défraya les commentaires parisiens.

Papillons, avec Karsavina et Fokine, resta longtemps au répertoire. C'était pourtant une adaptation de *Carnaval*, très charmante, mais qui ne toucha pas particulièrement les ballettomanes parisiens.

Les chinoiseries du *Rossignol* ne firent pas d'étincelles. C'est un retour d'Igor Stravinsky au ballet, cette fois sans bataille, mais aussi sans enthousiasme. Le décor de Benois, que Ravel admire, comme la chorégraphie de Romanov, n'a que de très lointains rapports avec la musique.

Fokine n'a pas eu assez de temps pour mettre au point le ballet *Midas*, comédie mythologique, et cela reste une œuvre sans grand intérêt.

La dernière sensation avant la guerre et avant la dispersion de la troupe, due à cette dernière cause, nous est offerte avec *Le Coq d'or*, opéra de Rimsky-Korsakov, dans le merveilleux décor de Nathalie Gontcharova, qui, après l'exotisme de Bakst, nous place devant les violents aplats d'une étonnante peinture de petite fille naïve. Ce ballet avait tout pour plaire, et il plut. Il apportait avec lui une fois de plus la couleur, l'esprit folklorique et légendaire du célèbre poème de Pouchkine, aux vifs accents de la paysannerie slave. L'idée de Benois, liant le chant à la danse, satisfit les plus sévères critiques.

« Celui qui suit ne mène jamais, recopie Diaghilev à dix-huit ans, après Michel-Ange. » Cette phrase est tout son programme ; une âme peut-être en désarroi perpétuel, mais qui ne change que pour se retrouver. Son caractère était d'une sensibilité féminine, capricieux, jaloux. Il ne conservait pas ses artistes auprès de lui. Il donnait sa chance à chacun ; une fois qu'ils étaient découverts et en pleine

possession de leurs moyens, il les rejetait comme un gant usagé : il menait toujours.

Ce fut un temps où l'époque courait si vite, si vite qu'il nous semble quelquefois difficile de la suivre. Un temps de courage, où l'argent intervenait moins qu'aujourd'hui, un temps d'exercices répétés cent fois, de collaborations aux ordres du *barine*, qui réunissait, sans s'en mêler ou dans le

Le Rossignol (1914). Décors et costumes d'Alexandre Benois. Ci-dessus : décor du troisième acte. Ci-contre : costumes de gardes du palais. L'opéra de Stravinsky sera repris, en 1920, sous le titre Le Chant du Rossignol, avec une chorégraphie de Massine, des décors et des costumes de Matisse (sur la page de gauche : dessin pour un costume de guerrier).

Le Coq d'or (1914), dernier ballet de Michel Fokine, termine la première période des Ballets russes de Diaghilev et inaugure le renouvellement du décor qui caractérise la seconde période, avec Massine comme chorégraphe. S'inspirant de l'art populaire russe mais se permettant toutes les audaces modernes de la composition et de la couleur, Nathalie Gontcharova, jeune artiste d'avant-garde que Diaghilev avait fait venir de Russie, peignit des décors tout en ocre, en or et en rouge, qu'elle amena en « petits morceaux » et qui firent sensation. Ci-dessus : projet pour un rideau.

désaccord général, une unité étrange, pleine de heurts, d'écarts, de fossés, d'accidents, de querelles, d'irritation qui sont, aussi étrange que cela puisse paraître, les éléments mêmes d'un ensemble.

Fokine d'abord, puis Nijinsky sont les chorégraphes et les metteurs en scène qui dépassent de loin toutes les conventions acquises et replacent la danse dans un cadre neuf, plus naturel, ou en tout cas inattendu, non seulement dans le cadre des règles de l'art, mais aussi dans le sens de l'exercice.

Sveltov, un des critiques les plus intéressants du moment, écrit : « A mon avis, nos peintres ont joué le rôle le plus important dans la révolution du ballet qui a lieu sous nos yeux. Ce sont eux les vrais auteurs de sa renaissance. »

C'est vrai et faux, cette renaissance est due naturellement à un tout, et le public est aussi surpris par la qualité inusitée des danseurs et des danseuses que par l'étrangeté de la musique et de l'ensemble, qui totalisent par ces différentes formes d'art réunies un nouveau moyen d'expression.

Le chorégraphe et le décorateur recherchent à travers les documents, les œuvres d'art, à reconstituer non seulement un cadre, mais l'expression plastique du danseur. Trahison sûre, comme le dit Vaudoyer, mais aussi sur cette base, création. Les uns comme les autres trahissent aussi le souvenir de ceux qui les virent danser. D'autre part, retour à une vision concrète, parce que nous n'avons que des souvenirs, des témoignages, peut-être. Mais de ces trahisons comme de ces témoignages sortent des aboutissements. Il en reste ce que nous ramassons : les lambeaux vrais, inoubliables, presque inexprimables que nous gardons dans notre cœur; mais il demeure, partie infime de ce que furent les Ballets russes : un météore qui file vingt ans, passe et repasse, tels ces grands oiseaux qui émigrent et qu'on a vu revenir avec tant de plaisir, car ils apportaient le printemps, l'inespéré sur leurs ailes.

JACQUES DAMASE

JACQUES ROUCHÉ

SAISON --
1910-1911

Théâtre
des Arts

PROGRAMME 50 cent.

LORSQUE parut en 1910 l'*Art Théâtral Moderne* de Jacques Rouché, le monde du théâtre en France vivait dans une quasi-ignorance de l'étranger. Seules quelques études sur le Künstler-Theater de Munich, dans la revue de Lugné-Poe, et l'irruption triomphale des Ballets russes, à l'Opéra, avaient brisé le mur d'indifférence à l'abri duquel se perpétuaient le chauvinisme et les profits réguliers du Boulevard. Pour la première fois, un essai révélait les travaux des novateurs allemands, anglais et russes, avec le souci de définir « un certain nombre de principes », et même un style. Dès les premières pages, Jacques Rouché situe la révolution des Ballets de Diaghilev, des peintres Bakst et Benois. Mais, soulignant « qu'il ne faut pas croire que cet ensemble de décors et de costumes constitue uniquement la rénovation théâtrale », il présente au public français « tous ceux qui sont à l'origine de réformes aussi puissantes ». Enfin connues les grandes lignes des recherches de Georg Fuchs, Max Reinhardt, Fritz Erler, Meyerhold, Stanislavski, Komissarjevskaia, Craig, Adolph Appia — une réflexion plus approfondie sur l'art théâtral devenait possible et pouvait aider à la libération d'un univers scénique encore à demi fourvoyé dans les impasses du sous-naturalisme ou du symbolisme littéraire. On peut s'étonner du silence de Jacques Rouché sur les créations du Théâtre d'Art (1890) et de l'Œuvre de Lugné-Poe (1893), ces deux modestes scènes « hors censure », dont l'étranger, bien avant Paris, mesurait les innovations. Sans doute faisaient-elles piètre figure auprès des créations relativement colossales des animateurs ou théoriciens étrangers dont les démarches ambitieuses s'inscrivaient directement parfois dans une véritable conception du monde, une puissante armature esthétique et sociologique. Évoquant les deux théâtres français qui engagèrent avec leurs peintres le premier combat contre le réalisme vulgaire et les perspectives de la toile peinte, Jacques Rouché dira plus tard qu'ils manquèrent, en somme, de « conception d'ensemble ». Mais en ces années où l'« explosion » des Ballets russes vient de mettre en question la routine décorative, de vieillir brutalement le terne et sacro-saint attirail de nos scènes, Jacques Rouché, retour d'un long voyage, se veut le porte-parole impartial des animateurs étrangers. « Nous réclamons pour le metteur en scène toute liberté, à condition que les moyens employés soient artistiques. » Négligeant les réformes relatives à la disposition du théâtre et à son organisation, il esquisse alors une sorte de programme qui définit les procédés et les idées scéniques capables de donner aux œuvres les plus traditionnelles « une âme nouvelle ». Souhaitant une « union plus grande entre le drame et les spectateurs », logiquement, il n'admet que « les éléments décoratifs indispensables à la compréhension de chaque scène » et insiste pour que la décoration soit construite à l'échelle des personnages : ce qui exige — que la pièce soit ou non réaliste — une constante stylisation du spectacle et du décor. « Ce que le décorateur ne doit jamais perdre de vue, c'est l'époque même où il vit, l'ensemble des sensations, des idées, des impressions, des notions communes à ses contemporains et qui constituent la *vision d'art* particulière à chaque génération. En vain prétendrait-on, pour la reconstitution du passé, et même pour la représentation du présent, obtenir, à grand effort de

Spectacle d'ouverture (1910) : Le Carnaval des Enfants, *de Georges de Bouhélier. Acte II, décor de Dethomas. Gaston Mars, Cécile Guyon, Mady Berry, Gina Barbiéri, Vera Sergine et Durec, metteur en scène, de Rouché.*

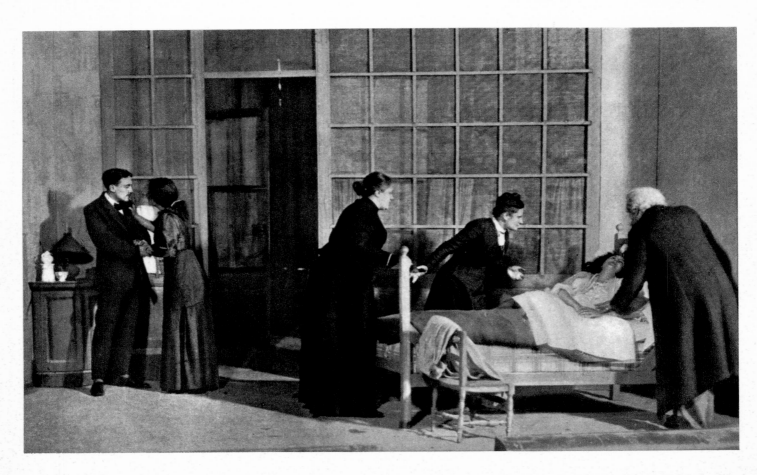

Décors du Carnaval des Enfants : « *Volonté d'appuyer sur le côté légendaire au détriment du côté naturaliste. Minimum d'accessoires. Importance donnée à la couleur, contribuant à créer l'atmosphère. Effets de lumière variant comme des intonations dans un dialogue. Décors gris bleu et ocre, donnant toute l'importance à certains noirs des personnages et aux couleurs acier, lie de vin et sang des défroques et de certains masques. »* (Notes posthumes de Maxime Dethomas.)

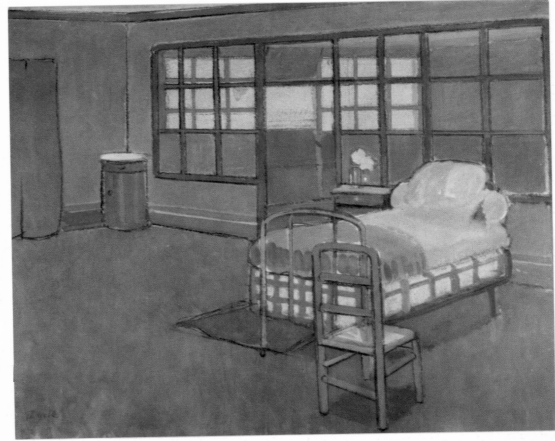

à figurer dans une galerie, mais comme une œuvre décorative. Qu'on me passe les termes techniques de métier, il sera traité en décoration et non en peinture. » Et il ajoute : « C'est la condamnation des décevantes perspectives du trompe-l'œil. Les lois qui régissent la composition décorative seront appliquées. On s'occupera des lignes et des couleurs. Les lointains, les paysages, les foules mêmes apparaîtront, tantôt comme dans une frise en ronde-bosse, tantôt comme sur les tapis d'Orient, les vases grecs, les miniatures persanes ou les estampes japonaises. » Malgré le travail déjà accompli en France par l'Œuvre de Lugné-Poe, ces objectifs parurent révolutionnaires, d'autant plus que les publiait un homme pondéré, que sa situation confortable et ses relations entouraient de l'estime générale. Leur réalisation fut parfois discutée. Mais telle fut la qualité des spectacles, qu'ils représentent une phase décisive de la bataille décorative commencée depuis la fin du siècle. Couleurs et lumières seront intimement associées à la mise en scène et leurs effets, très étudiés, joueront même un rôle essentiel tout au long du *Carnaval des Enfants* et des *Frères Karamazov*. Ainsi que le note Madeleine Horn-Monval, Rouché, le premier, « utilisa les tubes de Crookes par groupe de quatre avec quatre colorations, qui permettent de supprimer rampe, herses et traînées, de graduer les valeurs lumineuses et d'obtenir des harmonies d'ensemble ». Ce qui distinguera l'entreprise très personnelle de Jacques Rouché au Théâtre des Arts (1910-1913), c'est qu'elle aura permis d'appliquer les simplifications, l'atmosphère de couleur de Bakst et de Benois, à des formes dramatiques précises et moins libres que le ballet, grâce surtout au talent des décorateurs Maxime Dethomas (élève de Toulouse-Lautrec), Piot (élève de Gustave Moreau) et Drésa. Adaptés à tous les genres, leurs décors stylisés, avec une discrétion voulue, cherchaient à traduire fidèlement le rythme de chaque œuvre, sans en « pulvériser » jamais le texte ou la musique par quelque excès. Aux *surdécorateurs* russes — expression de Jean Variot — le peintre Valdo-Barbey reprochera précisément « l'intensité excessive d'une palette où domine le vermillon et le jaune citron, auprès desquels se détachent mal les costumes, et l'échelle désordonnée des fleurs et de certains

Affiche de Dethomas (1911). « Trois couleurs pour les décors : vieux rose, ivoire et vert sombre... Le noir mat des tricornes servant de lien entre les différentes couleurs des personnages. » (Notes de Dethomas.)

recherches érudites, une précision regrettable et laborieuse ; la vérité ainsi atteinte aujourd'hui paraîtrait demain fausse et surannée. Chaque âge se fait des diverses époques du passé une conception plus ou moins arbitraire et qui change avec lui ; il utilise pour cela les connaissances que la science lui livre, en les vulgarisant. Ainsi, pour certaines pièces, les précisions historiques paraissent superflues. » Enfin Rouché avance à son tour la proposition-clef : « Le décor devra être exécuté non comme l'agrandissement d'un tableau destiné

Costumes de Dethomas pour Le Festin de l'Araignée, *pantomime fantaisiste de Roussel (1913). « Décors et costumes, écrit Moussinac, s'élèvent ici au symbole... Le grossissement énorme de la nature est absolument réalisé. »*

Décor de Dethomas pour le prologue de Thésée, *de Lulli (1913), jardin à la française où l'Olympe descend féliciter le Roi. Ci-contre : costume de Sylvain.*

éléments du décor... » A la veille de la première saison, Jacques Rouché résumait ainsi les objectifs du Théâtre des Arts : « Mettre le décor au service exclusif du drame, c'est-à-dire lui imposer pour rôle : de resserrer l'action, de caractériser son milieu, de l'unifier par le style au poème, de donner du relief aux personnages, de situer dans l'espace ces personnages en réduisant ou en augmentant les proportions de la scène et en luttant contre l'importance que les décorateurs attachent à leurs accessoires, à ce faux superflu pittoresque, qui ne fait pas corps avec l'action, qui ne l'épouse ni ne l'exalte. Les décors, au lieu d'écraser l'action, doivent, si l'on peut dire, s'effacer ; les meilleurs étant, suivant le mot de Georg Fuchs, comme les bonnes ménagères, ceux dont on parle le moins. » Les spectacles de musique du Théâtre des Arts seront le point de départ d'une rénovation magistrale de la mise en scène des grands chefs-d'œuvre lyriques, enfin sauvés d'un vérisme ou d'un délire décoratif également mensongers.

Niou *(1911). Décor de Dethomas, acte III. Mady Berry et Dullin. « Aucun meuble de tapissier. Tout exécuté*
en bois et en toile et peint à la colle. Matité absolue des fonds, donnant aux personnages leur vrai plan, leur relief. »
(Notes de Dethomas).

Fils d'un professeur de l'École centrale et membre de l'Institut, Jacques Rouché, après des études à l'École Polytechnique et des Sciences Politiques, fut attaché au Cabinet du ministre du Commerce. Après une candidature sans lendemain à la direction du Théâtre de l'Odéon, il prit, en, 1907 la direction de la *Grande Revue*, où il publia Jules Renard, les premières œuvres de Giraudoux, des textes de Suarès, de Gabriele d'Annunzio et des critiques de Jacques Copeau. Au retour de son voyage d'étude en Italie, en Allemagne et en Russie, il s'entretint longuement avec Copeau et fixa le programme d'un nouveau théâtre. L'année même où parut *L'Art théâtral moderne*, il donna sa première représentation au Théâtre des Arts. Spectacle d'ouverture : *Le Carnaval des Enfants*, de Saint-Georges de Bouhélier, décor de Dethomas (1910), et *Le Sicilien ou l'Amour peintre*, de Molière, décor de Drésa. Le célèbre décor de Dethomas est un chef-d'œuvre de simplicité, intimement accordé à la pièce. « Il y avait là, raconte Léon Moussinac, une transfiguration de la réalité qui atteignait au symbole. L'agonie de Céline dans cette boutique triste que n'éclairait qu'une pauvre lueur de lampe, parmi la pauvreté des meubles, prenait une triste grandeur... Toute la vérité cruelle de la vie dans son essence

même et sans pittoresque. » Le décor de Drésa, lui aussi, décrit par Moussinac, était très stylisé, d'un bleu mystérieux, avec des costumes français de l'époque ou d'un Orient de miniature persane : les eunuques en vert agressif, Adraste en velours noir, turban rose et manteau doublé de vert. Ces audaces tranchaient violemment sur les poncifs traditionnels. Maxime Dethomas composa de nombreux décors pour le Théâtre des Arts. « Jamais l'idée du décor ne doit être séparé de la pensée du personnage : le décor accompagne respectueusement celui-ci et le complète. » Il créa celui de *Niou* (1911), des *Dominos*, de Couperin (1911), de *Thésée*, de Lully (1913), des *Eléments*, ballet de Destouches, du *Festin de l'Araignée*, de Roussel (1913), de *Trampagos*, intermède de Cervantès (1913). Il collabora à *Mil neuf cent douze*, revue de Muller et Gignoux (1912), qui réunit les décors de Delaw, Martin, Cartègle, Francis Jourdain, André Hellé et Hémard. Autre date importante : la création des *Frères Karamazov*, de Dostoïevski (1911), adaptation de Jacques Copeau. Copeau reprit au Vieux-Colombier les costumes et les principaux éléments du décor de Dethomas, regrettant, raconte Rouché, « de ne pouvoir remonter la présentation intégrale dans son ensemble ». Dethomas a noté lui-même l'esprit

LES FRÈRES KARAMAZOV

Adaptation du roman de Dostoievski, par Jacques Copeau (1911). Décor de Dethomas. La pièce sera reprise en 1914 au Vieux-Colombier, par Copeau, qui se servira des costumes et des principaux éléments du décor de la création. Dans sa saisissante composition de Smerdiakov, Charles Dullin, ci-dessus et à droite, révéla ce pouvoir de « poétiser l'horrible » dont parlait Copeau. Louis Jouvet et Copeau, qui n'étaient pas de la création, jouèrent respectivement le Père Zossima et Ivan au Vieux-Colombier. (Voir page 192.)

Le Sicilien ou l'Amour peintre, *de Molière (1910). Complément du spectacle d'ouverture. Décor de Drésa, peint dans le ton bleu de l'éclairage, froid, conçu pour mettre en relief les couleurs vives de somptueux costumes.*

de son décor : « Russie imaginaire, nullement documentée, faite de souvenirs et de lectures. Pour créer un recul, l'étrangeté des formes des habits aidant celle des personnages. Au second acte, décor volontairement rétréci, ajoutant à la gêne de l'action. » Ses notations pour *Le Festin de l'Araignée* sont caractéristiques : « Pour donner aux personnages leurs dimensions d'insectes, ciel du paysage supprimé. La ligne d'horizon tout en haut ; clarté centrale du décor donnée par un relief du ciel dans une pièce d'eau. » La fantaisie et la grâce un peu surannée de Drésa, amoureux des fêtes délicates, créèrent d'autres merveilles. Pour *La Nuit persane*, de J.-L. Vaudoyer, il fit jouer, écrit Moussinac, « des chromatismes colorés », mettant en valeur « les teintes vives des costumes ». « J'ai conçu un palais de toile peinte et je l'ai exécuté pour qu'on ne se méprenne pas sur mon intention, qu'il paraisse bien de toile et de peinture. » *Ma mère l'Oye* (1912), de Ravel, fut un enchantement, avec « ses costumes pittoresques aux fines couleurs, ses fonds simples et charmants ». Il créa encore *Les Aveux indiscrets*, de Monsigny (1913), *La Délivrance de Renaud.* Il y eut les décors lumineux, fluides et transparents, de René Piot, passionné d'un Orient

de légende ; les somptueuses mises en scène du *Chagrin dans le Palais de Han*, de Louis Laloy, musique de Grovlez (1911) ; d'*Idoménée*, de Mozart ; des *Fêtes d'Hébé*, de Rameau. Enfin, à leur tour, Desvallières, Miss Loyd, Guérin, Delaw, d'Espagnat (*Fantasio*, d'Alfred de Musset), Hémard, Segonzac et Poiret ouvrirent d'autres voies à la stylisation, loin des virtuosités de perspective et de trompe-l'œil. Le Théâtre des Arts présenta encore deux pièces de Bernard Shaw, *La Profession de Mrs. Warren* (1912) et *On ne peut jamais dire* (1913). Soudain, en octobre 1913, il ferma ses portes. La bataille décorative était gagnée. Mais le nouveau théâtre n'avait pas su ou pu susciter la création d'un répertoire adapté à son programme. Sans doute les coûteuses mises en scène et le nombre trop restreint des auteurs français capables d'inscrire leurs œuvres dans la ligne du nouveau théâtre pesèrent-ils sur la décision de Jacques Rouché, appelé, par ailleurs, à l'Opéra. Enfin, un autre théâtre s'ouvrait : le Vieux-Colombier (1913), de Jacques Copeau, au programme austère, presque ascétique. Là, les peintres qu'employaient de plus en plus les directeurs parisiens semblaient expulsés de la scène. Une simple toile de fond, l'absence d'ornementation, la simplicité des costumes,

MA MÈRE L'OYE

DRÉSA

Deux décors de Drésa pour Ma Mère l'Oye, de Maurice Ravel (1912). Premier tableau : la Salle du Palais où se rencontrent la Belle et la Bête.

Quatrième tableau : Laideronnette, impératrice des pagodes. De la tente drapée à la chinoise et ornée d'un dragon sortent pagodins et pagodines...

Le Marchand de Passions, *de M. Magre (1911). Décors de Delaw : spirituelle mise en images d'Epinal. Le déséquilibre entre le décor et la pièce fut critiqué.*

tout tendait à concentrer le spectacle sur le jeu des comédiens. Voie différente de celle du Théâtre des Arts. Mais Rouché avait donné l'élan. Copeau lui-même dira que « la seconde entreprise a été dans une certaine mesure héritière de la première. L'une et l'autre ayant chacune leur racinement intellectuel, le Théâtre des Arts, dans la *Grande Revue*, le Vieux-Colombier, dans la *Nouvelle Revue française* ».

A l'Opéra (1914-1936), Jacques Rouché, soutenu par le prestige des Ballets russes et secondé par Maxime Dethomas, poursuivit son œuvre de rénovation, au grand mécontentement, alors, des peintres scénographes traditionnels du style « Grand Opéra ». Ce décor d'Opéra, fait de reconstitutions habiles, de bric-à-brac, des médiocres surprises du trompel'œil, qui, depuis un quart de siècle, s'était figé dans la plus scrupuleuse routine, Rouché et son équipe du Théâtre des Arts lui enlevèrent définitivement toute chance de survie. Sur sa scène de vingt mètres, Rouché fera construire plus tard une scène tournante. Il s'attachera Serge Lifar. Il fera entrer à l'Opéra : Maurice Denis, Daragnès, Derain, Dignimont, André Boll, Chirico, Valdo-Barbey, André Helley, Larionov, Gontcharova. Quel chemin parcouru ! Les trois années du Théâtre des Arts ont bouleversé toutes les habitudes. Même si, en regard des audacieux pionniers de la fin du siècle, Jacques Rouché semble faire partie de ces aventuriers raisonnables à qui leurs moyens matériels enlèvent un peu de leur prestige, son « théâtre de la qualité » n'en a pas moins tracé, entre les conquêtes du Théâtre Libre et le Cartel, un éclatant trait d'union.

F. T.

Costumes de R. Piot, pour Le Chagrin dans le Palais de Han, *de L. Laloy, musique de Grovlez (1911). Sur les fonds volontairement simples des décors, rappelant d'anciennes estampes, des costumes aux colorations subtiles, aux broderies précieuses.*

Du rôle de Jacques Rouché
dans la carrière de Jacques Copeau

PAR FRANCIS DE MIOMANDRE

Lorsque, d'une plume distraite, quelque journaliste rappelle que le théâtre contemporain doit presque tout à Jacques Copeau, il exprime, malgré l'apparente exagération des termes, une grande vérité. C'est que la carrière de cet homme lucide et courageux représente une réaction contre tout ce qu'il y avait de faux, et surtout d'anti-poétique, dans le théâtre de son époque... Même ce qu'on lui a reproché, l'excès quelque peu puritain de son autorité, cela fait partie de sa doctrine, si juste, au fond, et si généreuse.

Du temps de sa jeunesse, c'était, exclusivement, indécemment, le règne de ce qu'on a appelé le « théâtre du boulevard » : c'est-à-dire quelque chose de frivole et de frelaté, et qu'animait en secret l'envie du succès matériel à tout prix. La satire aurait pu sauver ces pauvres productions, mais elle n'était pas sincère, elle non plus, elle ne dépassait pas le niveau de la blague, de cette blague parisienne qui se garde, comme de la peste, du moindre contact avec la vérité humaine. Une ingénieuse et puissante organisation de la réclame présentait,

Le Pain, « tragédie populaire » d'Henri Ghéon (1911). « Tentative d'héroïsation lyrique d'une action populaire » (J. Copeau). Dans un village où la guerre a passé, le boulanger Franc a conjuré la famine. Ci-dessous, 5e tableau : le peuple en liesse refuse aux riches d'hier le pain que le boulanger a pétri pour tous les hommes. Bravant l'hostilité, Franc (Roger Karl, à gauche) crie son indignation et son mépris... La foule se jettera sur lui. Charles Dullin, dans le rôle d'un vieux menuisier, « s'est taillé le succès que méritent sa puissante originalité, sa science de la composition... » écrit Jacques Copeau, qui ajoute : « J'ai particulièrement remarqué un jeune acteur, M. Louis Jouvet, qui, dans le personnage épisodique d'un maître charpentier, s'impose à l'attention par sa tenue, sa sobriété, et même une sorte de profondeur qui annonce l'artiste. » (Le Théâtre, décembre 1911.) Les décors étaient de Francis Jourdain.

soutenait et exaltait, l'une après l'autre et sans répit, ces pièces dont l'esprit nous paraît aujourd'hui, quand on les relit, si navrant à force de superficialité.

Si quelqu'un souffrait d'un tel état de choses, c'est bien Jacques Copeau, qui, pour ainsi dire par métier, se trouvait avec lui en contact quotidien. Car dans la *Grande Revue*, il occupait la tribune de critique dramatique, et, à peu près seul, je crois, dans la presse parisienne, il s'attaquait à ces pièces, il en dénonçait la fausseté et la bassesse, il en démontait le mécanisme et surtout il expliquait à quel point elles manquaient de poésie et de tendresse humaine.

Il va sans dire qu'une attitude aussi peu conformiste lui valait pas mal d'adversaires, et, puisque je vais parler de Jacques Rouché, je commencerai par dire combien fut perspicace et généreux cet homme, alors directeur de la *Grande Revue*, pour soutenir, comme il le fit, son rédacteur. Sans doute avait-il été séduit par la conviction de celui-ci, par son ardeur, par la sincérité de son idéalisme. Sans doute avait-il pressenti l'avenir, le bel avenir qu'avaient de telles idées, alors toutes neuves, une telle révolte contre la convention et la facilité. Je suis persuadé qu'on connaîtra plus tard, dans son détail, le rôle qu'a joué cette amitié, cette collusion de Rouché et de Copeau. Qu'il me suffise aujourd'hui de l'indiquer. Pour ma part, je n'en fus témoin que de biais, si je puis dire ; mais les quelques confidences que me fit l'auteur de *La Maison natale* m'ont suffi pour me rendre compte de ce qu'elle était en réalité et de l'importance qu'elle eut par la suite. Car, tant que Copeau ne fut que le rédacteur de la revue de son ami, il ne pouvait exercer d'influence que sur un petit nombre de camarades — dont quelques-uns, d'ailleurs, allaient devenir les fondateurs de la fameuse *Nouvelle Revue Française* — mais le jour où Jacques Rouché assuma la direction de la petite salle du boulevard des Batignolles, cette influence devint considérable, et je n'hésite pas un instant à affirmer que, sans le Théâtre des Arts, le Vieux-Colombier n'aurait peut-être jamais vu le jour. C'est au Théâtre des Arts que Copeau fit ses premières armes, c'est là qu'il fit jouer *Les Frères Karamazov*, c'est là que son nom fut révélé, avec quel éclat, au grand public.

Je connaissais Jacques Copeau depuis quelques années. Nous étions très jeunes alors et (coïncidence curieuse) tous deux attachés à une galerie de tableaux : lui chez Georges Petit et moi chez Bernheim jeune. La distance n'est pas grande entre la rue Richepance et la rue de Sèze, et je la franchissais souvent, attiré que j'étais par la « personnalité » de Copeau, par ce que je sentais en lui de puissant et d'authentique, par ce qu'il avait déjà d'autorité. C'est chez Georges Petit, au cours de nos entretiens en fin de journée, le travail fini, qu'il me fit ses confidences, qu'il m'exposa ses projets. Et je me rappelle à quel point je fus ébloui par leur ampleur. C'est lui qui me parla le premier de Charles Dullin, qu'il avait découvert par hasard, et qu'il trouvait l'acteur idéal pour le rôle de Smerdiakov dans *Les Frères Karamazov*, où ce jeune homme fut en effet une révélation.

Quelle que fût la noble et belle sympathie mutuelle de Rouché et de Copeau, quelle que fût l'aide apportée à ce dernier par le Théâtre des Arts, cela ne pouvait pas suffire aux ambitions de celui qui, déjà, rêvait d'une scène à part, laquelle aurait été l'émanation, si j'ose dire, de cette N. R. F. qu'il était en train de fonder avec Gide, Schlumberger et quelques autres.

Et, de fait, quelque temps après, Copeau ouvrait rue du Vieux-Colombier cette salle qui fut tout de suite célèbre, cependant que, de son côté, Rouché prenait la direction de l'Opéra, avec la compétence que l'on sait. Si donc il y eut séparation, elle eut lieu de la façon la plus courtoise et la plus naturelle. La suite appartient à l'histoire contemporaine la plus connue. Mais elle m'intéresse personnellement, à tel point que je veux encore ajouter quelques mots : sur ces débuts, justement, du Vieux-Colombier, sur ces quelques mois d'avant guerre où Copeau nous révéla tant de choses ; et d'abord cette étonnante *Femme tuée par la douceur*, de Thomas Heywood, jouée dans un décor dont la formule de simplification, si puissamment évocatrice, me sembla l'idéal de la mise en scène, mais que plus tard notre théoricien réduisit à quelque chose de décharné et de sec, comme si le seul jeu des acteurs pût créer l'illusion scénique totale. Puis ce fut l'exquis *Carrosse du Saint-Sacrement*, où la belle Valentine Tessier fit ses éblouissants débuts et où Copeau lui-même fut un si savoureux Vice-Roi, plein de colère et d'amour. Enfin ce furent les deux merveilles de Shakespeare : *La Nuit des Rois* et *Le Conte d'Hiver* qui nous valurent, entre autres surprises, la révélation de Jouvet, clown prodigieux. Quelle que soit l'interprétation qu'on veuille donner aux évènements, il est impossible de nier leur filiation ; et il est d'une évidence absolue que, sans Copeau, sans sa doctrine, sans l'influence de son idéal, sans cette volonté qu'il eut d'infuser de la poésie et de la vérité dans un théâtre qui n'était qu'artifice et sécheresse, nous n'aurions eu ni Dullin, ni Jouvet, ni Baty. Et l'on sait le rôle qu'ont joué ces trois hommes. Et l'on sait ce que le public, sans s'en douter, leur doit, pour tout ce qu'ils ont fait, même parfois à l'encontre de celles des théories de leur maître qui n'étaient pas essentielles. Car la mise en scène n'est après tout qu'une chose secondaire, et c'est seulement sur ce dernier point que les trois disciples différèrent de l'initiateur.

Mais ce que l'on connaît le moins, et que la plupart ignorent complètement, c'est le rôle joué dans cette aventure intellectuelle par Jacques Rouché. Oui, c'est chez lui, c'est dans son bureau de la *Grande Revue* (j'en fus témoin) que prit naissance l'idée du Théâtre des Arts tel qu'il nous fut alors montré, et c'est dans son Théâtre des Arts que fut conçu le Vieux-Colombier. C'est dans cette chaude atmosphère d'amour du vrai et de poésie, où furent représentés *La Folle Journée* et *Le Carnaval des enfants*, que purent naître *Les Frères Karamazov*. C'est là que Jacques Copeau prit conscience de ce qu'il était, de ce qu'il pouvait. Je suis certain qu'on saura, un jour, l'influence qu'il exerça sur son aîné, par son enthousiasme, sa ferveur, son entraînante conviction. Il y eut, entre ces deux hommes, une relation mutuelle, une circulation d'idées et de sentiments, qui fera comprendre bien des choses dans l'histoire littéraire de ce demi-siècle. D'ores et déjà l'on peut dire non seulement que, sans Copeau, le théâtre contemporain n'existerait pas sous la forme que nous lui voyons, mais encore que, sans Rouché, Copeau n'aurait sans doute pas eu la vision de la carrière qui s'ouvrait devant lui ni la force suffisante pour s'y lancer.

FRANCIS DE MIOMANDRE

JACQUES
COPEAU

ET LE

VIEUX-COLOMBIER

COPEAU, PAR BERTHOLD MANN

U N jeune critique dramatique pas commode, qui éreinte Paul Hervieu et Edmond Rostand, une « longue figure », comme dira Henri Béraud, du cénacle de la N. R. F., ami d'André Gide, un amateur distingué dont les dons littéraires et artistiques sont certains, tel dut apparaître Jacques Copeau aux yeux du public d'élite qui suivra les premières soirées du *Vieux-Colombier* d'octobre 1913 à mai 1914. Certes, il a pris soin de définir clairement ses exigences. C'est un véritable manifeste que le texte publié dans la N. R. F. de septembre 1913, sous le titre : « Un essai de rénovation dramatique ». Copeau y dénonce « l'industrialisation de la scène française ». Il y affirme son ambition de rendre au théâtre « son lustre et sa grandeur ». Ce réformateur de trente-quatre ans sait clairement ce qu'il veut. Il n'acceptera aucun compromis, récusera toute compromission. On pourrait dire de lui ce qu'il a dit de Molière : « Ce garçon de souche bourgeoise et de bonne culture est possédé d'une frénésie presque physique, celle d'agir sur le théâtre... Ce grand esprit va se mettre au service d'une entreprise et dans la dépendance du public. »

COPEAU ET ANTOINE

L'historien soucieux de ne pas fausser les perspectives peut trouver excessives certaines condamnations portées par Copeau. Lui-même nuancera, par exemple, sa sévérité à l'égard d'un Antoine. Non qu'il n'ait pas toujours respecté l'homme. « Si nous ne trouvons pas dans votre enseignement pleine satisfaction, vous resterez cependant à nos yeux le seul maître vivant, le seul homme d'action qui, jusqu'au jour présent, ait honoré le théâtre contemporain et l'ait marqué de son empreinte... Nous vous aimons surtout parce que vous êtes Antoine : un homme sincère, loyal et vaillant... Nous vous aimons parce que vous avez toujours été un bon ouvrier, épris de son ouvrage, peu ménager de sa peine... Depuis que vous êtes le « patron », Monsieur, il n'y en a pas d'autre. » Cette lettre ouverte que publiait *Comœdia* (29 octobre 1913), on voudrait la citer tout entière. Copeau y remerciait Antoine d'avoir incité son public de l'Odéon à s'intéresser à son effort. Il le faisait avec cette distance, avec ce respect sans flagornerie, cette conscience extrêmement lucide de ses propres desseins, qui a toujours été le propre de notre intransigeant « réformateur ». Plus tard, il fera le point avec rigueur. « Nous assistions, aux alentours de 1913-1914, à la décrépitude de la formule réaliste que, si brillamment, avec tant d'énergie et tant d'art, Antoine avait mise en honneur. A vrai dire, les hommes qui avaient entre vingt-cinq et trente-cinq ans à ce moment-là, qui aspiraient à produire de la beauté, n'avaient point d'avenir ouvert devant eux, ils ne savaient à qui s'adresser. Et c'est alors que la pensée vint à un groupe d'artistes que le moment était peut-être venu de lutter, de réagir contre cette effroyable décadence. C'est de cette pensée qu'est né le théâtre du « Vieux-Colombier. » (Conférence prononcée le 21 décembre 1920 au Palais du Conservatoire de Lyon.)

Opposer Copeau à Antoine est devenu une sorte de pont aux ânes. Ces deux grands novateurs ne se rencontrent-ils pas à une certaine hauteur ? Jules Lemaître, ironisant un peu facilement à propos des ambitions d'Antoine, telles que le fondateur du Théâtre Libre les exprimait dans sa fameuse brochure rouge (mai 1890), écrivait : « On ne peut pas faire tout le temps du grand art, même naturaliste ! Si les vœux de M. Antoine étaient réalisés, le théâtre deviendrait quelque chose d'un peu bien austère. » (26 mai 1890.) Ce reproche, nous le retrouvons presque mot pour mot dans l'article où Paul Souday, rendant compte du spectacle d'ouverture du Vieux-Colombier, en juge excessif le parti pris de dépouillement. « Je ne sais quelle atmosphère puritaine, germanique, munichoise règne dans ce théâtre du Vieux-Colombier. Les organisateurs semblent apporter un peu d'indiscrétion à nous faire savoir que nous ne sommes pas là pour nous amuser. » (24 octobre 1913).

Affiche de lancement du Vieux-Colombier.

COPEAU ET GIDE

« Depuis dix ans que nous vivons, Gide et moi, tout près l'un de l'autre... », écrivait Copeau à Suarès, le 12 septembre 1912, de sa propriété du Limon. L'intimité intellectuelle et artistique de Gide et de Copeau, qui s'étendit sur plus de vingt ans, n'est pas, à notre sens, une des moindres composantes du phénomène du Vieux-Colombier. Il est vrai, comme le pense un Léon Chancerel, témoin capital, que Jacques Copeau a d'abord et, peut-être jusqu'au terme de sa vie, eu l'ambition de faire une carrière d'homme de lettres ; l'influence de l'auteur des *Nourritures terrestres* en est la source. Gide, si attentif au jugement de Copeau, à qui il soumettait ses manuscrits, Gide qui se méfiait de l'art du théâtre, Gide qui apportait, à définir ses règles esthétiques, une sorte de rigueur morale, Gide serait ainsi à l'origine d'une vocation étrangement paradoxale. La cure la plus radicale qu'ait subie le théâtre français — et il nous paraît difficile d'en contester les heureux résultats — lui a été imposée par un homme qui n'a cessé d'éprouver les limites de son art et qui, peut-être, ne l'aimait pas. En rapportant constamment aux grands classiques la mesure de toute création théâtrale, Copeau exprime moins une volonté de classicisme qu'une sorte d'exigence impitoyable. Il soumet l'art du théâtre à une ascèse purificatrice presque insoutenable. Gide, dont Copeau s'éloignera à partir de 1924, année tournante qui vit à la fois sa conversion à un catholicisme très mystique, le coup de semonce de la maladie, et son renoncement au Vieux-Colombier et à Paris, a exprimé sans équivoque ce qu'un tel projet offrait de chimérique et de contradictoire. « Son immense effort resta sans relation directe avec l'époque. C'est contre elle qu'il luttait, comme doit faire tout bon artiste. Mais l'art dramatique a ceci d'affreux qu'il doit faire appel au public, compter avec lui et sur lui. C'est bien là ce qui fait que je m'en suis détourné, me persuadant de plus en plus que la vérité n'est pas du côté du plus grand nombre. Copeau, tout en s'en défendant, travaillait pour une élite. Il voulait mener à la perfection, au style, à la pureté, un art essentiellement impur et qui se passe de tout cela. » (*Journal,* 15 janvier 1931.)

Le numéro de la Nouvelle Revue Française *du 1ᵉʳ septembre 1913 où parut le manifeste de J. Copeau.*

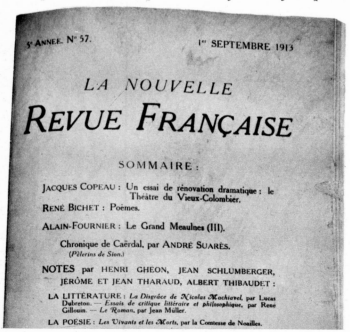

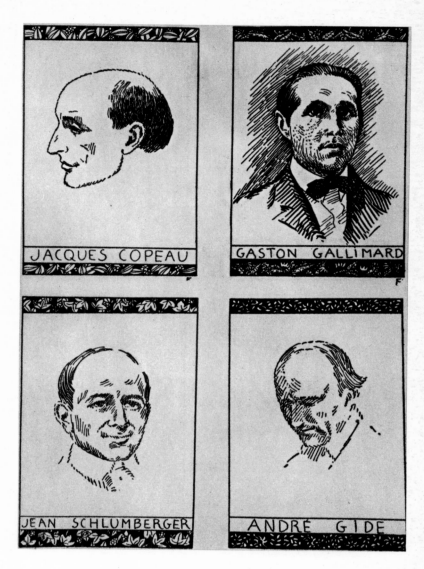

Fondateurs et amis du « Vieux-Colombier ».

COPEAU, CRITIQUE DRAMATIQUE

Il ne serait pas difficile de déceler les premières manifestations de cet amour sourcilleux et, en quelque sorte, vindicatif du théâtre dans l'œuvre critique de Copeau. C'est par l'exercice de la critique que le collaborateur de *L'Ermitage,* de la *Grande Revue* et de la *Nouvelle Revue Française* est venu au théâtre. Certes, le théâtre des années 1900 n'était pas fait pour inciter à l'indulgence ce jeune homme, que hantait l'exemple de Gœthe et de Dostoïevsky. Voici comment il définit la mission du critique : « La mission du critique n'est pas de ménager les nerfs de ses contemporains. Dût-il sembler chagrin ou ridicule, dût-il rester aveugle à certains mérites secondaires, je veux que, suivant l'exemple d'un classique, il en appelle aux plus illustres des anciens de la qualité des ouvrages nouveaux ; je veux qu'il se répète avec Gœthe : « Il ne faut pas provoquer la production d'œuvres » superflues quand il y en a tant de nécessaires qui ne sont pas accomplies... car il n'y a que les œuvres extraordinaires qui soient utiles au monde. » Je veux enfin qu'il soit sincère, grave, profond, se sachant investi, à l'égal du poète, d'une fonction créatrice, digne de collaborer au même œuvre que lui et de porter, comme lui, la responsabilité de la culture. » (*Nouvelle Revue Française,* janvier 1911.)

Quel auteur vivant trouverait grâce aux yeux de ce zélateur qui ne voit partout que marchands dans le temple ? Rostand ? « Il porte au plus haut degré ce don funeste entre tous à la sincérité poétique : *l'ingéniosité littéraire ! (La Grande Revue,* 25 février 1910.) Hervieu ? « La forme de M. Paul Hervieu accuse ce manque de *sympathie* et de *sincérité,* faute desquelles il n'est pas d'art dramatique. » *(L'Ermitage,* mars 1904.) Bataille ? « M. Henry Bataille serait peut-être un grand auteur dramatique s'il avait plus de goût, de franchise et d'austérité. » *(La Grande Revue,* avril 1910.) Chez ceux-là, Copeau pourchasse les ruses du métier, la théâtralité gratuite, l'insincérité. Volontairement sourd sans doute à l'accent ironique de cette « absurde maxime », il s'indigne de la phrase de Dumas fils : « Un homme sans aucune valeur comme penseur, comme moraliste, comme philosophe, comme écrivain, peut être un homme de premier ordre comme auteur dramatique. » (Préface du *Père prodigue,* 1869.) De là vient qu'il paraîtra mettre en quarantaine les auteurs, ses contemporains, à l'exception de deux ou trois amis de la N. R. F., leur opposant la perfection des grands morts. De là vient aussi qu'on a pu reprocher à Copeau d'être demeuré impuissant à susciter un poète nouveau, le poète dont il rêvait, l'égal d'Eschyle ou de Shakespeare, et de n'avoir pas été ce poète-là lui-même. C'est cependant Albert Thibaudet qui nous paraît avoir raison lorsqu'il remarque dans son *Histoire de la Littérature française de 1789 à nos jours :* « S'il serait injuste de dire que le Vieux-Colombier n'eut pas d'auteurs, c'est un fait qu'il n'en chercha pas : les projets de Copeau ne comportaient encore qu'une cure physique, un nettoyage de l'instrument, une formation de l'acteur et du public. »

Jean Schlumberger, qui, avec Gaston Gallimard et Charles Pacquement, aidera Copeau à assurer l'assiette financière et administrative du *Vieux-Colombier,* rappelle que l'ambition de Copeau était plus haute encore, plus chimérique en un sens : « Dans ses articles de critique (Copeau) s'était opposé d'emblée à presque tout le théâtre d'alors, à ses mœurs, à ses auteurs, à ses thuriféraires. Il se refusait à toute indulgence pour ce qui ne paraissait supportable qu'en comparaison de ce qui était pire, et ses jugements cherchaient résolument leurs références dans une sorte d'absolu. Des condamnations assenées de si haut exposaient aux représailles, mais il faut reconnaître qu'aucune d'elles aujourd'hui n'est à réviser. Les raisons profondes de cette intransigeance, sa portée quasi mystique ne furent clairement discernables que plus tard, quand il apparut que la création d'une scène déjà mondialement réputée la plus intéressante de Paris ne représentait aux yeux de Copeau qu'une première étape, et que son ambition visait à tout autre chose, à une complète revalorisation du théâtre et presque à l'instauration d'un culte. » *(Éveils,* Gallimard, 1950, p. 234.)

LE TRÉTEAU NU

« Pour l'œuvre nouvelle, qu'on nous laisse un tréteau nu ! » Cette revendication, qui clôt le manifeste de septembre 1913, exprime un triple refus. Copeau, qui a lu l'enquête de Jacques Rouché, son directeur à la *Grande Revue,* éprouve une grande méfiance à l'égard des réformes russes ou allemandes. Il apprécie peu les recherches de pure technique scénique que Rouché analyse dans son livre *L'Art théâtral moderne* (1910). Il est choqué par la « lourdeur pédantesque » dont s'embarrassent parfois les théories d'un Stanislavski ou d'un Meyerhold, d'un Reinhardt, d'un Fuchs ou d'un Erler, d'un Craig même. Et, surtout, « la tare des réformes scéniques étrangères, c'est que, jusqu'ici du moins, elles ne marchent de pair avec aucun mouvement dramatique caractérisé. Tenir pour telle

« COPEAU, A VINGT-SEPT ANS, EN PARAIT DIX DE PLUS ; SON VISAGE TROP EXPRESSIF EST DÉJA FATIGUÉ PAR LES SOUFFRANCES... » (ANDRÉ GIDE. - JOURNAL, 1905.)

La salle du Vieux-Colombier (ex-Athénée-Saint-Germain) après les transformations de Francis Jourdain. Scène agrandie et prolongée par un proscenium. Nouveau cadre de scène, noir, aux lignes sévères, derrière lequel coulissait le célèbre « rideau vert ». Plateau garni d'un jeu de rideaux et de pendrillons mobiles en toile d'amiante montés sur tringles, permettant une rotation rapide (seule machinerie). A droite : la nouvelle entrée du théâtre. Dessin de Fauconnet.

ou telle formule décorative, c'est toujours s'intéresser au théâtre par l'*à-côté*. Se passionner pour des inventions d'ingénieurs ou d'électriciens, c'est toujours accorder à la toile, au carton peint, à la disposition des lumières une place usurpée, c'est toujours donner, sous une forme quelconque, dans les *trucs*. Anciens ou nouveaux, nous les répudions tous. Bonne ou mauvaise, rudimentaire ou perfectionnée, artificielle ou réaliste, nous entendons nier l'importance de toute machinerie » (N. R. F., septembre 1913).

Que le *Vieux-Colombier*, dès sa naissance même, ait été miraculeusement préservé de tares semblables, l'historien n'a que trop de bonnes raisons d'en douter. La collaboration de Louis Jouvet et de Jacques Copeau n'apportera-t-elle pas à cet *à-côté* de l'art du théâtre une exceptionnelle contribution ? Si nu que soit le tréteau que Copeau entend offrir au poète

comme un pur tremplin, il relève néanmoins d'une conception architecturale parfaitement calculée. Le rôle que, dès la saison 1913-1914, joueront la lumière dans les mises en scène de Copeau, le choix des matières et des couleurs des costumes, la stylisation du décor et, plus tard, la très savante structure du dispositif fixe pourront, à juste titre, paraître relever d'une vue assez systématique et, pour le moins, d'une conception qui ne laisse pas de céder aux tentations des « commodités » et, bientôt, du procédé.

S'il refuse de succomber aux prestiges des machines, Copeau refuse aussi les facilités du réalisme. Antoine a restauré le naturel, le goût du vrai, sur la scène française, un peu comme Molière en son temps. Copeau ne remet pas en cause cette conquête. Mais il enregistre la faillite du naturalisme. Depuis qu'il est entré en littérature, un

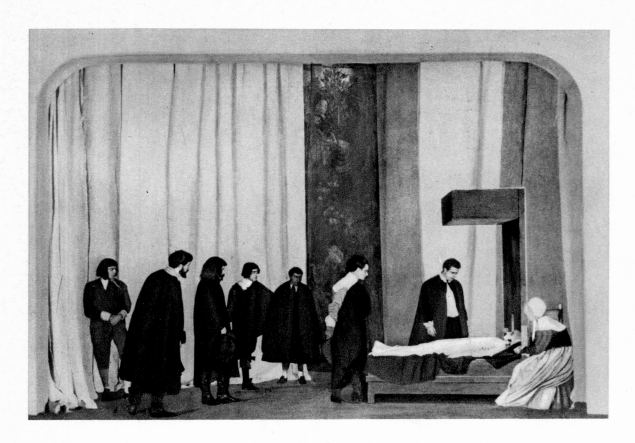

Une Femme tuée par la douceur : *Drame élisabéthain de Thomas Heywood, adapté par Jacques Copeau. Spectacle d'ouverture (octobre 1913). Charles Dullin y jouait le rôle de Nicholas, Copeau, celui du séducteur Wendoll. Décors de Francis Jourdain : des rideaux.*

peu comme on entre en religion, il s'est d'instinct dressé contre cette esthétique. Ce n'est pas dans les naïvetés naturalistes que le théâtre retrouvera sa vérité. Interrogeons les grandes époques de son histoire : elles nous livreront les secrets d'un grand art, en nous familiarisant avec des systèmes très différents de conventions, avec des styles non moins variés, avec ces grands poètes qui, d'Eschyle à Molière, sans oublier le grand Will, ont résumé en eux-mêmes l'essentiel du théâtre. A cette hauteur les querelles d'école paraissent dérisoires : réalisme, naturalisme, symbolisme ne sont plus que des mots.

Enfin, « le tréteau nu » est une réaction contre les abus de la décoration, une véritable machine de guerre tournée contre les peintres, dont les Ballets Russse avaient assuré le triomphe. Et un Jacques Rouché lui-même, au Théâtre des Arts (1911-1913), avait donné la main à cette victoire.

Encore une fois, le parti pris de Copeau, en 1913, est moins le fait d'un esprit systématique que celui d'un esprit ascétique. « Nous voulions apporter dans notre travail une grande probité, nous voulions surtout relever très haut le point de vue professionnel de l'acteur, nous voulions trouver un point de départ pour cette rénovation, pour ce renouvellement dont nous avions soif et faire table rase de tous les éléments théâtraux du spectacle. C'est ainsi que nous nous étions portés d'emblée vers la simplification presque radicale du décor. Il fallait voir là pas tant un principe esthétique que le désir de montrer précisément que l'œuvre dramatique trouvait son expression essentiellement dans le jeu. » (Lyon, 1920.)

La Jalousie du Barbouillé :
farce de Molière (1914).
« *Nous y prenions* ce goût
de la farce nue *qui comman-
dera plus tard beaucoup de
nos recherches.* » (*Jacques
Copeau.) Dessin de Dulac.*

Ci-dessous : L'Amour médecin, *décors de Francis Jourdain (1913).* « *Un moment
délicieux de folle gaîté française...* » (*F. de Miomandre).
De gauche à droite : M. Guillaume, en jaune (Roger Karl),
Aminte, en gris (Blanche Albane), Sganarelle, en habit
chaudron (Cariffa), Lucrèce,
en mauve (Gina Barbiéri), et
M. Josse, en vert (Bardy).
« ... Vivement éclairés par
la rampe, on les eût dit
peints sur la toile gris perle.* »
(*J. Copeau.)* Un « *grand
cadavre bègue* » fit mourir de
rire André Suarès : Louis
Jouvet, le médecin Macroton.*

LE RÉPERTOIRE DE LA PREMIÈRE SAISON

Le choix du répertoire de la saison d'ouverture 1913-1914 et la manière dont Copeau fit répéter sa Compagnie marquèrent tout de suite une volonté de rupture avec le goût et les mœurs du théâtre contemporain.

Le Théâtre du Vieux-Colombier, installé dans la salle de l'Athénée-Saint-Germain, « sordide boyau », selon Schlumberger, transformé sans frais excessifs, avec le concours de Francis Jourdain, « situé sur la rive gauche, au carrefour de la Croix-Rouge, voisine des Écoles », au 21 de la rue du Vieux-Colombier, affichera en huit mois quinze pièces. Copeau tient, en effet, au principe de l'alternance. C'est le meilleur des stimulants. Molière, dès le premier jour : *L'Amour médecin* qui fait affiche avec la pièce de l'élisabéthain Thomas Heywood, *Une Femme tuée par la douceur*, puis *L'Avare*, où Dullin trace la première esquisse de son inoubliable Harpagon, et *La Jalousie du Barbouillé*, dont Paul Léautaud dira : « M. Jacques Copeau a monté *La Jalousie du Barbouillé* de la façon la plus amusante, la plus colorée. Il l'a fait jouer dans un ton de farce, même un ton de guignol, dont je n'oserais pas assurer qu'il est dans la tradition, mais qui a eu un vrai succès. » *(Mercure de France,* 1ᵉʳ mai 1914). Après Molière, Musset, avec *Barberine.* Et les auteurs amis de la jeune maison, qui a trouvé un point d'appui solide à la N. R. F., Jean Schlumberger *(Les Fils Louverné),* Henri Ghéon *(L'Eau-de-vie),* Roger Martin du Gard *(Le Testament du Père Leleu) ;* et Paul Claudel, avec *L'Échange ;* quelques pièces en un acte : *La Peur des coups,* de Courteline, *Le Pain de ménage,* de Jules Renard, *La Navette,* d'Henry Becque, *La Farce du savetier enragé,* adaptée d'un anonyme du XIVᵉ siècle par Alexandre Arnoux ; la reprise des *Frères*

Karamazov, que Copeau et son ami Jean Croué avaient fait jouer au Théâtre des Arts en 1911 ; Shakespeare enfin, avec *La Nuit des Rois,* adaptée par Théodore Lascaris, qui fit s'écrier à Granville Barker : « J'ai été stupéfait de découvrir que les acteurs français rendent mieux Shakespeare que ne le font d'habitude les nôtres. »

Ces acteurs, c'étaient Blanche Albane, Gina Barbiéri, Suzanne Bing, Jane Lory, Romain Bouquet, Charles Dullin, Louis Jouvet, Roger Karl, Georges Roche, Armand Tallier, Lucien Weber.

En page de droite : La Nuit des Rois, *18 mai 1914, un triomphe dont les échos retentirent dans toute l'Europe. Granville Barker, grand spécialiste de Shakespeare, dut reconnaître que les acteurs français jouaient Shakespeare mieux qu'on ne le faisait généralement en Angleterre. Pour la première fois en France, une mise en scène révélait toute la fantaisie, la verve et la poésie d'un divertissement de Shakespeare.* Ci-contre *: Jouvet. « Peut-être n'a-t-il jamais mis dans le comique plus de savoureuse naïveté, plus de délicatesse ni plus de poésie... » dira Jacques Copeau.* Ci-dessous *: la reprise en 1914 des* Frères Karamazov, *créés au Théâtre des Arts en 1911 (voir p. 179). Jouvet, à droite, joue le Père Zossima ; Copeau, à gauche, Ivan. La pièce fit scandale aux U.S.A.*

LA NUIT DES ROIS

COPEAU ET LES COMÉDIENS

Ces comédiennes et ces comédiens, Jacques Copeau les avaient contraints à passer leur été au Limon, petit hameau proche de la Ferté-sous-Jouarre, loin de l'agitation parisienne, soumis à une sorte de retraite, dont l'époque offre d'autres exemples. On avait un goût très vif dans le milieu intellectuel et artistique que fréquentait Copeau pour ces expériences, souvent éphémères, de retirement et de vie communautaire. On peut évoquer en particulier l'Abbaye de Créteil (1906-1908), où Jules Romains, René Arcos, Gleizes, Vildrac, Berthold Mann, Duhamel, Chennevière pratiqueront une vie recluse en poésie à l'enseigne de l'unanimisme. Ne retrouvera-t-on pas dans la future école du Vieux-Colombier, dont Jules Romains assurera la direction, un Chennevière, comme professeur de poésie, Duhamel, Vildrac ne seront-ils pas des auteurs maison ? Et, dès la première saison, ces amis n'apportent-ils pas leur contribution personnelle à la vie du Vieux-Colombier. Alors « chacun, dira-t-on, ne chercha qu'à s'abaisser devant l'œuvre commune. Léon-Paul Fargue écrit des adresses. Roger Martin du Gard accroche les numéros du vestiaire. Et quand nous jouons en tournée, nous voyons à nos pieds, dans la boîte du souffleur, une paire de lunettes rondes sous un front déjà dégarni : Georges Duhamel ». (Copeau. Conférence prononcée au Vieux-Colombier, en janvier 1931, pour présenter au public *La Compagnie des Quinze* de Michel Saint-Denis).

Le pédagogue (il aimait à rappeler que le père de la tragédie grecque, Eschyle, avait droit au beau nom de Didaskalos) qu'était Copeau, affirmait ainsi, dès le début de cette folle entreprise, qui fit de sa vie une vocation et un martyre tout ensemble, l'importance qu'il entendait donner à la formation du comédien. Lorsque la guerre interrompit l'activité naissante du Vieux-Colombier, Copeau, bientôt réformé, se consacra à cette tâche de pédagogie dramatique. Suzanne Bing sera, dans ce domaine, la plus précieuse des auxiliaires. C'est dès l'adolescence, sinon dès l'enfance, que Copeau entend commencer cette formation. Les méthodes, aujourd'hui à la mode, de pédagogie « active » lui serviront de point de départ. La troupe de 1913, si enthousiaste et si disciplinée qu'elle ait été, groupait des « personnalités », les unes formées aux disciplines du Conservatoire, les autres dotées d'une expérience déjà riche. Un Jouvet, un Dullin avaient fait la précieuse expérience de jouer dans les Théâtres de la

Barrière, où florissaient encore les traditions des troupes du XIXe siècle. Dullin n'avait-il pas été déjà le merveilleux Smerdiakov des *Frères Karamazov* ? Il est vrai que cette première compagnie échappait en partie aux directions impérieuses de Copeau : « Si en octobre 1913 j'avais proposé la fondation d'une école, personne ne m'eût écouté. Assez de scepticisme, déjà, entourait notre tentative théâtrale. » (L'École du Vieux-Colombier. *Cahiers du Vieux-Colombier*, no 2, novembre 1921.) La tentative du Limon fut une ébauche de ce que sera plus tard l'essai de Pernand, en Bourgogne (1924-1929).

Mais on peut dire que la rupture avec les mœurs du théâtre commercial, où le règne de la vedette est la règle, était consommée. Copeau avait restauré la notion de troupe. Il donnait la main aux élisabéthains, aux Espagnols, aux Italiens, à Molière. Ses héritiers feront le reste.

On ne dira jamais assez combien la guerre 1914-1918 tarit les énergies françaises. Nos arts et nos lettres, notre théâtre aussi y perdirent un sang précieux. C'est pourquoi un essai comme celui du Vieux-Colombier de 1913 nous paraît si lointain, légendaire, en somme. Jamais Copeau ne retrouvera l'enthousiasme de ses années d'avant guerre. Quand, directeur de *La Nouvelle Revue Française*, il était l'ami de Rivière, d'Alain-Fournier, d'André Suarès, de Péguy... La mission que Clemenceau lui demande de remplir aux U. S. A., de novembre 1917 à juin 1919, l'épuisera, accusera en lui une tendance très nette au découragement. Cependant, il laissera dans ce pays une trace profonde. Le labeur opiniâtre du Vieux-Colombier, installé au Garrick Theatre, n'a pas été vain.

L'entracte tragique de la guerre lui permettra cependant de mûrir sa pensée. Ses entretiens avec Gordon Craig, à Florence, en 1915, l'influence d'Appia (1), sa correspondance (pour la plus grande partie inédite) avec Jouvet et Dullin, aux armées, démobilisés à grand' peine pour la tournée en Amérique, ses essais d'école avec Suzanne Bing, tout cela prépare l'œuvre future.

La première saison du Vieux-Colombier commence en octobre 1913 dans l'indifférence. Elle s'achève en mai 1914 dans l'enthousiasme de *La Nuit des Rois*. Elle marque la fin d'une époque et, à la veille de la guerre mondiale, l'annonce d'un âge nouveau du théâtre français.

GEORGES LERMINIER

La salle de répétition au Limon, en Seine-et-Marne. Dessin de Fauconnet. Depuis 1913, Copeau voulait ouvrir une école de comédiens, comme l'avaient fait Gordon Craig à Florence et Stanislavski à Moscou. L'École du Vieux-Colombier fut fondée en 1915. A sa réouverture, en 1920, Copeau voulut « y étudier tous les problèmes du théâtre. »

En page de droite : l'équipe du Vieux-Colombier dans la propriété de Jacques Copeau, au Limon (La Ferté-sous-Jouarre), lors des répétitions d'Une Femme tuée par la douceur, en 1913. De gauche à droite, assis : Dullin, Copeau, Armand Tallier, Blanche Albane, Jeanne Lory, Suzanne Bing, Antoine, Cariffa ; debout : Roche, Jouvet, Roger Karl.

1. « En poussant jusqu'à ses dernières conséquences cette idée (la conception d'Appia) d'une scène construite à trois dimensions, d'une scène architecturale par opposition à la scène en trompe-l'œil dont nous ont doté les Italiens, nous arriverons à poser la question d'une scène *fixe*, d'un dispositif architectural permanent, conçu comme un organisme complet, se suffisant à soi-même. » (*Cahiers de la Compagnie Madeleine Renaud-Jean-Louis Barrault*, 3e année, dixième cahier. Julliard, 1955, p. 97). Cette liaison d'un dispositif scénique et de l'invention théâtrale (écriture, renouvellement des genres, mise en scène, jeu du comédien), c'est précisément l'apport inaliénable de Copeau au théâtre français contemporain.

LA GUERRE

1914 ★ *Où sont-ils ? Que font-ils ?* ★ 1918

La dispersion des hommes et des talents durant la guerre touche durement le monde du théâtre. Tandis que beaucoup partent pour le front, d'autres, en marge du cataclysme, viennent grossir les quelques îlots d'intellectuels et d'artistes qui poursuivent en Suisse ou en Espagne des travaux où l'après-guerre viendra puiser des forces neuves. En France, par ordre de la Préfecture de Police, la plupart des théâtres sont tout d'abord fermés. Un répertoire de circonstance, des spectacles légers composent, jusqu'au deuxième semestre de 1915, la vie théâtrale française. Peu à peu les théâtres rouvrent leurs portes, mais excepté quelques tentatives, parmi lesquelles celles de Jacques Rouché, qui assume la direction intérimaire de l'Opéra, et celles de Gémier (*Le Marchand de Venise*, de Shakespeare, *Le Butor et la Finette*, de François Porché), le théâtre est livré à la routine des habituels commerçants. Il faudra revenir sur le Théâtre aux Armées, dirigé par Émile Fabre, qui conduit en première ligne les meilleurs comédiens, et sur l'impressionnante activité de troupes improvisées qui forment sur le front, entre deux hécatombes, les germes d'un véritable théâtre populaire. A la déclaration de guerre, Antoine a cinquante-six ans ; Lugné-Poe, quarante-cinq ; Jacques Copeau, trente-cinq ; Pitoëff, trente ; Baty et Dullin, vingt-neuf ; Jouvet, vingt-sept ans. Antoine, sans ressources, est engagé au Théâtre Michel de Saint-Pétersbourg. En 1915, il fait des tournées en France, joue un sketch à l'Olympia, puis il est engagé à la Porte Saint-Martin pour jouer, avec Réjane, *L'Amazone*, d'Henry Bernstein. Son activité cinématographique commence en 1916 : il tourne *Les Frères Corses*, d'Alexandre Dumas ; en 1917, *Le Coupable*, de François Coppée et *Les Travailleurs de la mer*, d'après Victor Hugo. Lugné-Poe reste mobilisé pendant toute la durée de la guerre. Il voyage beaucoup. Officier du deuxième bureau, ses relations éparses

GUILLAUME
APOLLINAIRE
« Poète assassiné »

dans le monde entier le servent dans ses missions. En 1917, Gaston Baty, mobilisé lui aussi dans les Services de Renseignements jusqu'à la fin de la guerre, lui fait part de ses recherches théâtrales. Gémier est chef de cabinet à la Préfecture des Ardennes ; il organisera des galas au profit des réfugiés. Georges Pitoëff, réformé, part pour la Suisse avec Ludmilla et fonde une troupe à Genève. Diaghilev est en Suisse, il essaie de rassembler sa troupe, dispersée aux quatre coins du monde. Jacques Copeau est versé dans l'auxiliaire, puis mis en traitement aux Invalides. Charles Dullin, engagé volontaire et mobilisé dans les dragons, part pour le front de Lorraine et monte une troupe d'improvisateurs qui joue dans les tranchées pendant les trèves. Louis Jouvet, diplômé en pharmacie, entre dans le corps sanitaire et reste au front jusqu'en 1917. Mais la guerre dure. Jacques Copeau perd l'espoir de rouvrir le Vieux-Colombier. Pour lui commencent alors des années d'expérimentation, de recherches. En 1915, il rencontre, à Florence, Gordon Craig, qui s'apprête à partir pour l'Amérique, où on lui commande une gigantesque mise en scène pour *La Passion selon saint Matthieu*, de Jean-Sébastien Bach. La même année, il voit Jaques-Dalcroze à Genève, sans avoir pu rejoindre la Duse, à Rome, et rencontre Adolphe Appia. En Suisse, également, il prend contact avec Georges Pitoëff et découvre le génie de Ludmilla. En 1916, il refuse un engagement de conseiller artistique aux Films Gaumont ; il monte trois pièces à Genève et part, en 1917, chargé de mission par Clemenceau, pour les États-Unis, où il prépare la saison du Vieux-Colombier à New-York. Jouvet, rappelé du front, part pour New-York et fait construire le dispositif fixe du Garrick Theatre. Dullin rejoindra ses compagnons la même année. Après un gala à Genève au profit de la Croix-Rouge en 1915, puis à Paris, les Ballets de Diaghilev partent pour New-York jusqu'en mai 1916. En 1917, ils font une tournée en Italie, en France, en Espagne puis en Amérique du Sud. En pleine guerre, les créations des *Contes Russes* (1915) et de *Parade* (1917, Jean Cocteau, Picasso, Erik Satie) marquent les nouvelles tendances de Diaghilev et l'intégration progressive à la scène des recherches chorégraphiques, musicales et plastiques les plus modernes.

DESSIN D'EDWARD GORDON CRAIG
POUR *Le Roi Lear* - 1908

OPÉRA	BALLET	VARIÉTÉS	LITTÉRATURE	ARTS
a » (Verdi). bach.	Opéra : « La Korrigane », avec Rosita Mauri.	Mort d'Offenbach. Bouffes-Parisiens : « La Mascotte », « Les Mousquetaires au couvent ».	Zola : « Nana ». « Les soirées de Médan. » Maupassant : « Boule-de-suif ». Mort de Flaubert. Naissance d'Apolliinaire.	Rodin commence « La Porte de l'enfer » (Le Penseur). Cinquième exposition du groupe impressionniste : admission de Gauguin, refus de Monet.
e (2e salle Favart) : s d'Hoffmann » (Offen-		Rodolphe Salis fonde « Le Chat noir ».	Flaubert : « Bouvard et Pécuchet ». Anatole France : « Le Crime de Sylvestre Bonnard ».	Sixième Exposition impressionniste. Naissance de Picasso.
rançoise de Rimini » Thomas).	Opéra : « Namouna » (Petipa, Lalo).	Variétés : « Lili », opérette, avec Judic (couplets à succès : « Ques aco ? »).	Mort de Gobineau. Naissance de Giraudoux.	Rétrospective Courbet aux Beaux-Arts. Naissance de Braque.
y VIII » (Saint-Saëns). e : « Lakmé » (Léo		Variétés : « Mam'zelle Nitouche », grand succès.	A. Daudet : « L'Évangéliste ». Villiers de L'Isle-Adam : « Les Contes cruels ». Nietzsche : « Ainsi parla Zarathustra ».	Mort de Manet. Fin de l'Impressionnisme. Tendance idéiste et scientifique.
: « Manon » (Massenet), dir. Vaucorbeil. Nouv. Gailhard.		Folies dramatiques : « Rip ».	Huymans : « A rebours ». Daudet : « Sapho ». Attaque de Barrès contre le naturalisme. Mallarmé adopté par la jeunesse.	Fondation de la société des Indépendants. Rétrospective Manet aux Beaux-Arts.
etto » (Verdi), « Sigurd » Le Cid » (Massenet). tre « Lohengrin ».		A l'Eden-Concert, Yvette Guilbert chante « Le Fiacre ». Bruant fonde « Le Mirliton » dans la salle de l'ancien « Chat noir ».	Maupassant : « Bel Ami ». Zola : « Germinal », « La Joie de vivre ». Goncourt : « Chérie ». Richepin : « La Mer ».	Pissarro rencontre Signac et Seurat : « divisionnisme ».
ie » (Sardou-Paladilhe). de Montsoreau » échec.	Opéra : « Les Deux Pigeons », musique de Messager, avec Rosita Mauri.	14 juillet : Paulus triomphe dans « En revenant de la revue » (général Boulanger).	Zola : « L'Œuvre ». Mallarmé : « Hommage à Wagner » (remous littéraires). Manifeste de Moréas dans « Le Figaro : naissance du symbolisme.	Huitième et dernière manifestation impressionniste. Rodin : « Les Bourgeois de Calais », (bataille).
d'insuccès et d'œuvres lairage électrique. : « Le Roi malgré lui » « Mignon » (incendie). Léon Carvalho.		Folies dramatiques : « Le Bourgeois de Calais », opéra-comique de Messager.	Mort de Jules Lafforgue.	Adhésion de Lautrec et Van Gogh au pointillisme. Naissance de Juan Gris et de Chagall.
o et Juliette » (Gounod). (salle de l'ancien que) : « Le Roi d'Ys » Paravey.			Renan : « Histoire du peuple d'Israël ». Zola : « La Terre ». Verlaine : « Amour ». Quatre œuvres d'Edmond de Goncourt.	Rencontre à l'Académie Jullian du groupe des « Nabis ». Van Gogh : « Portrait de l'artiste » dédié à Gauguin), « Les Tournesols ».
		Inauguration du Moulin-Rouge. Premier grand succès d'Yvette Guilbert au Coniert-Parisien.	Paul Bourget : « Le Disciple ». Barrès : « Un Homme libre ». Bergson : « Essai sur les données immédiates de la conscience ».	Groupe « impressionniste » et « synthétiste » au café Volpi. Exposition jumelée Rodin-Manet. Van Gogh : « Portrait du docteur Rey ».
: deuxième direction canio » (Saint-Saëns).	Création au Théâtre Marie de Saint-Petersbourg, par Petipa, de « La Belle au bois dormant » (Tchaïkovsky).	Bouffes-Parisiens : « Miss Helyett », opérette, grand succès.	Mort de Villiers-de L'Isle-Adam. Anatole France : « Thaïs ». Zola : « La Bête humaine ».	Mort de Van Gogh. Van Gogh : « Portrait du docteur Gachet ».
: « Le Rêve » (Zola, au), première manifesturalisme musical. Mage » (Massenet), (Wagner), première en France.		La vogue de l'opérette commence à décliner. Débuts de Polaire.	Mort de Banville. Mort de Rimbaud. Naissance de Jean Cocteau. Gide : « Les Cahiers d'André Walter ». Banquet du symbolisme, présidé par Mallarmé.	Mort de Seurat.
: «Cavalleria rusticana». mbô » (Reyer), « Sam- s » (Saint-Saëns).	Théâtre Marie (Pétrograd) : « Casse-noisette », ballet d'Ivanoff, musique de Tchaïkovsky.	Vincent Hyspa au nouveau « Chat noir », dans la chanson d'actualité. Loïe Fuller aux Folies-Bergère (première fois à Paris).	Mort de Renan.	Debussy : « Prélude à l'après-midi d'un faune ». Cézanne : « Les Joueurs de cartes ».
du Rhin » (Wagner), e Gwendoline » (Cha- : « Werther » (Masse-	Opéra : « La Maladetta », musique de Paul Vidal.			

ANNÉES	ACTUALITÉ	THÉÂTRES			
1894	« L'année maudite ». Début de l'Affaire Dreyfus. Assassinat de Carnot. Casimir Perier, président de la République.	T. L. : « L'Assomption de Hannele Mattern » (Hauptmann). Démission d'Antoine. Faillite du Théâtre Libre.	Palais-Royal : « Un Fil à la patte » (Feydeau). Vaudeville : « Maison de poupée » (Ibsen), avec Réjane.	Œuvre : (suite) « Au-dessus des Forces humaines » (Bjornson), « Solness le Constructeur » (Ibsen). Première pièce d'Henry Bataille : « Créanciers » (Strindberg).	Opéra : « Tha (Verdi).
1895	Félix Faure, prés. de la République. Dégradation de Dreyfus. Mort de Pasteur. Les frères Lumière inventent le cinématographe. Expédition du Maroc.	Gymnase : « L'Age difficile » et « Les Demi-Vierges » (M. Prévost), succès. Renaissance : « La Princesse lointaine » (Rostand), avec Sarah Bernhardt, « Amants » (M. Donnay), avec L. Guitry et Jeanne Granier.	Français : retraite de Got. « Le Pardon » (J. Lemaître). Odéon : « Pour la Couronne » (Coppée), succès.	Œuvre (deuxième saison) : débuts de Suzanne Després, « Brand » (Ibsen), « Père » (Strindberg).	
1896	Marconi T. S. F. Rœntgen : rayons X. Réception du tsar et de la tsarine. Première course d'automobiles.	Ambigu : « Les Deux Gosses », avec Gémier, grand succès. (Un des derniers mélodrames.)	Français : « L'Évasion » (E. Brieux).	Œuvre : Gémier, « Salomé » (O. Wilde), « Les Soutiens de la société » et « Peer-Gynt » (Ibsen), « Ubu-Roi » (A. Jarry), avec Gémier.	Opéra-Comiq
1897	Premier vol en avion. Incendie du Bazar de la Charité. Félix Faure, retour de Russie. Tramways électriques. Fin du Procès de Panama.	Ouverture du THÉÂTRE ANTOINE : « Le Repas du lion » (Curel).	Odéon : « Le Passé » (Porto-Riche), La Duse dans les rôles de Sarah Bernhardt, « La Samaritaine » (Rostand) à la Renaissance. Porte Saint-Martin : « Cyrano de Bergerac » (E. Rostand), avec Coquelin, triomphe.	Œuvre : « Le Fardeau de la liberté » (T. Bernard), « La Comédie de l'amour » et « J. G. Borkmann » (Ibsen). Escholiers : « Le Plaisir de rompre » (Jules Renard).	Opéra : « Me « Les Maît Opéra-Comiq tôme » (W net). Mort
1898	Procès Esterhazy. Zola : « J'accuse ». Métropolitain (premiers travaux). Découverte du radium (Curie).	Antoine : reprises du Théâtre Libre. STANISLAVSKI fonde le THÉATRE ARTISTIQUE de Moscou.	Renaissance (Sarah Bernhardt) : « La Ville morte » (d'Annunzio). Théâtre Sarah-Bernhardt : ouverture avec « Hamlet ».	Œuvre : « Le Revizor » (Gogol), « Aert » et « Les Loups » (Romain Rolland). Lugné-Poe : première expérience de théâtre au cirque : « Mesure pour mesure », de Shakespeare, au Nouveau Cirque.	ALBERT l'Opéra-Co d'Indy), (Puccini). truit. (Pla
1899	Mort de Félix Faure ; Loubet, président de la République. Revision de l'affaire Dreyfus. Déroulède arrêté. Dreyfus gracié.	Théâtre Antoine : « La Nouvelle Idole » (Curel), succès, « Les Gaîtés de l'escadron » (Courteline), succès, reprise de « La Parisienne » (Becque).	Nouveautés : « La Dame de chez Maxim » (Feydeau), succès.	Œuvre (aux Bouffes-Parisiens) : « Le Triomphe de la Raison » (R. Rolland).	Nouveau-Th crée en Fr Opéra-Comic senet).
1900	Exposition. Le président Kruger à Paris.	Théâtre Antoine : « Poil de carotte » (J. Renard), avec Suzanne Després. Signoret engagé. Porte Saint-Martin : reprise de « L'Assommoir » (Zola), par Lucien Guitry.	Comédie-Française : débuts de Marcelle Géniat (« Femmes savantes »). Incendie du Théâtre Français. Théâtre Sarah-Bernhardt : « L'Aiglon » (Ed. Rostand), triomphe. Vaudeville : « La Robe rouge » (Brieux) avec Réjane.	Œuvre : « Le Cloître » (Verhaeren), avec de Max. Première mise en scène de GORDON CRAIG en Angleterre : « Didon et Énée ».	Opéra-Comic pentier), remplace « Le Juif « La Tosca »
1901	Mort de Victoria. Édouard VII.	GÉMIER dirige la Renaissance : « La Vie publique » (Émile Fabre).	Réouverture du Théâtre Français. Variétés : « La Veine » (Capus), succès. Comédie-Française : « L'Énigme » (Hervieu), reprise d'« Œdipe-Roi » (Mounet-Sully). De Max dans « Prométhée » (arènes de Béziers).	Escholiers : « Danton » (R. Rolland). Porte Saint-Martin : « Quo vadis ? », grand succès. Athénée : Sada Yacco (« La Duse japonaise »).	Opéra : « I Saint-Saën Opéra-Comic neau, Zol « Grisélidis Inauguration au Théâtr
1902	Retraite de Waldeck-Rousseau. Achèvement du transsibérien. Études de Rutherford (radioactivité).	Théâtre Antoine : « La Terre » (Zola). Renaissance (Gémier) : « Le Portefeuille » (Mirbeau), « Le 14 juillet » (R. Rolland), « Daisy » (Tristan Bernard).	Comédie-Française : « Le Marquis de Priola » (Lavedan), avec Le Bargy, grand succès. Débuts de S. Després : « La Petite Amie » (Brieux).	Gymnase : « Le Détour » (Bernstein). « Claudine à Paris » (Willy), avec Polaire. Sarah Bernhardt : débuts d'Yvonne de Bray (« Françoise de Rimini »).	Opéra : « Si Jean de Opéra-Comic sande » (D
1903	Premier vol des frères Wright. Usines automobiles Ford. Édouard VII à Paris. Loubet à Londres.	Théâtre Antoine : « La Paix chez soi » (Courteline), succès. Renaissance (direction L. Guitry) : « Crainquebille » (A. France), succès.	Comédie-Française : « Les Affaires sont les affaires » (O. Mirbeau), grand succès, Débuts de Dussane et Brunot. Odéon : « La Rabouilleuse » (E. Fabre).	Sarah Bernhardt : « La Sorcière » (Sardou).	Opéra-Comic Sarah Bernha Faust » (F Opéra : « L
1904	Amorce de l' « Entente cordiale ». (Accord colonial franco-anglais). Rupture entre la France et la Papauté.	Antoine : « Oiseaux de passage » (M. Donnay, L. Descaves), succès, « Le Roi Lear » (Shakespeare), grand succès.	Vaudeville : « Maman Colibri » (H. Bataille) Gymnase : « Le Bercail » (Bernstein), avec Simone Le Bargy, « Le Friquet » (Willy), avec Polaire.	Nouveautés : « La Main passe » (Feydeau).	Opéra : « Ot et Yseult Opéra-Comi Notre-Da
1905	Constitution de la S.F.I.O. Les Japonais prennent Port-Arthur. Einstein découvre les photons. Mort d'Irving.	Comédie-Française : « La Conversion d'Alceste » (Courteline), « Le Duel » (Lavedan), avec Le Bargy, Bartet, grand succès.	Odéon : « Les Ventres dorés » (E. Fabre), avec Gémier. Gymnase : « La Rafale » (Bernstein), avec Gémier. Athénée : « Triplepatte » (T. Bernard).	Œuvre : « La Gioconda » et « La Fille de Jorio » (d'Annunzio), avec S. Després, « Les Bas-fonds » (Gorki).	Opéra-Co fantôm Roi » (Mort d Mari

OPÉRA	BALLET	VARIÉTÉS	LITTÉRATURE	ARTS
que : « Aphrodite » P. Louys). riane » (Massenet).	Danses de Régina Badet dans « Aphrodite ».	Variétés : « Le Paradis de Mahomet », « Miquette et sa mère » (Flers et Caillavet).	Mort d'Ibsen. Keyserling : « Système du monde ». Bergson : « L'Évolution créatrice ».	Picasso : « Portrait de Miss Gertrude Stein ». Matisse : « Joie de vivre ».
mphe de Félia Litvinne. edro Gailhard. que : « Ariane et Barbe aul Dukas, Maeterlinck).	Opéra : « Le Lac des Aulnes », ballet-féerie.	Variétés : « La Revue du centenaire », avec M. Dearly, Polaire, etc., « L'Amour en banque », avec Yvette Guilbert.	Synge : « Deirdre ». Gorki : « La Mère ». Colette : « La Retraite sentimentale ». Gide : « Le Retour de l'enfant prodigue ». Mort de Jarry.	Matisse : « Nu bleu ». Picasso : « Les Demoiselles d'Avignon ».
que : « La Habanera ». Messager, Broussan. saison d'opéra russe : odounov » (Moussorgsky), iapine, *triomphe*.	Opéra-Comique : danses de R. Badet dans « Iphigénie en Aulide » (Gluck, chorégraphie Mme Mariquita), « Le Crépuscule des dieux » (Wagner).	Les Bouffes-Parisiens redeviennent théâtre d'opérette : « L'Ingénue libertine » (Cl. Terrasse), « Le Roi » (Flers, Caillavet, Cl. Terrasse).		Monet : « Vues de Venise ». Ravel : « Ma Mère l'Oye ».
on d'opéra russe : Chalia- s « Ivan le Terrible », Rhin » (Wagner).	LES BALLETS RUSSES DE DIAGHILEV au Châtelet : (première saison parisienne), avec Anna Pavlova. « Le Pavillon d'Armide » (Benois-Tchérépnine), « Le Prince Igor », « Les Sylphides », « Cléopâtre », « Le Festin ».		Maeterlinck : « L'Oiseau bleu ». Gide : « La Porte étroite ». Fondation de la N. R. F.	Bourdelle : « Héraclès archer ». Utrillo au Salon d'automne.
La Fête chez Thérèse » Hahn), « Salomé » s, O. Wilde), « La Dam- e Faust » (Berlioz). que : « Le Mariage de ».	Ballets russes (deuxième saison) à l'Opéra : « Schéhérazade » (Bakst-Rimsky-Korsakov), « Giselle », « L'Oiseau de feu » (Stravinsky), « Les Orientales ».	Mort de l'opérette française. Variétés : « Le Bois sacré » (Flers, Caillavet). Palais-Royal : « Le Million ».	Péguy : « Le Mystère de la charité de Jeanne d'Arc ». Claudel : « Cinq Grandes Odes ».	Première manifestation collective du « cubisme » à Paris : Picasso, Braque, Gris.
n Quichotte » (Massenet). Le Martyre de Saint- » (D'Annunzio-Debussy) Rubinstein. que : « La Jota ». e Miracle », « Sibéria », (Saint-Saëns), « España » « L'Anneau de Niebe- *emière audition intégrale*.	Troisième saison Ballets Russes : Châtelet : « Le Spectre de la Rose » (Jean-Louis Vaudoyer-Weber), avec Nijinsky, « Narcisse » (Bakst-Tchérépnine), « Sadko » (Rimsky-Korsakov), « Petrouchka » (Stravinsky-Benois), « Le Lac des Cygnes » (Tchaïkovsky). Opéra : « La Roussalka ».	Châtelet : « Arsène Lupin contre Sherlock Holmes ». Variétés : Mistinguett dans « Les Midinettes » et dans « La Vie parisienne », avec Max Dearly.	Claudel : « L'Otage », « L'Annonce faite à Marie ». Colette : « La Vagabonde ». Naissance de l'École « fantaisiste » (Carco, Derême, etc.).	Premières salles « cubistes » aux Salons d'Automne et Indépendants. Maillol : « Flore ». Cubisme : « Émiettement toujours plus grand de la forme et du volume. » Début de l'œuvre de Picasso, illustrateur. Duchamp : « Nu descendant un escalier ».
oma » (Massenet), saison alien (avec Caruso) : », « Mefistofele » (Boïto), iapine, « Le Barbier de La Fille du Far-West » es Bacchantes », ballet avec Zambelli.	Quatrième saison Ballets Russes : Châtelet : « Le Dieu bleu » (Cocteau-R. Hahn), « Thamar » (Bakst-Balakirev), « L'Après-Midi d'un Faune » (Debussy), première chorégraphie Nijinsky, *scandale*, « Daphnis et Chloé » (Ravel). Concerts de danse par Mme Trouhanova, au Châtelet.	Châtelet : « La Course aux dollars ». Scala : « Princesse Dollar » (opérette). Théâtre Réjane : « La Revue Sans-Gêne » (Rip). Variétés : Mistinguett, M. Dearly dans « Le Bonheur sous la main » (P. Gavault).	Léon-Paul Fargue : « Poèmes ».	Première exposition Picasso en Angleterre. Delaunay : « Tour Eiffel ».
Champs-Élysées : « Péné- ré), « La Kowantchina » se) avec Chaliapine. que : « Le Pays » (Ropartz). rvaal » (d'Indy) créé à nique.	Cinquième saison Ballets Russes : Théâtre des Champs-Élysées : « Jeux » (Debussy, Nijinsky, Bakst) ; « Le Sacre du Printemps » (Stravinsky-Roerich), chorégraphie Nijinsky, *scandale*, « La Tragédie de Salomé » (Fl. Schmitt). Théâtre des Champs-Élysées inauguré par un concert de danse Anna Pavlova.	Mort de Thérésa. Capucines, Fémina : revues de Rip. Châtelet : « Le Roi de l'Or », « L'Insaisissable Stanley Collins ». Mort de Fragson.	Apollinaire : « Alcools ». Barrès : « La Colline inspirée ». Marcel Proust : « A la recherche du temps perdu » (1. « Du côté de chez Swann »). Gide : « Les Caves du Vatican ». Val. Larbaud : « A. O. Barnabooth ». Péguy : « La Tapisserie de Notre-Dame ». Saint-John-Perse : « Éloges ». Jules Romains : « Les Copains ».	Picasso à Céret avec Braque et Juan Gris : « Cubisme synthétique », « Peinture conceptionnelle ». Bourdelle : Théâtre des Champs-Élysées.
rsifal » (Wagner), avec val. Fin dir. Messager- ques Rouché : dir. arlo : « Cléopâtre » « Marouf »	Sixième saison Ballets Russes : Opéra : « La Légende de Joseph » (R. Strauss), « Papillons » (musique de Schumann), « Le Coq d'or » (Rimsky-Korsakov). « Le Rossignol » (Stravinsky). « Midas » (Bakst).	Olympia-Music-Hall : « Miousic » (opérette). Le Casino de Paris, de cinéma redevient music-hall. Fémina : « Très moutarde », revue (Rip, J. Bousquet), avec Marguerite Deval et Signoret.	Paul Bourget : « Le Démon de midi ».	

OPÉRA	BALLET	VARIÉTÉS	LITTÉRATURE	ARTS
s » (Massenet), « Othello »	Opéra : débuts de Carlotta Zambelli dans « Faust » (ballet de Valpurgis).		Pierre Louys : « Les Chansons de Bilitis ». Marcel Prévost : « Les Demi-Vierges ». Anatole France : « Le Lys rouge ». Jules Renard : « Poil de carotte ».	Cézanne en automne, à Giverny, chez Claude Monet, avec Rodin, Clemenceau.
	Théâtre Marie (Saint-Pétersbourg) : « Le Lac aux cygnes », musique de Tchaïkovsky, chorégraphie de Petipa et Ivanoff. Opéra : Zambelli remplace Rosita Mauri dans « La Maladetta ».	Variétés : « Le Carnet du diable », Gaîté : « Panurge ». Eugénie Buffet et sa troupe chantent dans les cours. Arrivée à Paris de Mayol, entrée au Concert-Parisien.	D'Annunzio : « L'Enfant de volupté ». Mort de Dumas fils.	Mort de Berthe Morisot.
ue : « Orphée » (Gluck).		Le mime Séverin crée « Chands d'habits ! » au Théâtre-Salon. Bouffes-Parisiens : « Ninette » (Cyrano de Bergerac).	Mort de Verlaine. A. Jarry : « Ubu-Roi ». Paul Valéry : « La Soirée avec M. Teste ». Maeterlinck : « Le Trésor des humbles ». Mort d'Ed. de Goncourt. Naissance de Montherlant.	
ssidor » (Zola, Bruneau), es chanteurs » (Wagner). ue : « Le Vaisseau fan- gner), « Sapho » (Masse- de Carvalho.	Opéra : Zambelli dans « Messidor ». Loïe Fuller aux Folies-Bergère.	Max Dearly, engagé au Concert-Parisien, passe avec Dranem et Mayol Bouffes-Parisiens : « Les P'tites Michu ».	Mort d'Alphonse Daudet. Gide : « Les Nourritures terrestres ». Mallarmé : « Le Coup de dés ». Jehan Rictus : « Les Soliloques du pauvre ».	Rodin : « Balzac » (bataille). Exposition de l'Impressionnisme à Londres et à Stockholm.
ARRÉ, directeur de mique : « Fervaal » (V. La Vie de Bohème » 'Opéra-Comique recons- e de Boïeldieu.)	Opéra : Zambelli dans « Thaïs » (Massenet).	L'opérette menacée par la « revue », aux cafés-concerts. La vogue de l'opérette diminue. Les « revues » occupent les cafés-concerts.	Mort de Mallarmé. O. Wilde : « Ballade de la geôle de Reading ». Huysmans : « La Cathédrale ». Mort de Becque.	Mort de Boudin.
âtre : Félia Litvinne nce « Tristan et Isolde » ue : « Cendrillon » (Mas-	Opéra-Comique : « Javotte » (Saint-Saëns).		Moréas : « Les Stances ».	Exposition des Nabis. Debussy : les trois « Nocturnes ».
ue : « Louise » (Char- iomphe, Mary Garden Marthe Rioton. olonais » (C. Erlanger). en Italie.	Sada Yacco et Cléo de Mérode à l'Exposition.	Variétés : « La Belle Hélène » (Meilhac, Halévy), (reprise). Mathurins : « La Petite Femme de Loth » (Tristan Bernard et Claude Terrasse).	Willy : « Claudine à l'école ». Claudel : « Connaissance de l'Est ».	Exposition de 1900 : Centennale de l'art français. (Triomphe de l'art académique).
es Barbares » (Sardou- ue : « L'Ouragan » (Bru-), avec Mme Delna, (Massenet). de l'Opéra populaire, du Château-d'Eau.	Opéra : « Danses de jadis et de naguère » avec Zambelli. La belle Otéro : danses d'Espagne.	Bouffes-Parisiens : « Tous en l'air » (revue « Parisiana »), « Les Travaux d'Hercule » (Flers, Caillavet, Terrasse). Eve Lavallière aux Variétés. Marguerite Deval aux Mathurins.	Freud : « Psychologie de la vie quotidienne ». Maeterlinck : « La Vie des abeilles ». B. Shaw : « Trois Pièces pour puritains ». A. de Noailles : « Le Cœur innombrable ».	Ravel : « Jeux d'eau ».
gfried » (Wagner), avec eszké. ue : « Pelléas et Méli- bussy).	Opéra : « Bacchus ».	Capucines : « Chonchette », opéra-bouffe (Flers, Caillavet, Cl. Terrasse).	Verhaeren : « Les Forces tumultueuses » Gide : « L'Immoraliste », « Saül ». D'Annunzio : « Francesca da Rimini ». Rilke arrive à Paris et rencontre Rodin.	Monet : « Vues de Vétheuil ». Debussy : « Pelléas et Mélisande ».
ue : « La Tosca » (Puccini). rdt : « La Damnation de rlioz), première représ. étranger » (V. d'Indy).	Opéra : « Paillasse » (Leoncavallo). Isadora Duncan paraît pour la première fois en public (Soirée Chopin), peu de succès.	Variétés : « Le Sire de Vergy » (Flers, Caillavet, Cl. Terrasse), opéra-bouffe.	Zola : « Vérité ». R. Rolland : « Le Théâtre du peuple », « Vie de Beethoven ». Gorki : « Les Bas-fonds ».	Debussy : « Jardins sous la pluie ». Ravel : « Schéhérazade ».
ello » (Verdi), « Tristan ue : « Le Jongleur de (Massenet).	Opéra : Zambelli dans « Le Fils de l'Étoile » (Erlanger). Premier succès d'Isadora Duncan à Paris.	Variétés : « Paris aux Variétés », revue.	Pirandello : « Feu Mathias Pascal ».	Monet : « Vues de Londres ». Puccini : « Mme Butterfly ».
M net Con Le Vaisseau- abal « L'Enfant-). Mme Galli-	Opéra : « La Ronde des saisons », musique de H. Busser, avec Zambelli. Opéra-Comique : Régina Badet dans « Miarka ».	Variétés : « Les Dragons de l'Impératrice », « L'Age d'or ».	Freud : « Théorie de la sexualité ». Maurras : « L'Avenir de l'intelligence ». R. Rolland : « Jean-Christophe ». Rilke : « Livre d'heures ».	Rodin : « Victor Hugo ». Au Salon des « Indépendants », première exposition du Groupe des jeunes peintres que l'on nomme : « Fauves ».

ANNÉES	ACTUALITÉ	THÉATRES			
1906	Fallières, président de la République. Ministère Clemenceau. Réhabilitation de Dreyfus. Inauguration du Simplon.	ANTOINE, directeur de l'ODÉON : « La Préférée » (L. Descaves). GÉMIER, directeur du THÉATRE ANTOINE.	Renaissance (Guitry) : « Les Passagères » (Capus). Vaudeville : « Éducation de prince » (Donnay), *succès*, « Le Bourgeon » (Feydeau).	Mathurins : « Nono » (Sacha Guitry), pantomimes de Colette Willy.	Opéra-Comi (Erlanger Opéra : A
1907	A. Lumière invente la photo en couleurs. Fondation de la Shell.	Odéon (Antoine) : « Jules César ». Théâtre Antoine (Gémier) : « Anna Karénine », « M. Codomat » (T. Bernard).	Comédie-Française : « Poliche » (Bataille). Renaissance : « Le Voleur » (Bernstein). Réjane : Théâtre Réjane.	Nouveautés : « La Puce à l'oreille » (Feydeau). Gymnase : « L'Éventail » (Flers et Caillavet).	Opéra : tri Fin dir. Opéra-Comi bleue » (
1908		Théâtre Antoine (Gémier) : « Sherlock Holmes », avec Harry Baur. Odéon (Antoine) : « Tartuffe ».	Renaissance : « Samson » (Bernstein), « La Femme nue » (Bataille). Théâtre Réjane : « Israël » (Bernstein).	Nouveautés : « Occupe-toi d'Amélie » (Feydeau). Œuvre : Giovanni Grasso et la Compagnie sicilienne.	Opéra-Com Nouv. dir Opéra : 1 « Boris G avec Cha
1909	Blériot traverse la Manche en avion. Briand succède à Clemenceau.	Sarah Bernhardt : « Le Procès de Jeanne d'Arc ».	Renaissance : « Le Scandale » (Bataille), « La Petite Chocolatière » (P. Gavault). Porte Saint-Martin : « La Griffe » (Bernstein).	Œuvre : Schauspielhaus Dusseldorf. Théâtre des Arts : « Les Possédés » (Lenormand), « L'Éventail de Lady Windermere » (O. Wilde).	Opéra : Sai pine da « L'Or du
1910	Crue de la Seine.	Théâtre Antoine (Gémier) : « César Birotteau », d'après Balzac. Odéon (Antoine) : « Coriolan » (Shakespeare). Comédie-Française : « Athalie » avec Mounet-Sully, Silvain, etc.	Porte Saint-Martin : « Chantecler » (Ed. Rostand). Gymnase : « La Vierge folle » (Bataille). Nouveautés : « On purge bébé » (Feydeau). Vaudeville : « Le Costaud des Épinettes » (T. Bernard).	Œuvre : « La Sonate à Kreutzer » (d'après Tolstoï). JACQUES ROUCHÉ dirige le THÉATRE DES ARTS : « Le Sicilien ou l'Amour peintre » (Molière), « Le Carnaval des enfants » (Georges de Bouhélier).	Opéra : (Reynald (R. Strau nation Opéra-Comi Télémaqu
1911	Coup d'Agadir. Occupation de Fez par les Français. La bande à Bonnot terrorise Paris. Film « Notre-Dame de Paris ».	Théâtre Antoine (Gémier) : « La Femme et le Pantin » (P. Louys et P. Proudon). Gémier : Théâtre National Ambulant. Odéon (Antoine) : « Roméo et Juliette » Porte Saint-Martin : « L'Enfant de l'amour » (Bataille). Vaudeville : « Le Tribun » (P. Bourget), avec L. Guitry.	Renaissance : « Le Vieil Homme » (Porto Riche), « Un Beau Mariage » (Sacha Guitry). Théâtre Réjane : « L'Oiseau bleu » (Maeterlinck). Gymnase : « Le Sculpteur de masques » (Crommelynck), par le Théâtre Impressif. Palais Royal : « Le Petit Café » (Tristan Bernard).	Théâtre des Arts (J. Rouché) : « Les Frères Karamazov » (J. Copeau, J. Croué), avec Dullin, « Niou », « La Nuit persane » (J.-L. Vaudoyer), « Fantasio », « Le Marchand de passions » (M. Magre), « Nabuchodonosor » (Faramond), « Le Pain » (H. Ghéon).	Gaîté : D Châtelet : Sébastien avec Ida Opéra-Comi Opéra : « Déjanir (Chabrier lung », p
1912	Guerre des Balkans. Téléphotographie (Belin) ; découverte de la première vitamine (Funk). Paquebot « La France ». Film « Les Misérables » (durée : 5 h.).	Théâtre Antoine (Gémier) : « L'Éternel Mari » (Nozière, Savoir, d'après Dostoïevsky). Vaudeville : « Les Sauterelles » (E. Fabre) (sur la politique coloniale), « Bel Ami », « Le Dindon » (Feydeau), « La Prise de Berg-op-zoom » (S. Guitry). Fémina : « Mais n'te promène donc pas toute nue » (Feydeau).	Gymnase : « Un Bon Petit Diable » (R. Gérard, M. Rostand), « L'Assaut » (Bernstein). Renaissance : « L'Enchantement » (Bataille). Porte Saint-Martin : « Le Flambeau » (Bataille). Sarah Bernhardt : « Servir » (Lavedan), pièce patriotique, avec L. Guitry. Com.-Fr. : « Iphigénie » (Moréas).	Théâtre des Arts : « Thésée » (Musique Lully), « Une Éducation manquée » (musique Chabrier), « Dolly » (Fauré) ballet, « Le Couronnement de Poppée » (Monteverdi, d'Indy), « Le Rêve », « L'Amoureuse Leçon », ballet (C. Mendès, A. Bruneau), « La Profession de Madame Warren » (B. Shaw), « Le Chagrin dans le palais de Han ».	Opéra : « d'opéra « Rigolet avec Cha Séville », (Puccini) Opéra : « (Bruneau
1913	Inauguration du Théâtre des Champs-Élysées (Auguste Perret). Film « Fantomas » ; premiers films de Max Linder.	Théâtre Antoine : « L'Homme qui assassina » (P. Frondaie), « Hamlet » (mise en scène Lugné-Poe), avec Suzanne Desprès. Théâtre Réjane : « Alsace » (G. Leroux, L. Camille), avec Réjane. Bouffes-Parisiens : « Le Secret » (Bernstein) *grand succès*. Vaudeville : « Le Phalène » (Bataille), avec Yvonne de Bray. Comédie-Française : « La Marche nuptiale » (Bataille).	JACQUES COPEAU fonde le VIEUX-COLOMBIER : « Une Femme tuée par la douceur » (Thomas Heywood), « L'Amour médecin » (Molière), « Les Fils Louverné » (J. Schlumberger), « Barberine » (Musset), « La Peur des coups » (Courteline), « La Farce du savetier enragé » (ad. A. Arnoux), « Le Pain de ménage » (J. Renard), « L'Avare », avec Dullin.	Théâtre des Arts : « Le Grand Nom, Marie-Madeleine », « Le Combat » (G. Duhamel), « Marie d'Août » (L. Frapié), « Une Loge pour Faust » (Veber), « Pygmalion » (Rameau-Busser), op. bal, « Le Festin de l'araignée » (Roussel), ballet, « Mesdames de la Halle », opérette (Offenbach).	Théâtre des lope » (F (saison ru Opéra-Comi Opéra : « l'Opéra-C
1914	La Guerre. Premier film de Charlie Chaplin : « Gagner sa vie ». Assassinat de Jaurès. Le Gouverneur de l'Algérie pose la grave question de l'indigénat devant 12 députés (587 sièges vides).	Vaudeville : « La Belle Aventure » (Flers et Caillavet), avec Victor Boucher. Bouffes-Parisiens : « La Pèlerine écossaise » (S. Guitry). Nouvel Ambigu : « L'Épervier » (F. de Croisset), avec A. Brûlé. Comédie-Française : « Macbeth ». Variétés : « Ma tante d'Honfleur » (P. Gavault).	Vieux-Colombier : « L'Échange » (Claudel), « Le Testament du père Leleu » (R. Martin du Gard), « La Navette » (Becque), « La Jalousie du barbouillé » (Molière).	Œuvre : « Le Baladin du Monde occidental » (Synge), « L'Otage » (Claudel), avec Ève Francis et Lugné-Poe.	Opéra : Lucienn Broussa intérim Opéra-Com (Mass Opéra (H.

ANNÉES	ACTUALITÉ	THÉATRES			
1880	Invention de la bicyclette.	« Les Honnêtes Femmes » (Becque).	Comédie-Française : Sarah Bernhardt s'en va, débuts de Bartet, Le Bargy, Paul Mounet. « Daniel Rochat » (Sardou).		Opé Mor
1881			Sarah Bernhardt à Londres.	Lucien Guitry part en Russie (Théâtre Michel de Pétrograd).	Opé « ba
1882	Inauguration du nouvel Hôtel de Ville.	Français : « Les Corbeaux » (Becque) *Echec*.	Sarah Bernhardt dans « Fédora » (Sardou).		Opé (A
1883	Procès de Louise Michel. Fondation du parti marxiste russe.		Odéon : « Severo Torelli » (F. Coppée), *succès*.		Opé Opé De
1884	M. Poubelle : boîtes à ordures.		Sarah Bernhardt dans « Théodora » (Sardou), « Frou-Frou », « La Dame aux camélias ».		Opé su Opé di
1885	Mort de Victor Hugo, funérailles. Pasteur : sérum contre la rage (première inoculation).	Renaissance : « La Parisienne » (Becque).	Odéon : « Les Jacobites » (Coppée), débuts de Segond-Weber.		Opé (F Cam
1886	Découverte des ondes hertziennes. Le général Boulanger.		Sarah Bernhardt : tournée en Amérique du Nord et du Sud.		Opé «
1887	Crise du boulangisme. Incendie de l'Opéra-Comique. Démission de Jules Grévy : Sadi Carnot, président de la République.	ANTOINE fonde le THÉÂTRE LIBRE : « Jacques Damour » (Zola), « Sœur Philomène » (Goncourt), etc.	Sarah Bernhardt dans « La Tosca » (Sardou).	Français : Mounet-Sully, J. Bartet dans « La Nuit d'octobre », Segond-Weber dans « Hernani » (débuts).	Opé ou Opé (C Fi
1888	Inauguration de l'Institut Pasteur. Louis Forest : moteur à essence.	Théâtre Libre (rue de la Gaîté) : « La Puissance des ténèbres » (Tolstoï).	Français : « Le Baiser » (Banville) et « Le Passant » (Coppée), *deux succès*.	Gémier débute au Théâtre de Belleville.	Opé Opé T' (I
1889	Exposition universelle : la tour Eiffel. Fin du boulangisme.	T. L. : « Le Cœur révélateur » (E. Poe), déjà le « Grand-Guignol ».			
1890	Rentrée en France du général Boulanger. Épidémie d'influenza.	T. L. : « Les Revenants » (Ibsen), « La Fille Elisa » (Goncourt).	Français : débuts de M. Moreno dans « Ruy Blas ».	Le mime Séverin crée « Pauvre Pierrot ».	Opé C Opé
1891	Mort du général Boulanger.	T. L. : « Le Canard sauvage » (Ibsen), « Lidoire » (Courteline), « Le Père Goriot ».	Français : « Thermidor » (Sardou), *tumulte politique*. Odéon : rentrée de Lucien Guitry dans « Amoureuse » (Porto-Riche), avec Réjane, *grand succès*. Débuts de Max dans « Britannicus ».	PAUL FORT fonde le THÉÂTRE D'ART *en réaction contre le naturalisme du Théâtre Libre*.	Opé A ta Opé « p
1892	Affaire de Panama. Arrestation de Ravachol. Attentats d'anarchistes.	T. L. : « L'Envers d'une sainte » et « Les Fossiles » (F. de Curel). Gémier entre au Théâtre Libre.	Grand-Théâtre : « Lysistrata » (M. Donnay), av. L. Guitry et Réjane. Nouveautés : « Champignol malgré lui » (Feydeau), *succès*.	Lugné-Poe aux Escholiers : « La Dame de la mer » (Ibsen).	Opé Opé so
1893	Bombe de Vaillant. Procès de Panama. Alliance franco-russe. Marey : premier projecteur cinéma.	T. L. : « Mademoiselle Julie » (Strindberg), « Boubouroche » (Courteline), *succès* « Les Tisserands » (G. Hauptmann).	Sarah Bernhardt dirige la Renaissance. Vaudeville : « Madame Sans-Gêne » (Sardou), avec Réjane.	Le Théâtre d'Art devient L'ŒUVRE, fondé par LUGNÉ-POE : « Pelléas et Mélisande » (Maeterlinck). « Rosmersholm », « Un Ennemi du peuple », « Ames solitaires » (Hauptmann).	Opé b Opé n

TABLEAU SYNOPTIQUE

ACTUALITÉ

THÉATRES

OPÉRA

BALLET

VARIÉTÉS

LITTÉRATURE

ARTS

années

1880 à 1914

TABLE DES RÉFÉRENCES

I

TEXTES

Citations et ouvrages consultés

Page 8 : « Un art nouveau pour un monde nouveau... ». *Le Théâtre du Peuple*, Romain Rolland. Revue d'art dramatique ; Cahiers de la Quinzaine ; puis Albin Michel.

P. 9 : *Réflexions de l'auteur sur le mélodrame*, Guilbert de Pixérécourt.

P. 9 : voir *Musset*, Henri Lefèvre. L'Arche.

P. 10 : « Le goût en France... ». *Le Globe*. 1825. Cit. par Guy Michaud et Ph. Van Tieghem. *Le Romantisme*. Hachette.

P. 10 : « Capitan Matamore ». R. Rolland, op. cit.

P. 11 : voir *Introduction à une sociologie du mélodrame*. Henri Lefèvre. Revue *Théâtre Populaire*, N° 16.

P. 12 : *Traité de scénographie*. P. Sonrel. O. Lieutier.

P. 12 : « Les mélodrames effarants... ». *Les anciens théâtres de Paris*. Georges Cain.

P. 13 : voir *Le théâtre populaire et le mélodrame*. G. Jubin. Revue d'Art Dramatique. Nov. 1897.

P. 14 : P. Sonrel, op. cit.

P. 14 : « Les éternels paysages... ». *L'Artiste*, 1835, cit. dans *Décors et décorateurs*. Arthur Pongin. Revue d'Art Dramatique, 1894.

P. 15 : « Toute richesse... ». *Les hommes d'argent d'après quelques pièces contemporaines*. Maurice Pellisson. Revue d'Art Dramatique, 1886.

P. 16 : « La maladie du style écrit... ». *Les styles au théâtre*. Ibid.

P. 16 : Alphonse Karr. Cité dans *La mise en scène en France dans la première moitié du XIXe siècle*. Akakia Viala. E. Droz, 1938.

P. 16 : sur Balzac, etc. Ibid.

P. 17 : « Après sept ans de deuil... ». *Paris de 1870 à 1900*. Dir. Charles Simond. Plon-Nourrit.

P. 17 : « Livrons-nous à l'espérance... ». Ibid.

P. 18 : critique « écœurée ». Revue d'Art Dramatique. 1878.

P. 19 : sur *L'Assommoir :* voir revue « Le Théâtre », décembre 1900 (1).

P. 19 : sur *Les Corbeaux :* voir Revue d'Art Dramatique, 1882.

P. 19 : sur *Rabaggas, Daniel Rochat, Thermidor*, voir *Paris de 1870 à 1900*. op. cit. et *Le Théâtre*, Antoine. Tome I. Ed. de France, 1932.

P. 19 : sur *L'Assommoir*, voir revue « Le Théâtre ». Novembre 1900.

P. 19 : sur *Les Corbeaux*, voir Revue d'Art Dramatique. 1882. et *Le Théâtre*, Antoine, op. cit.

P. 19 : « l'art et le patriotisme... ». *Paris de 1870 à 1900*, op. cit.

P. 20 : sur la chanson patriotique, voir *Petite histoire du café-concert*, Romi. Ed. Jean Chitry.

P. 20 : sur A. Bruant, voir *Aristide Bruant*. Alexandre Zevaès.

P. 21 : sur l'opérette : voir *Cinquante Ans de musique française*. Dir. Rohozinski. Tome I. Librairie de France.

P. 23 : 1892. Ch. Simond, op. cit.

P. 23 : « dont les accents nouveaux firent sensation... ». *Théâtre de Maurice Boissard*. Paul Léautaud. Gallimard.

P. 32 : « Tirez les premiers... ». *Paris de 1870 à 1900*, op. cit.

P. 23 : « Les rues restent désertes... ». Ibid.

P. 24 : Ibid.

P. 24 : « C'est à peine si... ». Ibid.

P. 25 : *Vie de l'art théâtral*. Gaston Baty et René Chavance.

P. 25 : « On nous demande... ». Revue « Le Théâtre », 1903.

P. 26 : *Le Naturalisme au Théâtre*. E. Zola, 1881.

P. 26 : voir *Zola, semeur d'orages*. Jean Fréville. Ed. Sociales.

P. 26 : voir *Ed. et Jules de Goncourt, le Roman et le Théâtre*. Foucaud. Revue d'Art Dramatique, 1887.

P. 27 : cit. Lukacs. *Brève Histoire de la littérature allemande*. Nagel.

P. 27 : « L'Opposition latente... ». Revue « Le Théâtre », 1903.

P. 27 : « Pure Fiction ornementale ». Pierre Quillard. Revue d'Art dramatique, 1891.

P. 28 : Revue du *Théâtre d'Art*, 1891-1892.

P. 30 : cit. Antoine. Comœdia, 1925 (interview de L. Lacour).

P. 32 : « Vérité neuve ». Revue « Le Théâtre », 1903.

P. 32 : « Tirez les premiers... ». Cahiers de l'Œuvre, 1911.

P. 32 : voir *Le Théâtre Libre*. Adolphe Thalasso. Merc. de Fr.

P. 33 : « Masque, vêtement... ». *Paris*. Henri de La Pommeraye, 1887.

P. 33 : « Tout ce qui ne peut... ». *André Antoine*. Mateï Roussou. L'Arche.

P. 33 : « Tranche de vie ». *Le Théâtre vivant*, Jean Jullien, 1892-1896.

P. 34 : *Samedi-Revue*. Jacques de Biez, février 1888.

P. 34 : « Nous sommes encore... ». *Le Théâtre Libre*. Manifeste de mai 1890.

P. 36 : E. M. de Vogüé. La Revue des Deux-Mondes, 15 mars 1888.

P. 36 : « Qui ne fut pas seulement vrai... » *Ma vie dans l'Art*. Stanislavski. O. Lieutier.

P. 37 : « Réalisme outrancier ». Comœdia, 1925.

P. 37 : « J'eus bientôt... »

P. 37 : Cit. Dullin.

P. 40 : « Un coup de tonnerre... ». *Ibsen*. Lugné-Poe. Rieder.

P. 40 : Enquête du *Figaro*, 1891.

P. 46 : « Nouvelle génération de fabricants... ». *Destin du théâtre*, Jean-Richard Bloch. Gallimard.

P. 46 : cit. J. Copeau. *Critiques d'un autre temps*. Gallimard.

P. 48 : « Quelle époque... ». *Ibsen*. Lugné-Poe. Rieder.

P. 48 : voir « L'Art et la Vie sociale ». Plékhanov. Editions Sociales.

P. 49 : « Ma tête en désarroi... ». Lugné-Poe. op. cit.

P. 50 : « Fatigué des fadeurs... ». *Lugné-Poe*, Jacques Robichez. L'Arche.

P. 53 : « Aussi bien sans Jed Pedersen... » *Lugné-Poe*, op. cit.

P. 56 : « Signes susceptibles... ». Cité par J. Robichez, op. cit.

P. 58 : « Manie du décor ». Jean Variot. Revue de l'Œuvre, 1912.

P. 58 : « La rénovation n'est pas venue... ». Les Cahiers de L'Œuvre, 1923.

P. 58 : cit. Léon Moussinac. *La Décoration théâtrale*, 1922.

P. 60 : « Heureusement... ». *Ma Vie dans l'Art*. Stanislavski. Op. cit.

P. 63 : Ibid.

P. 64 : « Revivre... Représentation... ». *Le Travail de l'acteur sur lui-même*. Stanislavski. Œuvres, 1854.

P. 64 : « Bien sûr, nous sommes revenus... ». Stanislavski, lettre à Lubovgourévitch.

P. 64 : « Grammaire d'art dramatique... ». *Le Travail de l'acteur sur lui-même*, op. cit.

P. 66 : « Jouer de ce clavier... ». *Retour à la musique*. Journal de Genève, 1906.

P. 66 : « S'il est donné... ». *Adolphe Appia et l'Art de la Scène*. Jacques Copeau. Cahiers X de la Compagnie Madeleine Renaud-Jean-Louis Barrault.

P. 66 : « Espace libre... ». Préface à l'édition anglaise de *Die Musik und die Inscenierung*, inédite. A. Appia, 1918.

P. 67 : « Simplicité grandiose... ». *L'Art théâtral moderne*. Jacques Rouché, 1924.

P. 67 : « Le Signe à la chose... ». *De l'Art du Théâtre*, Gordon Craig. O. Lieutier. Libr. Théâtr.

P. 68 : « L'acteur disparaîtra... ». Ibid.

P. 68 : « Est né du geste... ». Ibid.

P. 68 : « Hormis le nom dramatique... ». *The Mask*. Gordon Craig.

P. 69 : « Catéchisme... ». *Réflexions sur le Théâtre*. Jean-Louis Barrault. Vautrin, Paris, 1949.

P. 70 : « La Scène représente la forme d'art la plus puissante ». « De l'art du théâtre ». Max Reinhardt, cit. dans *Max Reinhardt and his theater*. O. M. Sayler. New-York, 1924.

P. 70 : « Le Salut (du théâtre) ne peut venir que du théâtre ». *Discours sur l'acteur*. Max Reinhardt, cit. dans *Max Reinhardt, bildniss eines theatermannes*. Heinz Herald. Hambourg, 1953.

P. 72 : « Il s'agit pour nous... » cit. dans *Die Revolution das theater*, Georges Fuchs, Munich, 1909.

P. 72 : « Conserver au théâtre son caractère de jeu ». *La Réforme scénique au Théâtre des Artistes de Munich*. Fritz Erler. Mercure de France, 1er février 1910.

P. 74 : sur les « scies populaires » et le Café-Concert, voir *Petite Histoire du Café-Concert, op. cit.*

P. 74 : sur le Chat Noir, voir *Autres temps, autres chants*. Yvette Guilbert. Robert Laffont.

P. 76 : « les effets que la Sarah... », critique dramatique de Jean Jullien dans « L'Image ». Juin 1897.

P. 76 : « ait fortement contribué... ». Ibid. même article.

P. 76 : « C'était un délire... ». Jean Cocteau. Paris-Presse. 1956.

P. 78 : sur l'Opéra, l'Opéra-Comique et l'opérette, voir *Cinquante Ans de musique française*. Dir. L. Rohozinski. (L. Laloy, H. Malherbe, J. Brendejent, Offenbach, E. Vuillermoz). Ed. Musicales de la Librairie de France. 1925.

P. 79 : « l'amour désespéré d'une mère... ». *Le théâtre français contemporain*. Edmond Sée. Armand Colin.

P. 82 : *La Chanson de ma vie*. Yvette Guilbert. Grasset.

P. 83 : Ibid.

P. 84 : Dussane. Préface de *Autres temps, autres chants*. Yvette Guilbert. Robert Laffont.

P. 84 : Ed. de Goncourt, cit. dans *La Chanson de ma vie, op. cit.*

P. 85 : *Mes Apprentissages*. Colette.

P. 85 : Willy, cit. extr. Programme du *Petit Jeune Homme* au Théâtre des Célestins de Lyon.

P. 86 : *Souvenirs*. Antoine.

P. 89 : Debussy, cit. dans *Claude Debussy*. Wallace.

P. 90 : *Souvenirs de théâtre*. Albert Carré. Plon.

P. 91 : Ibid.

P. 99 : « superbe physique... ». *Au bout de la lorgnette*. Paul Mahalin, Paris, 1883.

P. 99 : « Elle s'ébroue et s'élance... » art. de François Coppée, « La danse à l'Opéra ». *Figaro illustré*, février 1895.

P. 100 : cit. Mallarmé : *Divagations*. Fasquelle, 1897.

P. 101 : Jean Lorrain, cit. *La Danse*, Charbonel, 1916.

P. 102 : cit. Gustave Charpentier : Mercure de France. Déc. 1906.

P. 102 : cit. Vincent d'Indy : Lettre du 30 mars 1908.

P. 102 : cit. Saint-Saëns : Lettre du 19 mars 1910.

P. 126 : cit. Louis Verneuil. *Rideau à neuf heures*, souvenirs de théâtre de Louis Verneuil. Editions des Deux-Rives.

P. 126 : « j'ai vu souvent M. Gémier... ». *Théâtre de Maurice Boissard*. Paul Léautaud. Gallimard.

P. 127 : « Antoine voulait un art dramatique... ». Article de Jacques Copeau. Revue « Le Théâtre ». Année 1909.

P. 127 : sur Gémier et Balzac, voir *Firmin Gémier*. Paul Blanchard. L'Arche.

P. 128 : J.-J. Rousseau, Diderot, Michelet, cit. dans *Le Théâtre du peuple*. Romain Rolland, op. cit.

P. 128 : « un théâtre par et pour le peuple... ». Ibid.

P. 129 : « on ne peut compter pour quelque chose... », « rallumer l'héroïsme ». Ibid.

P. 129 : « ces pièces nationales... », cit. dans *Firmin Gémier, op. cit.*

P. 130 : sur le Théâtre national ambulant : voir ibid.

P. 130 : « ce n'est qu'un accessoire... ». *Gémier. Le théâtre*. Entretiens réunis par Paul Gsell, Grasset, 1925.

P. 130 : « cette barrière de feu ». Ibid.

P. 137 : Florent Fels. *L'Art vivant*. Pierre Cailler. Genève.

P. 137 : cit. Jacques Copeau. Revue « Le Théâtre ».

P. 137 : *Le Théâtre des années folles*, Pierre Brisson, Ed. du Milieu du Monde.

P. 138 : Ibid.

P. 138 : « Au cours du grand round... ». Pierre Brisson, op. cit.

P. 138 : « Jamais les décors du Ballet Russe... ». *Portraits-souvenirs*. Jean Cocteau. Grasset.

P. 141 : sur *Chantecler*, voir revue « Le Théâtre », février 1910. (2).

P. 141 : « réagir contre toutes les lâchetés... », extr. de l'affiche de lancement du Vieux-Colombier, 1913.

P. 142 : Léon Blum. cit. par Robert de Montesquiou. Revue « Le Théâtre », mars 1910 (1).

P. 142 : sur les décorateurs de *Chantecler* : Ibid.

P. 142 : pour *Le Vieil Homme* (Porto-Riche), voir *Le Théâtre français contemporain*. Edmond Sée. Armand-Collin.

P. 142 : « M. Sacha Guitry peint la vie... ». Paul Léautaud. *Théâtre de Maurice Boissard*. Gallimard.

P. 143 : *Un demi-siècle de gloires théâtrales*, Michel Georges-Michel, André Bonne.

P. 143 : « M. Sacha Guitry peint la vie... ». *Théâtre de Maurice Boissard*. Paul Léautaud. Gallimard.

P. 143 : « tout le beau chiqué... ». *Un demi-siècle de gloires théâtrales, op. cit.*

P. 144 : sur *Le Martyre de saint Sébastien* et Ida Rubinstein, cit. d'Annunzio et Robert de Montesquiou. Revue « Le Théâtre », juin 1911 (1).

P. 144 : « Ma Pisanelle et Mme Rubinstein... ». G. d'Annunzio, cit. par Michel Georges-Michel, op. cit.

P. 144 : D'Annunzio, cit. dans la revue « Le Théâtre », juin 1911 (1).

P. 144 : « Lyrisme scientiste farci de locutions médiévales... ». Pierre Brisson. op. cit.

P. 144 : sur le cinéma avant la guerre de 1914, voir *Histoire encyclopédique du cinéma*, 1895-1929, par René Jeanne et Charles Ford. Ed. Robert Laffont.

P. 145 : G. Pitoëff. *Notre Théâtre*. Messages. Lieutier.

P. 145 : voir *Propos de Peintres sur le décor et le costume*. Enquête de Jean Fréteval. Revue « Formes et couleurs », 1944.

P. 145 : « L'art scénique... ». Georges Pitoëff, op. cit.

P. 146 : sur les décors de Bonnard, etc., voir *Les Décorateurs de Théâtre*. Raymond Cogniat, 1955. Ed. Librairie Théâtrale.

P. 146 : « Poésie couleurs d'aquarium ». *Le Ballet*. Boris Kochno. Hachette.

P. 146 : sur l'exotisme, voir *Les Ballets Russes*. Jean Laude. Art et Critique, 1955.

P. 147 : voir *Serge de Diaghilev*. Serge Lifar. Plon, édit.

P. 147 : cit. Dufy, Derain, cité dans *Les Fauves*, G. Duthuit.

P. 147 : « Eschyle et Shakespeare... ». J. Copeau, cit. dans *Traité de chorégraphie*. Serge Lifar. Bordas.

P. 149 : « Le Constructivisme... ». *Les Ballets Russes : S. de Diaghilev et la Décoration Théâtrale*. N. Gontcharova, M. Larionov, P. Vorms. Ed. Vorms.

P. 150 : cit. Fuchs. Die revolution des theaters. Georg Fuchs. Munich et Leipzig, 1909.

P. 152 : cit. André Boll. *La Mise en scène contemporaine. Son évolution*. Ed. de la Nouv. Revue Critique.

P. 152 : « Que de péchés d'acteurs... ». cité dans *Traité de Chorégraphie*. S. Lifar. Bordas.

P. 152 : sur Copeau, voir *Jacques Copeau ou l'absolu dans l'Art*. Marcel Doisy. Le Cercle du Livre.

P. 152 : G. Pitoëff. *Notre Théâtre*.

P. 152 : Louis Jouvet, cit. dans *Traité de chorégraphie, op. cit.*

P. 156 : cit. Valdo-Barbey. Extr. d'un article paru dans la revue « Art et Décoration ». Mai 1921.

P. 157 : « Je suis avant tout un grand charlatan... », cit. dans *Serge de Diaghilev, op. cit.*

P. 159 : cit. Anna de Noailles. Extr. d'un article reprod. dans *L'Art du Ballet*. Ed. du Tambourinaire, 1952.

P. 159 : Henri Ghéon, cit. dans *Histoire du Ballet Russe*. Serge Lifar.

P. 160 : « la liberté absolue de tout le corps... ». *Nijinsky*. Romola Nijinsky. Payot.

P. 164 : « A des bleus de saphir... ». Extr. d'un article de J.-L. Vaudoyer sur « Léon Bakst ». « Art et Décoration ». Février 1911.

P. 164 : cit. Jacques Rouché. *L'Art théâtral moderne*, op. cit.

P. 165 : cit. Jacques Rivière. « Nouvelle Revue Française ».

P. 167 : cit. Brussels. Art. paru dans « Le Figaro ».

P. 167 : André Levinson. Cit. dans *Histoire du Ballet Russe*. Serge Lifar. Ed. Nagel. Voir aussi : André Levinson. *La Danse d'aujourd'hui*. Ed. Duchartre, Paris, 1929 ; et *Les Visages de la danse*. Grasset, 1933.

P. 168 : « L'art, selon Nijinsky... » *Nijinsky*, op. cit.

P. 168 : cit. Levinson. Voir op. cit.

P. 172 : cit. Svetlov. Voir *Le Ballet contemporain*. Paris, 1912. Ed. de Brunhoff.

P. 175 : Notes posthumes de M. Dethomas. Claude Roger-Marx. *Les Annales*.

P. 176 : cit. Madeleine Horn-Monval. *La Révolution théâtrale de 1910-1913*. Revue « Intermède » (n° 1).

P. 178 : cit. Léon Moussinac. Op. cit.

P. 178 : « Jamais l'idée du décor... ». *L'Œuvre décorative du peintre Maxime Dethomas*. Robert Lestrange. Revue de L'Art Décoratif, 1912.

P. 180 : « Russie imaginaire... ». *Maxime Dethomas, décorateur de Théâtre*, G. Mouveau. Ibid, 1924.

P. 180 : *L'Œuvre décorative du peintre Drésa*. Robert Lestrange. Ibid, 1912.

P. 182 : *La Mise en scène du Vieux-Colombier*. Ch. Vildrac. Ibid, 1924.

P. 186 : « Ce garçon de souche bourgeoise... ». Notice de *La Jalousie du Barbouillé*. Tome I des Œuvres complètes de Molière. La Cité des Livres. Paris, 1930.

P. 186 : « On ne peut pas faire tout le temps du grand art... ». Jules Lemaître. *Impressions de théâtre*. Lecène, Oudin et Cie, édit., Paris.

P. 187 : Ibid.

P. 190 : « Nous voulions apporter dans notre travail... ». Conférence de Jacques Copeau prononcée en 1920 au Palais du Conservatoire de Lyon, pub. par M. H. Dasté dans *Forces vives*, N° sur le théâtre, 4e trim. 1953.

P. 191 : « Nous y prenions ce goût de la farce nue... ». Jacques Copeau. *Souvenirs du Vieux-Colombier*, Nouvelles Editions Latines.

P. 191 : « Vivement éclairés par la rampe... ». Ibid.

P. 191 : « Grand cadavre bègue... », cit. par Copeau. Ibid.

P. 192 : « Peut-être n'a-t-il jamais mis dans le comique... ». Ibid.

II

REPRODUCTIONS

Photographie de couverture : Mounet-Sully dans le rôle d'Oreste d'*Andromaque*, de Racine.

Pages de garde : Daumier : « Le Chant final. »

Lettrine de la préface : Dessin d'après de Daumier.

Pages intercalaires :

LES PIONNIERS : Edward Gordon Craig par lui-même. 1919.
PARIS SUR SCENE EN 1900 : fragment d'une affiche-programme de W. Nicholson pour des représentations de Sarah Bernhardt au Grand Théâtre de Genève. 1897.
DE LA FEERIE AU TRETEAU NU : faune du ballet *Narcisse* (Ballets de Diaghilev, 1911). Dessin de Léon Bakst.

Autres pages de titres :

P. 31 (Chap. « Antoine ») : Antoine dans le rôle du Père Fouan de la *La Terre*, de Zola. Théâtre Antoine, 1902.

P. 46 (Chap. « Lugné-Poe ») : dessin de Maurice Denis pour le programme de *La Dame de la mer*, d'Ibsen. Œuvre, 1892.

P. 59 (Chap. « Stanislavski »). Stanislavski dans le rôle de « Astrov » de *Oncle Vania*, de Tchékhov. Théâtre Artistique de Moscou, 1899.

P. 123 (Chap. « Gémier ») : maquettes des trains du Théâtre national ambulant, reproduites dans « L'Illustration » (1911).

P. 153 (Chap. « Diaghilev ») : maquette de décor de Nathalie Gontcharova pour la scène II de *L'Oiseau de feu* (reprise de 1926) : grille descendant pour cacher le jardin du Palais de Kostchei.

P. 156 : Nijinsky, dessin de J. Cocteau.

P. 173 (Chap. « Rouché ») : dessin de Maxime Dethomas pour un programme du Théâtre des Arts (saison 1910-1911).

P. 185 (Chap. « Copeau ») : Le tréteau des *Fourberies de Scapin* (Vieux-Colombier, 1921). Dessin de A.-E. Marty. En bas : l'emblème du Vieux - Colombier, reproduction d'un détail du pavement de San Miniato.

P. 29 : pastel de Jean Variot et

dessin d'Alfred Jarry : reprod. dans la Revue de l'Œuvre.

P. 43 : Suzanne Després dans *Poil de carotte*, dessin de L. Muller, reprod. dans la Revue de l'Œuvre.

P. 51 : programme d'Alfred Jarry : reprod. en coul. dans la Revue de l'Œuvre.

P. 51 : fragment autographe Jarry : extr. de la Revue de l'Œuvre, 1911.

P. 56 : décor Jean Variot pour *L'Annonce*, Revue de l'Œuvre.

P. 57 : Ibid.

P. 57 : fragment autographe Claudel : extr. de « Réflexions sur la manière de jouer mes drames », Revue de l'Œuvre.

P. 83 : Jane Avril au Jardin de Paris (1893). Affiche de Toulouse-Lautrec.

P. 83 : Jane Avril sortant du Moulin-Rouge : peinture de Toulouse - Lautrec. W a d s w o r t h Atheneum.

P. 85 : Polaire, par Cappiello. Reprod. dans « Le Rire » (1900).

P. 92 : panneau de Vuillard : théâtre des Champs-Elysées, Paris.

P. 96 et 97 : reprod. d'une double page de « Musica », janvier 1908.

P. 100 : Rosita Mauri dans *la Korrigane*, tableau de Bertier. Opéra.

P. 105 : dessin de Cappiello reprod. dans « Le Rire » (1899).

P. 146 : décor de Schéhérazade, par Bakst : Musée des Arts Décoratifs.

P. 150 : d é c o r i t a l i e n d u XVIIIᵉ siècle, « Salle Royale », par Giovanni Maria Galli Bibiena. Gall. degli Uffizi, Florence.

P. 164 : reprod. de « Commœdia illustré » (programme des Ballets Russes), 1912.

P. 165 : Ibid.

P. 167 : Ibid.

P. 175 : maquettes de Maxime Dethomas : Musée des Arts Décoratifs.

P. 176 et 177 : Ibid.

P. 182 : maquettes de René Piot, Musée des Arts Décoratifs.

P. 187 : fondateurs et amis du Vieux-Colombier, dessins de Fauconnet.

INDEX ALPHABÉTIQUE
DES NOMS CITÉS

TABLE DES MATIÈRES

*Le prologue « Du Drame romantique au Théâtre bourgeois », ainsi que les essais de synthèse : « Naturalisme
et Symbolisme », « Les peintres et l'art du décor », sont de Frédéric Towarnicki.
Les trois « Chroniques illustrées » ont été rédigées par Gilles Quéant.*

CE LIVRE A ÉTÉ RÉALISÉ AVEC LE CONCOURS DE LA SOCIÉTÉ D'HISTOIRE DU THÉATRE ET DE L'INSTITUT CHORÉGRAPHIQUE.

L A plupart des documents en noir et en couleurs qui composent ce volume ont été photographiés d'après des originaux et des reproductions par INA BANDY, JEAN SADOUL, MAX OTTONI et THE MANOR STUDIO, ou proviennent de la collection de M. SIROT. Plusieurs nous ont été obligeamment prêtés par M. MAXIME-LÉRY, à qui nous adressons ici nos plus sincères remerciements.

Parmi les personnes et les bibliothèques publiques qui nous ont assuré leur généreux appui et ont grandement facilité nos recherches, nous remercions particulièrement : M. et Mme PIERRE DEMAGNY et Mlle RIPERT, de la LIBRAIRIE BONAPARTE, Mlle MONVAL et la BIBLIOTHÈQUE DE L'ARSENAL, M. ANDRÉ BOLL, Mme NATHALIE GONTCHAROVA et M. MICHEL LARIONOV, Mlle DUCOIN et la BIBLIOTHÈQUE DES RÉGISSEURS DE THÉATRE, M. RICHARD BUCKLE, qui nous a permis de photographier à Londres les documents réunis à l'Exposition Diaghilev (1955), Mme CAROL-BÉRARD, Mme MORILLON et la BIBLIOTHÈQUE DE L'OPÉRA, M. PAUL FORT, M. RATOUIS DE LIMAY, conservateur à la BIBLIOTHÈQUE DU MUSÉE DES ARTS DÉCORATIFS, Mme MARIE-HÉLÈNE DASTÉ, M. LUCIEN AGUETTAND, la SOCIÉTÉ DES AUTEURS ET COMPOSITEURS DRAMATIQUES, M. PAUL CAPELLANI.

Le texte de Paul Fort : « Autour du Théâtre d'Art », ainsi que les autres témoignages ont été spécialement écrits pour *L'Encyclopédie du Théâtre contemporain* au cours de l'année 1956.

Les documents photographiques — certains fort rares — qui composent ce premier volume étaient parfois des épreuves très anciennes ou des copies altérées par le temps. Ceci explique qu'ils n'aient pas toujours pu être reproduits avec une parfaite netteté.

ACHEVÉ D'IMPRIMER
SUR LES PRESSES DE L'IMPRIMERIE
ILLUSTRATION BOBIGNY
LE JOUR DE PAQUES 1957
POUR "LES PUBLICATIONS DE FRANCE"
A PARIS

Dépôt légal n° 629